Layla

Obras da autora publicadas pela Editora Record:

***Série* Slammed**
Métrica
Pausa
Essa garota

***Série* Hopeless**
Um caso perdido
Sem esperança
Em busca de Cinderela

***Série* Nunca, jamais**
Nunca, jamais
Nunca, jamais: parte 2
Nunca, jamais: parte 3

***Série* Talvez**
Talvez um dia
Talvez agora

***Série* É Assim que Acaba**
É assim que acaba
É assim que começa

O lado feio do amor
Novembro, 9
Confesse
Tarde demais
As mil partes do meu coração
Todas as suas (im)perfeições
Verity
Se não fosse você
Layla
Até o verão terminar
Uma segunda chance

Layla

COLLEEN HOOVER

Tradução de
Priscila Catão

11ª edição

Galera
RIO DE JANEIRO

2026

CIP-BRASIL. CATALOGAÇÃO NA PUBLICAÇÃO
SINDICATO NACIONAL DOS EDITORES DE LIVROS, RJ

Hoover, Colleen
H759L Layla / Colleen Hoover; tradução Priscila Catão. – 11ª ed. –
11ª ed. Rio de Janeiro: Galera Record, 2026.

Tradução de: Layla
ISBN 978-65-5587-203-3

1. Romance americano. I. Catão, Priscila. II. Título.

CDD: 813
20-68264 CDU: 82-31(73)

Leandra Felix da Cruz Candido – Bibliotecária – CRB-7/6135

Título original norte-americano:
Layla

Texto revisado segundo o novo Acordo Ortográfico da Língua Portuguesa.

Direitos exclusivos de publicação em língua portuguesa somente para o Brasil
adquiridos pela
EDITORA RECORD LTDA.
Rua Argentina, 171 – Rio de Janeiro, RJ – 20921-380 – Tel.: (21) 2585-2000,
que se reserva a propriedade literária desta tradução.

Impresso no Brasil

ISBN 978-65-5587-203-3

Para Beckham. Quando eu morrer, você vai ser o primeiro que vou assombrar. É muito divertido te assustar.

O sobrenatural é o natural que ainda não compreendemos.

— Elbert Hubbard

A entrevista

Antes de descer, cobri a boca de Layla com duas camadas de fita adesiva, mas ainda consigo escutar seus gritos abafados enquanto o detetive se senta à mesa.

Ele tem um daqueles gravadores antigos que se costuma ver em filmes dos anos 1980. O aparelho possui cerca de 25 centímetros de comprimento e 15 de largura, com um grande círculo vermelho no botão esquerdo. Ele o pressiona junto com o botão de play e desliza o gravador para o centro da mesa. Os carretéis da fita cassete começam a girar.

— Diga seu nome, por favor — diz ele.

Limpo a garganta.

— Leeds Gabriel.

O compartimento de pilhas está colado com fita adesiva velha nos lados do aparelho. Acho meio engraçado. Quer dizer que essa máquina extremamente ultrapassada vai gravar todas as palavras que estou prestes a dizer, e isso vai adiantar de alguma coisa?

Neste momento, estou a ponto de desistir. Não há luz no fim do túnel. Não sei nem sequer *se* o túnel tem um fim.

Como vou escapar desta quando as coisas saíram tanto do controle? Estou conversando com um detetive que conheci pela internet enquanto minha namorada está lá em cima, surtando.

Como se ela soubesse que pensei nela, o barulho aumenta outra vez. No andar de cima, a cabeceira de madeira atinge a parede, criando um eco sinistro na mansão vazia.

— Então, por onde quer começar? — pergunta o homem. Parece que ele vai conseguir trabalhar mesmo com o barulho, já eu, não sei se sou capaz. Não é tão fácil ignorar o fato de Layla estar sofrendo por causa das minhas ações. Cada som que vem lá de cima faz com que eu me contraia. — Que tal começar me contando como vocês se conheceram? — sugere ele.

Não gosto de perguntas que sei que não vão levar a lugar nenhum, mas, a esta altura, é melhor ouvir minha própria voz do que os gritos abafados de Layla.

— A gente se conheceu aqui, no verão passado. Este lugar era uma pousada. Eu era o baixista da banda que tocou no casamento da irmã dela.

O homem não responde. Ele se recosta na cadeira e me encara em silêncio. Não sei mais o que dizer. É para eu entrar em detalhes?

— O que isso tem a ver com o que está acontecendo nesta casa?

Ele balança a cabeça enquanto se inclina para a frente, cruzando os braços sobre a mesa.

— Talvez não tenha nada a ver mesmo. Mas é por isso que estou aqui, Leeds. Qualquer coisa pode ser uma pista. Preciso que você se lembre do primeiro dia em que esteve neste lugar. O que Layla estava vestindo? Por que vocês dois estavam aqui? Qual foi a primeira coisa que ela disse para você? Algum de vocês percebeu algo de estranho na casa naquela noite? Quanto mais informações você conseguir me dar, melhor. Nenhum detalhe é insignificante.

Apoio os cotovelos na mesa e cubro os ouvidos com as mãos para abafar os barulhos que Layla está fazendo no andar superior.

Não aguento ouvi-la e saber que está tão chateada. Eu a amo demais, mas não sei se consigo revisitar o passado e explicar *por que* a amo tanto enquanto a faço passar por isso.

Tento não pensar em como tudo era perfeito no começo, pois isso só reforça o fato de que é mais do que provável que eu seja o culpado pela maneira como tudo acabou.

Fecho os olhos e penso na noite em que a conheci. Quando a vida era mais fácil. Quando a ignorância era mesmo uma bênção.

— Ela era uma péssima dançarina. Foi a primeira coisa que notei nela...

1

Ela é uma péssima dançarina.

É a primeira coisa que noto nela enquanto estou no palco, tocando para uma plateia que se dispersa. Seus braços são longos e ela parece não ter ideia de como controlá-los. Está descalça, movendo-se pela grama, batendo os pés de propósito, sem um pingo da delicadeza que a música exige. Balança a cabeça descontroladamente, e seus cachos pretos indomáveis vão para a frente e para trás como se ela estivesse dançando uma música de *heavy metal.*

O engraçado é que minha banda toca *country* moderno. Um *country* moderno *sem graça.* Todas as músicas são insuportáveis de ouvir e ainda mais dolorosas de tocar.

É a banda de Garrett.

Literalmente. O nome é *A Banda de Garrett.* Esse foi o melhor nome em que Garrett conseguiu pensar.

Sou o quarto integrante não oficial — o último que se juntou à banda. Toco baixo. Não o contrabaixo que as pessoas respeitam. Baixo elétrico, o instrumento subestimado e invisível que costuma ficar com o membro invisível da banda — aquele que praticamente desaparece no fundo das músicas. Mas não me incomodo em desaparecer no fundo. Talvez seja esse o motivo pelo qual eu prefira o baixo elétrico a qualquer outro instrumento.

Depois de estudar música na Belmont, meu objetivo era ser cantor e compositor, mas não quero ajudar Garrett a escrever essas músicas. Ele não quer ajuda. Não temos a mesma estima pela música, então componho canções para mim mesmo e as guardo para quando eu for confiante o suficiente para lançar um álbum solo.

A banda tem ficado mais famosa nos últimos anos, e, embora haja mais demanda, o que faz nosso preço subir, meu salário como baixista não aumentou. Já pensei em conversar sobre isso com o restante do pessoal, mas não sei se vale a pena, e eles precisam do dinheiro mais do que eu. Sem falar que, se eu tocar no assunto, pode ser que eles sugiram que eu vire um membro oficial e, para ser sincero, odeio tanto as músicas que tenho até vergonha de estar no palco.

Cada show corrói minha alma. Um pedaço aqui, outro ali. Se eu continuar fazendo isso por muito mais tempo, tenho medo de que só reste meu corpo.

Honestamente, não sei o que me prende. Minha intenção nunca foi entrar para a banda de modo permanente, mas sei lá por que não consigo criar coragem para me aventurar sozinho. Meu pai faleceu quando eu tinha dezoito anos, desde então dinheiro nunca foi um problema. Ele deixou uma apólice de seguro de vida considerável para mim e para minha mãe, além de uma empresa de instalação de internet que se autoadministra e com funcionários que preferem que eu não me intrometa nem interfira nas práticas que têm dado certo há anos. Assim, minha mãe e eu nos mantemos a distância e vivemos da renda.

Sem dúvida, sou grato, mas não é algo de que me orgulhe. Se as pessoas soubessem que não preciso fazer quase nada para me sustentar, não seria respeitado. Talvez seja por isso que continuo na banda. Muitas viagens, muitas madrugadas, muito trabalho duro. Quando me torturo assim, sinto que mereço pelo menos uma parte do que está na minha conta bancária.

Estou no lugar designado para mim no palco, observando a garota enquanto toco e me perguntando se ela está bêbada ou chapada, ou se há alguma chance de estar dançando daquele jeito só para zombar do quanto a banda é ruim. Não sei por que ela está se debatendo como um peixe fora da água, mas ainda bem que está. É a coisa mais divertida que aconteceu durante um show em um bom tempo. Em algum momento, até me pego sorrindo — e só Deus sabe há quanto tempo isso não acontecia. E pensar que eu estava apreensivo em vir para cá.

Talvez seja o clima geral — a privacidade do lugar misturada ao momento pós-casamento. Talvez seja o fato de ninguém estar prestando atenção na gente e de noventa por cento dos convidados já terem ido embora. Talvez seja a grama no cabelo da garota e seu vestido todo coberto de manchas verdes, provocadas pelos três tombos que ela levou no gramado durante a música. Ou talvez seja a seca de seis meses que me obriguei a aguentar depois que terminei com minha ex.

Talvez a combinação de tudo isso esteja fazendo minha atenção se voltar completamente para esta garota em específico. E não é de surpreender, porque mesmo com a maquiagem borrada nas bochechas e alguns dos cachos colados no rosto devido ao suor, ela é a garota mais bonita da festa. O que torna ainda mais estranho o fato de não ter mais ninguém prestando atenção nela. Os poucos convidados que sobraram estão com os recém-casados perto da piscina enquanto tocamos a última música da noite.

Minha péssima dançarina é a única pessoa que ainda está nos escutando quando finalmente paramos de tocar e começamos a guardar os instrumentos.

Ouço a garota gritar *bis* enquanto vou para o fundo do palco e guardo o baixo no *case*. Fecho-o com pressa, torcendo para encontrá-la depois que deixarmos os instrumentos na van.

Nós quatro reservamos dois quartos para passar a noite na pousada. São onze horas de carro até Nashville, e ninguém topou dirigir durante a madrugada.

Enquanto Garrett está fechando as portas da van, o noivo se aproxima e nos convida para um drinque. Normalmente eu recusaria, mas estou meio que torcendo para que a péssima dançarina ainda esteja por perto. Ela era divertida. E ver que ela não sabia nenhuma letra me deixou feliz. Não sei se eu ficaria a fim de uma garota que gostasse mesmo das músicas de Garrett.

Encontro-a na piscina, boiando de costas, ainda usando o vestido de madrinha, cor de creme e cheio de manchas de grama.

Ela está sozinha na piscina, então pego uma cerveja, vou até a parte funda, tiro os sapatos e mergulho as pernas na água, de jeans e tudo.

As ondas que surgem no meu lado da piscina a alcançam, mas ela não vira a cabeça para ver quem entrou na água. Simplesmente continua olhando para o céu, tão imóvel e quieta quanto um tronco boiando. Um contraste gritante em relação ao showzinho que deu mais cedo.

Depois de eu observar a garota por alguns minutos, a água cobre todo seu corpo e ela desaparece. Quando suas mãos sobem e separam a água, e sua cabeça emerge na superfície, ela está olhando diretamente para mim, como se soubesse que eu estava aqui o tempo todo.

Ela se mantém na superfície fazendo pequenos movimentos com os pés e ondas com os braços. Devagar, aproxima-se até parar bem na frente das minhas pernas, e fica me encarando. Seus olhos parecem duas lâmpadas minúsculas refletindo o brilho da lua atrás de mim.

De cima do palco, achei que ela era bonita. Mas a trinta centímetros de distância, vejo que é a coisa mais linda que já vi na vida. Lábios carnudos e rosados, uma mandíbula delicada que eu espero ter a chance de acariciar em algum momento. Seus olhos são tão verdes quanto a grama ao redor da piscina. Quero entrar na água com ela, mas estou com o celular no bolso e uma latinha de cerveja pela metade na mão.

— Já viu aqueles vídeos no YouTube de pessoas que estão morrendo por dentro? — pergunta ela.

Não sei por que ela fez essa pergunta, mas qualquer coisa que tivesse saído de sua boca teria causado o mesmo impacto que aquelas palavras. Sua voz é fina e leve, como se flutuasse naturalmente através de sua garganta.

— Não — respondo.

Ela está um pouco ofegante devido ao esforço para se manter na superfície.

— São um compilado de coisas vergonhosas que acontecem com as pessoas. A câmera sempre dá zoom no rosto delas nos piores momentos. Parece que elas que estão morrendo por dentro. — Ela enxuga a água dos olhos com ambas as mãos. — Você parecia uma delas no palco. Como se estivesse morrendo por dentro.

Não me lembro de vê-la olhar para o palco, muito menos de vê-la me observar tempo o bastante para avaliar com precisão como me sinto toda vez que sou obrigado a tocar aquele lixo de música para uma plateia.

— Eu já estou morto por dentro. Morri na primeira noite em que toquei com essa banda.

— Imaginei. Gostou de me ver dançar? Eu estava tentando te animar.

Faço que sim e tomo um gole da cerveja.

— Funcionou.

Ela sorri e mergulha por alguns segundos. Ao voltar à superfície, tira o cabelo do rosto e diz:

— Você tem namorada?

— Não.

— Namorado?

— Não.

— Esposa?

Balanço a cabeça.

— Tem amigos, pelo menos?

— Na verdade, não — admito.

— Irmãos?

— Filho único.

— Merda. Você é um solitário.

Mais uma avaliação precisa. Embora, no meu caso, a solidão seja uma escolha.

— Quem é a pessoa mais importante da sua vida? Não vale dizer que são seus pais.

— Agora?

Ela assente.

— Isso. Agora mesmo. Quem é a pessoa mais importante da sua vida?

Penso um pouco na pergunta e percebo que a única pessoa por quem eu levaria um tiro é a minha mãe. Não ligo muito para os caras da banda. Eles estão mais para colegas de trabalho com quem não tenho nada em comum. E como não vale dizer meus pais, esta garota é literalmente a única pessoa em quem consigo pensar agora.

— Acho que você — digo.

Ela inclina a cabeça, estreitando os olhos.

— Isso é meio triste. — Ela ergue os pés e chuta a parede entre minhas pernas, afastando-se de mim. — É melhor eu fazer sua noite valer a pena, então.

O sorriso dela é sedutor. Convidativo.

Aceito o convite e ponho o celular no concreto, ao lado da latinha de cerveja vazia. Tiro a camisa e a vejo me observar enquanto entro na piscina.

Agora estamos no mesmo nível, e, caramba, como foi que ela ficou ainda mais bonita?

Nadamos devagar um de frente para o outro, formando um círculo, com cuidado para não nos encostar, embora seja óbvio que a gente queira isso.

— Quem é você? — pergunta ela.

— O baixista.

Ela ri. A risada é o oposto da sua voz fina. É cautelosa e abrupta, e talvez mais encantadora do que sua voz.

— Qual é o seu *nome*? — esclarece ela.

— Leeds Gabriel.

Ainda estamos nadando um de frente para o outro, em círculos. Ela inclina a cabeça, pensativa.

— Leeds Gabriel é nome de vocalista. Por que está tocando na banda de outra pessoa? — Ela continua falando, e pelo jeito não espera uma resposta. — Seu nome é por causa da cidade na Inglaterra?

— Isso. Como você se chama?

— Layla — sussurra, como se fosse um segredo.

É o nome perfeito. O único que combinaria com ela. Sem nenhuma dúvida.

— Layla, abre aí — diz alguém atrás de mim.

Olho por cima do ombro, e a noiva está de pé, estendendo algo para Layla. Layla se aproxima, põe a língua para fora e a noiva coloca ali, bem no centro, um pequeno comprimido branco. Layla engole. Eu não faço ideia do que era, mas a cena foi sexy pra cacete.

Ela percebe que estou fixado na sua boca.

— Leeds também quer — diz Layla, estendendo a mão para pegar outro comprimido.

A noiva lhe dá mais um e se afasta. Não pergunto o que é. Não ligo. Quero tanto essa garota que vou ser o Romeu da história e tomar seja lá qual for o veneno que ela quer pôr na minha língua agora.

Abro a boca. Seus dedos estão molhados, e parte do comprimido se dissolveu antes mesmo de encostar na minha língua. É amargo e difícil de engolir sem cápsula nem água, mas dou um jeito. Mastigo uma metade.

— Quem era a pessoa mais importante da sua vida ontem? Antes que eu aparecesse? — pergunta Layla.

— Eu mesmo.

— Eu te tirei do primeiro lugar?

— Parece que sim.

Ela se move de costas com fluidez e naturalidade, como se passasse mais tempo dentro de piscinas do que em terra firme.

Encara o céu outra vez, de braços estendidos, e seu peito sobe quando ela inspira uma imensa quantidade de ar.

Pressiono as costas na parede da piscina e abro os braços, segurando a borda de concreto. Meu coração está começando a bater mais forte. Meu sangue parece mais grosso.

Não sei qual droga ela me deu, mas provavelmente é ecstasy ou outro tipo de estimulante, porque está batendo rápido. Neste momento, estou muito mais consciente de tudo que está acontecendo na minha caixa torácica do que em qualquer outra parte do meu corpo. Meu coração parece inchado, como se não houvesse espaço suficiente para ele.

Layla ainda está boiando de costas, mas seu rosto está perto do meu peito. Ela está bem na minha frente. Se eu me inclinasse um pouco, ela não estaria olhando para o céu. Estaria olhando para mim.

Porra, essa droga é da boa.

Estou me sentindo bem. Confiante.

A água ao nosso redor está tão calma que Layla parece estar flutuando no ar. Seus olhos estão fechados, mas quando o topo de sua cabeça esbarra no meu peito, ela me olha com o rosto invertido em relação ao meu, como se estivesse esperando que eu fizesse algo.

Então faço.

Eu me inclino o suficiente para que minha boca encoste de leve na sua. A gente se beija de cabeça para baixo, com seu lábio inferior entre os meus. Os lábios de Layla são como uma explosão suave que ativa minas escondidas sob cada centímetro da minha pele. É estranho e fascinante porque ela ainda está de costas, boiando na água. Encosto a língua na sua boca e, por algum motivo, sinto que não mereço tocá-la, então deixo os braços onde estão — segurando a borda da piscina dos dois lados do meu corpo.

Ela mantém os braços estendidos, e a única coisa que move é a boca. Acho bom que nosso primeiro beijo seja de cabeça para baixo, assim, a expectativa para o nosso primeiro beijo direito aumenta pra cacete. Nunca mais vou querer beijar uma garota sóbrio depois de tomar seja lá qual droga a noiva tenha nos dado. É como se, a cada batida, meu coração se comprimisse até ficar do tamanho de uma moeda e depois inflasse até atingir o tamanho de um tambor.

Ele não está batendo como deveria. Não está mais fazendo um *tum tum, tum tum, tum tum* suave, e sim um plic e um BUM.

Plic BUM, plic BUM, plic BUM.

Não posso continuar beijando-a de cabeça para baixo. Estou ficando louco, como se a gente não estivesse se encaixando bem, e quero que minha boca se encaixe perfeitamente na sua. Agarro seu pulso e a giro na água até ela se voltar para mim, depois a puxo para perto. Ela envolve as pernas na minha cintura, tira as mãos da água e segura minha nuca, o que a faz afundar um pouco, já que sou a única coisa que a mantém na superfície agora. Mas estou com os braços ocupados demais descendo pelas suas costas, então começamos a afundar e nenhum de nós faz nada a respeito. Nossas bocas se colam um segundo antes de submergirmos. Nenhuma gota de água passa entre nossos lábios.

Afundamos ainda colados. Assim que atingimos o chão da piscina, abrimos os olhos ao mesmo tempo e nos afastamos para olharmos um para o outro. Seu cabelo está flutuando, e ela parece um anjo submerso.

Queria poder tirar uma foto.

Bolhas de ar enevoam o espaço entre nós, então batemos as pernas até voltar à superfície.

Chego dois segundos antes dela. Estamos frente a frente, prestes a nos beijarmos outra vez. Nós nos unimos, na mesma posição de antes. Nossas bocas se procuram, mas, assim que sinto o gosto de cloro nos seus lábios, somos interrompidos por gritinhos.

Consigo ouvir a voz de Garrett acima de várias outras, todos estão sentados, comemorando nosso beijo. Layla olha para trás e mostra o dedo do meio para eles.

Ela se afasta de mim e vai até a extremidade da piscina.

— Vem — diz ela, saindo da água.

O movimento não é delicado. Ela se apoia na borda da parte funda, que fica a um metro e meio da escada, e precisa rolar para cima do concreto para conseguir sair da piscina. É tudo desajeitado e perfeito. Eu a sigo, e, segundos depois, estamos correndo para o lado da casa, mais escuro e reservado. A grama está fria e macia sob meus pés. Parece gelo... só que derretido.

Acho que daria para dizer que parece água. Mas não parece. Parece gelo derretido. *É difícil explicar as coisas quando estamos drogados.*

Layla pega minha mão e cai na grama de gelo derretido, puxando-me para cima dela, no chão. Eu me apoio nos cotovelos para que ela possa respirar e a encaro por um instante. Ela tem sardas, não muitas. Estão espalhadas ao longo do nariz. Algumas nas bochechas. Ergo a mão e passo o dedo nelas.

— Por que você é tão linda?

Ela ri. E com razão. Que brega o que eu acabei de dizer.

Ela me deita de costas e puxa o vestido até as coxas para montar em mim. Suas pernas se colam aos lados do meu corpo, porque estamos encharcados. Apoio as mãos nos seus quadris e curto a intensidade da viagem.

— Sabe por que chamam esse lugar de *Corazón del País*? — pergunta ela.

Não sei, então apenas balanço a cabeça e espero que seja uma longa história para que eu possa escutá-la falar ainda mais. Poderia escutar sua voz a noite toda. Na verdade, há um cômodo na pousada chamado de Grande Salão, com centenas de livros cobrindo as paredes. Ela poderia passar a noite inteira lendo para mim.

— A tradução é *Coração do País* — diz ela, com os olhos e a voz cheios de entusiasmo. — Este lugar aqui, esta propriedade específica onde você está, é literalmente o centro geográfico da área contígua dos Estados Unidos.

Talvez seja porque estou consciente demais do meu próprio batimento cardíaco agora, mas o que ela disse não faz sentido.

— Por que tem esse nome, então? Não é o coração que fica no centro do corpo, é o estômago.

Ela solta aquela risada rápida e aguda novamente.

— Verdade. Mas *Estomago del País* não soa tão bonito.

Caralho.

— Você fala francês?

— Tenho quase certeza de que é espanhol.

— Tanto faz, foi sexy.

— Só estudei espanhol durante um ano no colégio. Não tenho nenhum talento oculto. A verdade está bem diante dos seus olhos.

— Duvido. — Tiro-a de cima de mim e seguro seus pulsos na grama enquanto rolo para cima dela. — Você é uma dançarina talentosa.

Ela ri. Eu a beijo.

Ficamos nos beijando durante vários minutos.

Mais do que isso. A gente se toca. Se move. Geme.

Tudo está intenso demais — parece que estou cambaleando à beira da morte. Meu coração poderia literalmente explodir no meu peito. Começo a me perguntar se não é melhor a gente parar. Usar drogas e ficar com Layla ao mesmo tempo é demais. Não posso deixá-la enroscada em mim nem um segundo a mais, senão vou desmaiar por causa dessa porra toda que estou sentindo. É como se tivesse nascido uma nova terminação nervosa ao final de cada terminação nervosa. Estou sentindo tudo com o dobro de intensidade.

— Preciso parar — sussurro, tirando as pernas dela de mim. — Que merda foi essa que a gente tomou? Não consigo respirar.

Deito-me de costas, ofegante.

— Quer saber o que minha irmã te deu, é?

— A noiva é sua irmã?

— Isso, o nome dela é Aspen. Ela é três anos mais velha do que eu. — Layla se apoia no cotovelo. — Por quê? Gostou?

Faço que sim.

— Adorei.

— É intenso, né?

— Porra, demais.

— Aspen me dá toda vez que bebo muito. — Ela se aproxima até encostar a boca no meu ouvido. — É aspirina. — Quando se afasta, meu rosto confuso a faz sorrir. — Achou que estava doidão?

Então por que estou me sentindo assim?

Eu me sento.

— Não era aspirina.

Com uma crise de riso, ela se deita de novo, fazendo o sinal da cruz.

— Juro por Deus. Você tomou uma *aspirina*.

Ela está gargalhando tanto que precisa se esforçar para respirar. Quando finalmente se acalma, dá um suspiro encantador. Cacete, eu acabei de dizer mesmo a palavra *encantador*?

Ela balança a cabeça e me olha com um sorriso suave.

— Você não está se sentindo assim por causa de uma droga, Leeds.

Ela se levanta e vai até a frente da casa. Vou atrás dela mais uma vez porque, se aquilo era mesmo uma aspirina, estou ferrado.

Ferrado.

Não sabia que eu podia me sentir tão bem com outra pessoa sem ter nenhum tipo de substância correndo no meu sangue.

Quando entramos na casa, Layla não se dirige aos quartos. Vai até o Grande Salão, aquele repleto de livros e com um piano *baby grand*. Depois de entrarmos, ela fecha a porta e a tranca. Minha calça jeans e o vestido dela estão deixando um rastro de água atrás de nós.

Quando paro e me viro para olhá-la, ela está encarando a água se acumulando nos meus pés.

— O piso é antigo. É melhor a gente respeitar — diz.

Ela tira o vestido encharcado pela cabeça e fica parada no salão pouco iluminado, a um metro e meio de distância, apenas de calcinha e sutiã. Que não combinam. O sutiã é branco e a calcinha tem uma estampa xadrez preta e verde, mas eu adorei o fato de que ela não pensou muito no que usaria por baixo do vestido. Observo-a por um instante, admirando suas curvas e a maneira como ela não tenta se esconder de mim.

Minha ex-namorada tinha o corpo de uma supermodelo, mas nunca se sentia à vontade consigo mesma. O que acabou se tornando uma das coisas que me irritavam sobre ela, porque, por mais linda que fosse, sua insegurança sempre falava mais alto.

Layla se porta com uma confiança de quem sabe que seria maravilhosa independentemente da sua aparência.

Faço o que ela pediu e tiro a calça jeans, ficando apenas de cueca boxer. Layla pega nossas roupas e as põe sobre um tapete provavelmente mais valioso do que o piso, mas se ela prefere assim, tudo bem.

Dou uma olhada ao redor e vejo um sofá marrom de couro envelhecido encostado na parede perto do piano. Quero jogá-la nele e me perder dentro dela, mas Layla tem outros planos.

Ela puxa o banco do piano e se senta.

— Você sabe cantar? — pergunta, pressionando algumas teclas.

— Sei.

— Por que não canta no palco?

— A banda é do Garrett. Ele nunca me pediu para cantar.

— Garrett? É o nome do vocalista?

— Isso.

— Ele é tão ruim quanto a letra das músicas dele?

A pergunta me faz rir. Balanço a cabeça e me sento ao seu lado no banco.

— Ele é terrível, mas não tanto quanto as letras.

Ela aperta o dó central no piano.

— Ele tem inveja de você? — pergunta.

— Não tem por quê. Sou só o baixista.

— Ele não é bom o bastante para ser vocalista. Você é.

— Essa é uma afirmação e tanto. Você nunca me ouviu cantar.

— Não importa. Você pode até ser péssimo, mas todos os outros desparecem no cenário quando você está no palco.

— Do mesmo jeito que o restante da multidão desaparece quando você está dançando?

— Eu era *a única* pessoa dançando.

— Viu? Nem percebi.

Ela se aproxima, deixando-me à espera de um beijo, mas em vez disso sussurra na minha boca:

— Toca algo pra mim. — Depois vai até o sofá e se deita. — Algo digno desse piano.

Ela cruza as pernas na altura dos tornozelos e deixa um braço pender para fora do sofá. Passa o dedo no piso de madeira enquanto espera que eu comece a tocar, mas não consigo parar de olhá-la. Não sei se existe alguma outra mulher no mundo que me deixaria com esta vontade de encará-la, sem piscar, até meus olhos secarem, mas Layla está me olhando com expectativa.

— E se você não gostar da minha música? Vou poder te beijar mesmo assim? — pergunto.

Ela sorri delicadamente.

— Essa música é importante para você?

— Eu a compus com todo meu coração.

— Então não precisa se preocupar — diz ela baixinho.

Eu me viro no banco e coloco os dedos nas teclas. Antes de começar, hesito por um momento. Nunca mostrei essa música a ninguém. A única pessoa para quem eu já quis tocá-la é meu pai, mas ele não está mais vivo. Ela foi inspirada na morte dele.

Nunca me senti nervoso ao tocar as músicas de Garrett no palco, mas isto é diferente. É pessoal. Embora minha audiência seja só uma pessoa, parece que nunca me apresentei para uma plateia tão intensa.

Encho os pulmões de ar e expiro devagar enquanto começo a tocar.

Naquela noite, eu *parei* de acreditar no céu
Não consigo acreditar num Deus tão cruel
E você?
Naquela noite, eu parei de rezar de joelhos
Mas também não rezo de pé
E você?
Naquela noite, eu fechei a porta e a janela
Tenho ficado no escuro
E você?
Naquela noite, percebi que felicidade é um conto de fadas
Mil páginas lidas em voz alta
Por você
Naquela noite, eu parei de acreditar em Deus
Você era nosso, mas ele não se importou,
Ele te levou
Naquela noite, eu parei...
Eu parei...
Eu só
Parei.
Naquela noite, eu parei.
Eu parei.
Eu só parei.
Naquela noite, eu parei.
Eu...

Quando termino de tocar, ponho as mãos no colo, hesitando um pouco em virar para olhá-la. Depois que toquei a última nota, o salão inteiro ficou silencioso. Tão silencioso que parece que todo o som foi sugado para fora da mansão. Não consigo ouvir nem a respiração de Layla.

Fecho a tampa do piano e me viro devagar no banco. Ela está enxugando os olhos e encarando o teto.

— Caramba — sussurra. — Não estava esperando por isso. Parece que você esmagou meu peito.

É assim que me sinto desde que a vi pela primeira vez esta noite.

— Gostei do final — diz ela, sentando-se sobre as pernas. — Você parou no meio da frase. É tão perfeito. Tão forte.

Eu não tinha certeza de que ela perceberia o fim proposital, mas o fato de ela ter percebido me deixa ainda mais encantado.

— Onde posso escutar essa música? Está no Spotify?

Balanço a cabeça.

— Nunca lancei nada meu.

Ela me olha fingindo estar horrorizada e dá um tapa no braço do sofá.

— Como é que é? Por que não, cacete?

Dou de ombros.

— Não sei. — Não sei *mesmo*. — Talvez porque, em Nashville, todo mundo pensa que é alguém. Não quero ser alguém que pensa que é alguém.

Ela se levanta e se aproxima de onde estou, sentado no banco. Empurra meus ombros até que eu me encoste no piano, depois monta em mim, com os joelhos apoiados no banco. Agora estou olhando para ela, e ela está segurando meu rosto entre as mãos, seus olhos semicerrados enquanto fala.

— É egoísmo guardar suas músicas só para você. É melhor ser um alguém altruísta do que um ninguém egoísta.

Acho que gostei de conhecer essa garota.

Tipo, *muito*.

Seguro sua nuca e aproximo sua boca da minha. Não faço ideia do que está acontecendo. Faz um tempo do cacete que não gosto o bastante de uma garota a ponto de me perguntar onde ela vai estar no dia seguinte.

Mas... onde Layla vai estar amanhã?

Onde ela estava ontem?

Onde ela mora?

Onde ela cresceu?

Quem é a pessoa preferida *dela* neste momento?

Quero saber tudo. Tudo.

Layla interrompe o beijo.

— Aspen me alertou quando percebeu que eu estava te encarando mais cedo. Ela falou "Promete que vai ficar longe dos músicos. A maioria deles deve ter clamídia".

Dou uma risada.

— E você prometeu que ia ficar longe de mim?

— Não. Eu falei "Não tem problema se ele tiver clamídia. Ele deve ter camisinhas também".

— Eu não tenho clamídia. Mas também não tenho camisinha.

Ela se afasta de mim e se levanta.

— Tudo bem. Tenho uma no meu quarto.

Ela se vira e caminha em direção à porta.

Pego nossas roupas molhadas e sigo-a para a escada, fora do salão. Ela não faz um convite direto, mas dá para perceber que quer que eu a acompanhe até seu quarto, porque continua falando enquanto sobe os degraus.

— Faz tempo que não faço isso — diz por cima do ombro. — Só tenho camisinha porque ganhei na despedida de solteira. — Ela se vira, parando num dos degraus. — Eu não tinha percebido o quanto era difícil transar com alguém no mundo real.

Na faculdade, a pessoa nem precisa se esforçar, mas depois... *argh.* — Ela se vira e recomeça a subir a escada. Abre a porta do quarto e eu entro depois dela. — O problema para transar depois da universidade é que eu odeio sair com desconhecidos. É muito demorado. Você tem que passar a noite inteira com alguém depois de perceber, nos primeiros cinco minutos, que é uma perda de tempo.

Concordo. Gosto muito mais da ideia de apostar todas as fichas. Sempre quis conhecer alguém com quem me daria bem de imediato e em quem eu simplesmente me *mergulharia* de vez.

Não sei se Layla é essa pessoa, mas foi o que pareceu quando atingimos o fundo da piscina. Foi o beijo mais intenso da minha vida.

Layla pega a roupa molhada das minhas mãos e a leva até o banheiro. Ela a joga embaixo do chuveiro e, na volta, diz:

— Você devia largar a banda.

Ela deve ser a pessoa mais imprevisível que já conheci. Até mesmo suas frases mais simples me pegam de surpresa.

— Por quê?

— Porque você está infeliz.

Ela tem razão, estou mesmo. Nós dois vamos para a cama.

— Você trabalha com o quê? — pergunto.

— Estou desempregada. Fui demitida na semana passada.

Ela se senta com as costas contra a cabeceira. Eu me deito no travesseiro do meu lado, olhando-a. Estou com o rosto perto do seu quadril. É estranho, mas sensual, ficar tão perto da sua coxa. Pressiono os lábios nela.

— Por que te demitiram?

— Eles não queriam me dar folga no dia do casamento de Aspen, então faltei ao trabalho. — Ela desliza e se deita na cama, imitando minha posição. — Sua cueca ainda está molhada. É melhor a gente tirar o restante da roupa.

Ela é atirada, mas eu gosto.

Seguro sua cintura e a puxo para cima de mim. Encaixo-a tão perfeitamente que ela arfa. Sou mais alto, então seu rosto não alcança o meu, mas quero beijá-la. Ela deve estar querendo me beijar também, pois sobe pelo meu corpo até nossas bocas se encontrarem.

Não sobraram muitas peças de roupa para tirar, então parece que poucos segundos se passam antes de estarmos nus debaixo da coberta e quase chegando ao ponto de não nos importar mais com a camisinha. Mas não conheço esta garota nem ela me conhece, então fico esperando enquanto ela tateia pelo quarto escuro até encontrar sua bolsa. Depois que ela acha a camisinha e me entrega, ponho o braço debaixo da coberta e começo a colocá-la.

— Acho que você tem razão — digo.

— Sobre o quê?

Rolo para cima dela, Layla afasta as pernas para me encaixar.

— Eu devia largar a banda.

Ela assente, concordando.

— Você seria mais feliz tocando sua própria música, mesmo que não ganhe dinheiro com isso. — Ela me beija rapidamente antes de se afastar. — Arranje um emprego que você ache tolerável. Lance sua música no tempo livre. É melhor ser pobre e se sentir realizado do que... ser pobre e se sentir vazio. Eu ia dizer "ser *rico* e se sentir vazio", mas acho que você não é rico, senão não estaria tocando com aquela banda.

Eu até diria a ela que não sou pobre, mas admitir que toco com a banda de Garrett por vontade própria e não por necessidade é meio vergonhoso, então prefiro não dizer nada.

— Se for para ser pobre, é melhor ser um pobre feliz — acrescenta.

Ela tem razão. Beijo seu pescoço, depois seu seio. E depois minha boca encosta na sua outra vez.

— Acho que gostei de conhecer você.

Ela se afasta um pouco e sorri para mim.

— Você *acha que gostou*? Ou *gostou*?

— Gostei. Gostei *muito* de conhecer você.

Ela passa os dedos na minha boca.

— Eu gostei muito de conhecer *você*.

Nós nos beijamos mais um pouco, cheios de uma expectativa preguiçosa, como se soubéssemos que não precisamos nos apressar porque temos a noite inteira. Mas já coloquei a camisinha, e ela já está me guiando para dentro dela.

Mesmo assim, vou com calma. Muita calma.

Os minutos parecem mais valiosos quando estou com ela.

* * *

Layla está deitada de bruços, e meus dedos sobem pela suave curva de sua coluna.

Chego à base da sua nuca, passo os dedos no seu cabelo e acaricio a parte de trás de sua cabeça.

— Estou louca para comer um taco — diz ela.

Nunca quis tanto entrar na cabeça de alguém quanto quero entrar na de Layla. Sua mente não funciona como as outras. Não há nenhum filtro entre seu cérebro e sua boca, nenhum peso na consciência sobre alguma coisa que possa ter dito. Ela simplesmente fala o que quer, sem remorsos. Mesmo quando suas palavras ferem.

Nesta noite, descobri como uma franqueza brutal era sexy.

Alguns minutos atrás, falei que tinha sido a melhor transa da minha vida. Achei que ela fosse retribuir o elogio, mas Layla só sorriu e disse:

— A gente sempre acha isso na hora. Mas depois aparece uma pessoa nova e a gente esquece o quanto achava que tinha sido bom, então o ciclo recomeça.

Dei risada. Achei que era uma brincadeira, mas não era. Depois pensei sobre o assunto e percebi que ela tinha razão. Perdi a virgindade aos quinze anos. Achei que nunca teria uma experiência melhor. Mas quando fiz dezesseis, Victoria Jared apareceu e se tornou a melhor transa da minha vida. Depois Sarah Kisner, e a garota que entrava escondida no meu dormitório no primeiro ano da universidade, e mais duas ou três depois dela, e, em seguida, Sable. Na hora, eu sempre pensava que era impossível ficar melhor. Mas talvez todas fossem igualmente boas.

Nenhuma delas se compara a Layla. Tenho certeza. *Tanta certeza quanto tive todas as outras vezes.*

— Você é uma pessoa religiosa? — pergunta Layla.

Seus pensamentos são tão esporádicos e intensos quanto suas ações. Acho que é esse o motivo pelo qual ela mexe tanto comigo. Num instante, está deitada de costas, gritando meu nome enquanto crava as unhas nos meus ombros. No outro, de bruços, dizendo que está louca para comer um taco. No minuto seguinte, esquece os tacos e quer saber se sou uma pessoa religiosa. Adoro isso. A maioria das pessoas é previsível. Todas as palavras e ações de Layla parecem uma caixinha de surpresas.

— Não. Você é?

Ela dá de ombros.

— Acredito em vida após a morte, mas não sei se sou religiosa.

— Acho que existir é só uma questão de sorte. A gente está aqui por um tempo, depois não está mais.

— Que deprimente.

— Na verdade, não. Imagina como deve ser o céu. A positividade infindável, os sorrisos, a ausência de pecado. A ideia de viver eternamente num lugar cheio de pessoas que passaram a vida declamando frases motivacionais parece muito pior do que pensar que tudo acaba quando a gente morre.

— Não sei se acredito *nesse* tipo de vida após a morte. Eu penso na existência mais como uma série de planos diferentes se sobrepondo. Talvez o céu seja um deles. Talvez, não.

— Que tipo de planos?

Ela se deita de lado, e, quando meus olhos pousam em seus seios, ela não tenta me obrigar a fazer contato visual. Em vez disso, puxa minha cabeça de encontro ao seu peito enquanto se deita de costas. Descanso a cabeça ali, com a mão cobrindo um de seus seios, enquanto ela mexe nas mechas do meu cabelo de modo casual e continua falando.

— Pensa comigo. O útero é um plano de existência. Quando a gente era um feto, não se lembrava da vida antes do útero nem sabia se existiria algo depois. Só conhecia o útero. Mas então a gente nasceu, saiu de lá e entrou no nosso plano de existência *atual*. Agora não consegue mais se lembrar de quando era um feto nem faz ideia do que vem depois. Quando nossa vida atual terminar, vamos entrar num plano totalmente diferente, e talvez a gente não se lembre *deste*, como não se lembra de quando estava no útero. São só planos diferentes. Um depois do outro, depois do outro. Sabemos, com certeza, que alguns existem. Em outros, a gente só *acredita*. Talvez haja planos que nunca imaginamos. Eles podem ser infinitos. Não acho que a gente realmente morra.

A explicação dela faz sentido, ou vai ver estou mais suscetível à ideia porque minha boca está no seu seio. Pego outra camisinha enquanto reflito sobre sua teoria, que me parece mais plausível do que os portões do Paraíso e os tormentos do Inferno.

Continuo convencido de que não existe nada depois da vida e da morte.

— Se você estiver certa, este plano aqui é o meu favorito — digo, cobrindo seu corpo com o meu.

Ela abre as coxas para mim e sorri nos meus lábios.

— Só porque está nele.

Balanço a cabeça enquanto a penetro.

— Não. Ele é o meu favorito porque estou em *você*.

2

Eu a encaro por alguns minutos, esperando que ela demore um pouco para acordar. Sua mão está no meu peito — parece um peso morto enquanto ela dorme. Tento prolongar o momento porque sei como sexo casual funciona. Já fiz muito isso. Saí de fininho de muitas camas, mas não quero fazer isso desta vez.

Espero que Layla não queira que eu faça isso desta vez.

Em breve, assim que ela acordar, vou saber como está se sentindo. Provavelmente vai proteger os olhos do sol e se virar para o lado enquanto tenta se lembrar de como fomos parar ali. Quem eu sou. Como vai se livrar de mim.

Seus dedos são os primeiros a se mexerem. Ela os leva do meu ombro até minha nuca. Permanece de olhos fechados enquanto me puxa contra o seu corpo, para se aconchegar em mim.

Fico aliviado ao perceber que ela se sente à vontade comigo — que acabou de acordar e sabe exatamente onde está e com quem está, mas não tenta se afastar.

— Que horas são? — murmura.

Tão cedo assim, sua voz não flutua através da garganta. É um sussurro áspero e, de algum jeito, ainda mais sensual do que quando ela está totalmente acordada.

— Onze horas.

Ela me encara com os olhos inchados e manchados de rímel.

— Sabia que o horário mais mortal do dia é às onze?

Dou risada.

— Isso é um fato?

Ela assente.

— Aprendi na universidade. Morre mais gente durante o *brunch* do que nas outras horas do dia.

Ela é pirada e linda. Gostei.

— Você é bem esquisita.

— Quer tomar uma ducha comigo?

Sorrio.

— É óbvio, porra.

* * *

Achei que não íamos tomar uma ducha de verdade, mas o convite foi genuíno.

Estou passando condicionador no seu cabelo e fazendo perguntas que, em geral, não faria depois de uma ficada de uma noite só. É que tem tanta coisa que quero saber a seu respeito.

— Aspen é sua única irmã?

— É.

— Você gosta dela?

— Eu *amo* minha irmã pra cacete. Só não concordo muito com o gosto dela para maridos, mas se ela está feliz, tudo bem. — Layla me olha por cima do ombro. — Sabe o nome dele?

— Não. Qual é?

— Chad Kyle.

— Mentira — sussurro.

— É sério. É o nome dele mesmo.

— E combina ou é só algo lamentável?

— Lamentavelmente, combina. Ele é muito Chad. Meio arrogante, membro de um *country club*, e tem uma picape e um cachorro chamado Bo.

— Isso explica por que ele gosta da Banda de Garrett. — Pego o chuveirinho e começo a enxaguar seu cabelo. Molhado, ele chega até o meio de suas costas. Nunca lavei o cabelo de uma garota antes, mas é meio sexy. O formato da sua cabeça também. Ela se encaixa perfeitamente na palma da minha mão. — Sua cabeça é sexy.

— Como uma cabeça pode ser sexy?

Cubro seus olhos com a outra mão para que o xampu não caia neles.

— Não sei. Mas a sua é. Ou talvez seja só você mesma. — Quando termino de enxaguar seu cabelo, ponho o chuveirinho de volta no suporte e puxo Layla para perto enquanto o fluxo de água quente bate em nós. — Eu me diverti ontem à noite.

Ela sorri.

— Eu também.

— A banda vai embora daqui a meia hora.

— Eu também.

— Onde você mora?

— Em Chicago. Ainda moro com meus pais. Voltei para a casa deles depois da universidade. Não sei ainda onde quero morar. Mas com certeza não é em Chicago.

— Por que não gosta de Chicago?

— Eu gosto. Só não quero viver onde eu cresci. Quero tentar de tudo. Cidade, interior, apartamento, casa no meio do mato... — Ela torce o cabelo para remover o excesso de água. — Onde você mora? Em Nashville?

— Perto. Nashville é caro, e não gosto de dividir apartamento, então aluguei um em Franklin. Se você é de Chicago, por que sua irmã se casou no centro de Kansas?

— Chad Kyle é de Wichita — diz, deslizando os braços ao redor da minha cintura. Ela olha meu cabelo e meu rosto, depois suspira. — Sabe a sorte que é ser homem? Todos vocês ficam a mesma coisa depois de uma ducha. Às vezes, até um pouco mais charmosos. Os banhos transformam as mulheres. Nosso cabelo fica sem volume, a maquiagem, borrada nas bochechas, o corretivo escorre pelo ralo...

Ela fala como se houvesse uma diferença drástica entre a Layla que conheci no casamento e a Layla que está na minha frente. Mas esta versão é até melhor. Nua, com os braços ao meu redor, toda molhada. Adoro esta versão. Eu me inclino e beijo seu pescoço, agarrando sua bunda com as mãos.

Ela inclina a cabeça para o lado, aumentando meu acesso ao seu pescoço.

— Acho que eu daria uma boa garota do interior. Ia adorar morar aqui. É lindo. E eu seria feliz administrando uma pousada.

Por um segundo, esqueço do que estávamos falando porque ela está pensando em duas coisas ao mesmo tempo — e, por sorte, uma delas sou eu. Ela se recosta contra a parede do boxe enquanto minhas mãos perambulam pelo seu corpo, e meus lábios, pela sua pele.

— Adorei mesmo este lugar — diz ela baixinho. — Gosto de como é recluso. Da quietude. De não ter vizinhos. Só hóspedes temporários que eu nunca precisaria conhecer de verdade.

Minha língua sobe pelo seu pescoço, deslizando até sua boca. Dou-lhe um beijo intenso e breve antes de me afastar.

— É o coração do país — digo. — Não tem lugar melhor no planeta.

Neste momento, estou falando sério. Não existe lugar melhor do que aqui e agora. Ela puxa minha boca para a sua, e nenhum de nós se contrai quando alguém bate à porta do quarto. Estamos ocupados demais para nos importar.

— Layla! — grita Aspen.

Layla geme ao ouvir a voz da irmã, mas continua me beijando e ignorando as batidas, que ficam ainda mais incessantes.

— Layla, abre!

Layla suspira, e eu paro de beijá-la para que ela possa sair do chuveiro. Ela se enrola em uma toalha, depois sai e fecha a porta do banheiro. Um grande vazio surge no meu peito.

Não podemos nos despedir assim. Preciso só de mais um dia com ela. De mais uma conversa. De mais um banho. Já estou sentindo o anseio que vai tomar conta de mim durante toda a volta até o Tennessee.

Fecho o chuveiro e pego minha toalha enquanto Layla deixa a irmã entrar no quarto. Escuto todas as palavras de Aspen quando ela diz:

— Dormiu com o baixista?

As vozes dão direto no banheiro.

— Quem quer saber? — pergunta Layla.

— Eu. Eu quero saber.

— Nesse caso, dormi. Duas vezes. Seriam três se você não tivesse interrompido.

Dou risada.

— A banda está atrás dele. Estão indo embora.

— Já, já a gente desce — diz Layla.

Escuto a porta se abrir outra vez, e Aspen comenta:

— Mamãe sabe. Ela ouviu um deles dizer: "*Ele ficou com a irmã da noiva.*"

Congelo. Por que não pensei nisso? Era um casamento. É óbvio que a família delas está aqui. *Merda. Será que a gente fez muito barulho de madrugada?*

— Tenho 22 anos. Estou pouco me lixando pra isso — diz Layla.

— Só estou avisando. Estamos indo para o Havaí. Te mando uma mensagem assim que pousarmos.

— Divirta-se, sra. Kyle.

Quando a porta do quarto se fecha, abro a do banheiro imediatamente. Layla se vira, e o movimento faz com que sua toalha escorregue. Ela se enrola outra vez enquanto a olho dos pés à cabeça. Ela é extremamente sensual sem fazer o menor esforço.

Encosto o punho cerrado na armação da porta.

— Vamos ficar.

Falo de um modo casual, mas o convite não é nada casual. Essas devem ser as palavras mais sérias que já saíram da minha boca.

— Ficar onde? Aqui?

— Isso. Vamos ver se a gente consegue passar outra noite neste quarto.

Gosto da expressão no rosto dela — como se estivesse considerando a ideia.

— Mas sua banda está indo embora. Você disse que tem um show amanhã.

— Ontem a gente decidiu que eu deveria largar a banda.

— Ah. Achei que era uma sugestão, não uma decisão.

Eu me aproximo e puxo a ponta da toalha que está no seu decote. A toalha cai no chão. Ela sorri quando minha boca encontra a sua. Pela maneira como Layla se enrosca em mim, sinto que não quer ir embora. Assim que ela retribui meu beijo, o temido anseio que tinha se formado no meu peito desaparece.

— Tudo bem — sussurra ela.

A entrevista

Estou falando há meia hora, e o homem não deu um pio. Eu continuaria, mas Layla não parou um segundo sequer. Preciso ver se ela está bem.

Ou, pelo menos, se está tão bem quanto *poderia* depois de ser amarrada à força pelo próprio namorado.

— Desculpe — digo, empurrando a cadeira para trás. — Volto em um minuto.

Ele assente, compreensivo, enquanto aperta o botão de stop.

Subo a escada — *outra vez* — para implorar a Layla que confie em mim até que eu obtenha respostas. Quando abro a porta, ela está ajoelhada na cama, fazendo o que pode para livrar as mãos da corda que prende seus pulsos à coluna da cabeceira da cama.

— Layla — digo, frustrado. — Para, por favor.

Ela dá um puxão forte na direção oposta da coluna, tentando romper a corda. Eu me contraio. *Deve ter doído.* Vou até a cama e examino seus pulsos. Eles estão em carne viva depois de ela tentar se soltar tantas vezes. Estão começando a sangrar.

Ela murmura algo ininteligível, então tiro a fita adesiva de sua boca.

Depois de inspirar uma imensa quantidade de ar, ela implora:

— Me desamarra, por favor.

Seus olhos estão vermelhos e tristes. Sua bochecha esquerda está manchada de rímel. Vê-la assim me deixa arrasado. Não quero fazer isso, mas não tenho escolha. Pelo menos, é o que me parece.

— Não posso. Você sabe disso.

— *Por favor*. Tá doendo.

— Não vai doer se você parar de tentar se soltar. — Ajeito o travesseiro embaixo dela e afrouxo um pouco a corda para que possa se deitar. Sei que está se sentindo uma prisioneira. E, de certa forma, é o que ela é. Mas pelo menos deixei suas pernas desamarradas. Ela ficaria bem se simplesmente se deitasse e parasse de resistir. Talvez até descansasse um pouco, ela está precisando. — Me dê só mais algumas horas. Quando eu terminar de conversar com ele, levo você lá pra baixo comigo.

Ela revira os olhos com lágrimas pretas.

— Você é um mentiroso. Tudo que faz agora é mentir pra mim.

Não deixo suas palavras penetrarem os muros do meu peito. Sei que ela não quer dizer aquilo. Está apenas assustada. Chateada.

Mas eu também estou.

Eu me aproximo e beijo o topo de sua cabeça. Ela tenta se afastar, mas não consegue ir muito longe. Agora está chorando e tentando não olhar para mim. Cerro a mandíbula para esconder a culpa que sinto.

— Se me prometer que não vai gritar, não ponho a fita adesiva de novo.

Ela aceita os termos. Faz que sim com um olhar frustrado, como se eu tivesse ganho essa rodada. Mas não estou tentando conquistar nada além da nossa vida normal de volta.

Quando fecho a porta e a tranco no quarto, escuto Layla começar a chorar. Sinto sua dor em cada parte de mim, estalando nos meus ossos. Encosto a testa na porta por alguns segundos e me obrigo a me recompor antes de descer.

Quando chego à cozinha, há um copo com uma bebida escura na frente da minha cadeira. O homem aponta para ele.

— Bourbon — diz.

Eu me sento e sinto o cheiro do álcool. Tomo um gole, aproveitando a ardência enquanto a bebida desliza pela minha garganta. Isso me acalma de imediato. Deveria ter tomado uma dose antes de começarmos.

— Como você se chama? — pergunto.

Só sei o endereço de e-mail pelo qual temos nos falado, mas ele usava o nome da empresa, não seu próprio.

O homem olha para a camisa que está vestindo. É um uniforme coberto de manchas de óleo com uma plaquinha que diz "Randall". Ele aponta para ela.

— Randall.

Ele volta a gravar, mas nós dois sabemos que seu nome não é Randall, e tenho certeza de que a camisa não é sua. Mas, apesar de perceber que ele não está sendo transparente em relação à sua própria identidade, continuo com a entrevista porque sei que ele é a única pessoa no planeta que pode nos ajudar.

E eu estou desesperado.

Tão desesperado que ando tomando decisões que não seria capaz de tomar alguns meses atrás.

É interessante o quanto nosso sistema de crenças pode mudar por conta de coisas sem explicação que acontecem neste mundo. Cacete, não foi apenas meu sistema de crenças que mudou, foram meus princípios. Meus valores. Meu foco. Meu coração.

O Leeds de alguns meses atrás teria batido a porta na cara deste sujeito. Em vez disso, fui *eu* que entrei em contato com ele, implorando ajuda. Agora que ele está aqui, torço para que tenha sido a decisão certa.

— Quanto tempo vocês ficaram aqui depois que se conheceram? — pergunta ele.

— Mais três dias.

— Alguma coisa importante aconteceu nesse período?

— Não que eu me lembre. A gente passou a maior parte do tempo no quarto. Só descia para comer. Era o meio da semana, então o lugar estava relativamente calmo.

— E depois você voltou para o Tennessee, e Layla, para Chicago?

— Não. Mesmo depois de quatro dias juntos, a gente não queria se despedir. Eu a convidei para passar uma semana comigo no Tennessee, mas ela acabou ficando duas. Depois seis, depois oito. A gente não queria se separar.

— Faz quanto tempo que você está com ela?

— Uns oito meses agora.

— Houve alguma mudança relevante na sua vida desde que vocês se conheceram? Além do óbvio?

Dou uma risada desanimada.

— Nem sei o que você quer dizer com "além do óbvio". Tanta coisa mudou.

— O óbvio é tudo que aconteceu nesta casa. O que mudou antes disso?

Tomo outro gole de bourbon.

Então entorno o resto.

Encaro o fundo do copo vazio e penso em tudo. Na foto que postei da gente, na consequência disso, no medo, na recuperação.

— Foi tudo perfeito nos primeiros dois meses.

— E depois?

A pergunta faz com que eu solte um longo suspiro.

— E depois Sable apareceu.

— Quem é Sable?

— Minha ex.

3

Estou enfiando uma calça jeans na mochila. Layla está na minha cama, lendo uma revista.

— Pegou o carregador do celular? — pergunta.

— Peguei.

— Escova de dente? Pasta?

— Confere, confere.

— Devia levar algum livro — sugere ela. — Vai ser uma viagem demorada.

— Não tenho livros.

De onde está, Layla ergue o olhar para mim, aproxima a revista do peito e faz uma careta como se eu tivesse acabado de ofendê-la.

— Leeds, é comprovado que quem lê vive mais. Quer morrer jovem, é?

O cérebro dela parece uma versão mórbida da Wikipédia.

— Óbvio que eu leio. No celular. Gosto de viajar com pouca coisa.

Ela ergue uma sobrancelha.

— Que mentira. Qual foi o último livro que você leu?

— *Confissões de uma mente perigosa.*

— Quem escreveu? É sobre o quê?

Ela está com um sorrisinho sarcástico como se eu fosse ser reprovado no teste.

— Não lembro o nome. Ele era apresentador do *The Gong Show* nos anos 1970. — Jogo a mochila no chão e pego o celular pela primeira vez desde que o desliguei na noite anterior. Layla se apoia no cotovelo e fica me encarando enquanto espero meus aplicativos carregarem. Sento-me na cama e abro o livro no aplicativo do Kindle. — Chuck Barris. Ele também criou o *The Newlywed Game*.

— É uma autobiografia?

— Acho que sim. O cara alega que foi um assassino da CIA, mas ainda não terminei.

— O apresentador do *The Gong Show* foi um assassino?

— Algumas pessoas dizem que é tudo mentira. É por isso que estou lendo.

— Nossa. Que sexy.

— Você acha que assassinos são sexys?

Ela balança a cabeça.

— Não. Você *ler* é sexy. — Ela afasta a revista do peito e a olha outra vez. — Você é gato. Compõe músicas. Lê. Pena que é um péssimo cozinheiro.

Afasto-a de mim e dou um tapa de brincadeira na sua bunda. Ela ri enquanto se deita de costas outra vez.

— Sério. Você não consegue nem fazer um sanduíche sem estragar tudo.

— E por que acha que fiquei com você?

Ela revira os olhos. Eu foco no celular e começo a conferir todas as mensagens que perdi nas últimas doze horas, desde que o desliguei.

A primeira é de Garrett, avisando onde e que horas devo encontrá-los esta noite.

Não cheguei a largar a banda. Depois que Layla e eu saímos da pousada, Garrett me mandou uma mensagem como se eu não tivesse faltado em dois shows seguidos por causa de uma garota que tinha acabado de conhecer. Ele disse: "Suas férias já acabaram? A gente precisa que você toque hoje."

Eu não tinha uma boa desculpa para *não* tocar naquela noite, e pensar que Layla iria ao show comigo me deixou menos receoso. Fazia semanas que eu não tocava, e embora continuasse me sentindo morto por dentro ao subir naquele palco, Layla mantinha vivas todas as outras partes de mim.

Não sou cínico em relação ao amor, mas só namorei duas vezes. Imaginei que encontraria alguém quando estivesse com uns trinta e tantos anos, cansado de viajar e da vida — culpo Jerry Seinfeld por essa minha maneira de enxergar as coisas.

Maratonei todas as temporadas de *Seinfeld* quando tinha quinze anos e cheguei à conclusão de que Jerry tinha razão: todo mundo tem algo de irritante. A ponto de fazer qualquer relação parecer uma tortura. Depois de testemunhar todos os relacionamentos fracassados de Jerry, comecei a procurar nas pessoas suas características mais irritantes. A risada. A maneira como tratam o garçom. O gosto para filmes, música, amigos. Os pais. Assim que eu começava a sair com alguém, já ia planejando maneiras de acabar tudo.

Quer dizer, até Layla aparecer.

Depois que nos conhecemos, passamos mais três dias no *Corazón del País*. E mesmo após a última noite, eu não queria me despedir. Não encontrava nada irritante nela. Na verdade, tinha mais receio de ficar sozinho do que de ficar com ela. Era a primeira vez que sentia aquilo.

Convidei-a para passar uma semana em Franklin comigo, mas já haviam se passado mais de dois meses. Dois meses em que eu transei mais do que achava que seria capaz durante toda minha vida. Quando não estamos trepando, estou tocando músicas para ela, ou compondo músicas, ou pensando em músicas. Parece que minha música tem um propósito agora que Layla gosta dela.

Ela acredita que vou ser alguém na vida, e o fato de ela acreditar em mim faz com que eu também comece a acreditar.

Foi um pouco difícil, mas três semanas atrás ela finalmente me convenceu a lançar algumas músicas que estavam guardadas. Faz uns quinze dias que ela postou no YouTube um vídeo meu tocando e já tem quase dez mil visualizações.

Odeio gostar disso, mas é surpreendentemente bom ter alguém que me faz sentir como se a minha arte valesse a pena. Mesmo que Layla fosse a única pessoa a escutar o que produzo bastaria para mim.

Garrett vai ficar furioso se eu parar de tocar com eles oficialmente e iniciar uma carreira solo, mas não é tão difícil substituir um baixista em Nashville.

Layla me acompanha a todos os shows, por mais sofríveis que sejam para nós dois. Na última música, sempre refaz a dancinha ridícula do casamento, e isso ajuda. Pelo menos agora eu encerro os shows de bom humor.

Eu a amo.

Acho.

Não. Amo mesmo. Eu a amo.

Amo tudo sobre ela. A confiança, as excentricidades, a motivação, o corpo, os boquetes, a espontaneidade, a fé em mim. Amo olhá-la enquanto dorme. Amo olhá-la enquanto está acordando.

Tenho quase certeza de que isso é amor.

São só cinco da tarde, mas vou partir em duas horas. Preciso me arrastar para fora da cama e terminar de fazer a mala. A Banda de Garrett vai tocar num festival litorâneo em Miami, então Layla e eu passamos o dia inteiro na cama para compensar os três dias em que não nos veremos. Vai ser o primeiro show a que ela não assiste desde que a conheci. Com todo o equipamento na van, não sobra espaço para passageiros, e a ideia de passar três dias com Garrett e os caras não lhe soou muito convidativa. Não vou obrigá-la a suportar essa tortura.

Este foi meu dia favorito com ela. De manhã, quando acordamos, nenhum de nós ligou o celular. Deixamos as luzes apagadas, e as cortinas, fechadas, e ela foi meu café da manhã e meu almoço.

Agora, o abajur ao lado da cama está ligado enquanto Layla folheia sua revista.

Assim que abro o Instagram, me arrependo de ter ligado o celular. Não vejo as notificações desde que postei uma foto nossa ontem à noite. Foi a primeira vez que postei uma foto com uma garota. Estávamos na cama, óbvio. Layla estava dormindo no meu peito e eu estava me sentindo tão bem naquele momento que ergui o celular, tirei uma foto nossa e publiquei sem nenhuma legenda.

Desde que conheci Layla e lancei algumas das minhas músicas, ganhei quase mil seguidores, mas o total ainda não passa de cinco mil. Eu imaginava que, com essa quantidade, a reação à foto seria muito menor. Talvez tenha sido ingênuo, mas, sinceramente, achei que não haveria quase *nenhuma* reação.

A maioria dos comentários é de pessoas nos parabenizando, mas alguns são de garotas apontando defeitos em Layla. Ainda bem que não a marquei na foto. Odiaria que ela visse o que as pessoas estão falando.

Quanto mais comentários e mensagens leio, mais fico tentado a excluir a conta de vez. Sei que, se um dia conseguir pagar um boleto por causa da minha música, vou ficar grato por quaisquer seguidores que tiver. Mas, neste momento, é perturbador ler comentários do tipo: *Sua namorada parece uma puta* e *Você fica mais gostoso solteiro.*

A internet é brutal pra cacete. Fico nervoso com a ideia de deixá-la sozinha aqui por três dias. Acho que ela ainda não viu a foto, então nem me dou ao trabalho de excluir os comentários negativos. Simplesmente apago a postagem e ponho o celular virado para baixo na mesa de cabeceira.

— Tem certeza de que vai ficar bem sozinha?

Ela encosta a revista no peito.

— Por quê? Quer que eu vá embora?

— Não, óbvio que não.

— Certeza?

— Absoluta.

— Faz dois meses que a gente se conheceu e não nos desgrudamos nem um segundo. Você deve estar cansado de me ver ocupando seu território.

Ela não faz ideia do quanto eu *não* estou cansado disso.

Na verdade, acho que ela não tem como saber o que estou sentindo, já que nunca expressei nada em voz alta. Eu demonstro, mas não falo.

Agarro a revista e jogo-a no chão, depois me deito sobre Layla. Adoro o olhar que surge em seu rosto quando sabe que estou prestes a beijá-la. Tem um brilho de expectativa. Não há nada melhor do que saber que esta garota fica ansiosa pela minha boca na sua.

— Layla — sussurro. — Não estou cansado de você. Estou apaixonado por você.

Falo de modo casual, mas bastam dois segundos para que ela assimile minhas palavras. E quando isso acontece, ela cobre o rosto com as mãos. É a primeira vez que a vejo tímida. Beijo uma das mãos que cobre seu rosto um pouco antes de ela cerrar os punhos e encostá-los no queixo.

— Também estou apaixonada por você.

Imediatamente, pressiono minha boca contra a sua numa tentativa de engolir aquelas palavras. Imagino-as digitadas na fonte Arial, saltitando devagar dentro de mim, ricocheteando nas minhas paredes internas, girando e se contorcendo sem parar dentro da minha barriga, e do meu peito, e dos meus braços, e das minhas pernas, até todo meu corpo ter sido tocado por elas.

Eu me afasto de Layla, e adoro ver o quão largo está seu sorriso.

— Então acho que está tudo resolvido — digo. — Estamos apaixonados, você vai ficar aqui enquanto eu estiver viajando, e, pelo jeito, isso quer dizer que a gente está oficialmente morando junto agora.

— Caramba. Acho que é melhor eu avisar aos meus pais que não moro mais com eles.

— Você não aparece em casa desde que sua irmã se casou. Acho que eles já sabem disso.

Ela envolve os braços no meu pescoço.

— É muita coisa para um dia só. A gente se declarou, começou a morar junto... e oficializou até no Instagram.

Ela diz a última parte em tom de piada, mas sinto um frio na barriga ao saber que ela viu a foto.

— Você viu?

Seu sorriso desaparece, então percebo que ela também leu os comentários.

— Vi.

— Não se preocupe, eu excluí.

— Excluiu? Não me incomodei.

— Seja como for, acho que eu não estava preparado para ver pessoas que eu nem conheço opinando sobre a gente.

— Você não é real na cabeça delas. As pessoas são assim mesmo nas mídias sociais. — Ela me beija. — A culpa é sua por ser tão gostoso — diz, sorrindo.

Fico aliviado por ela não estar levando nada para o lado pessoal.

— Não sei mais se quero postar fotos da gente junto. Não quero que eles encontrem sua conta e comecem a te incomodar.

Layla ri.

— Tarde demais. Você segue trinta pessoas, e eu sou uma delas. Eles já me encontraram.

Saio de cima dela e me sento na cama.

— Como assim já te encontraram?

— Até agora só uma menina me achou. Sonya? Sybil? Não lembro o nome dela.

Layla fala sem nenhuma preocupação, mas sei exatamente de quem ela está falando.

— Sable?

Ela dá uma piscadela enquanto aponta para mim.

— Isso. *Sable*. Mas eu já bloqueei.

Não tenho notícias de Sable desde que bloqueei o número dela, muitos meses antes de conhecer Layla. O fato de ela ainda estar vendo minhas postagens confirma as preocupações que tenho a seu respeito.

— O que ela disse?

— Não sei. Tinha mais de vinte mensagens dela quando liguei o celular de manhã. Li só duas e mandei ela procurar o que fazer.

Depois bloqueei. — Os dedos de Layla sobem pela minha perna e ela se aproxima, sorrindo como se achasse graça na situação. — Você dormiu com ela?

Não menti uma única vez para Layla desde que a conheci. Nunca achei necessário. Ela é a pessoa menos julgadora que já conheci.

— A gente namorou por uns meses. Mas percebi bem rápido que era um erro.

Layla dá um sorrisinho, como se achasse graça.

— Bom, ela não acha que foi um erro. Ela acha que *eu* sou o erro.

Sable foi o erro, mas não quero dizer nada que possa deixar Layla preocupada. Apesar de aquela garota ser mesmo preocupante. Demorei várias semanas para perceber isso. Provavelmente porque eu só estava prestando atenção no quanto meu pau gostava dela, e não no fato de que seus sentimentos por mim eram totalmente diferentes dos meus.

No início, achei que tínhamos nos conhecido por acaso, mas depois Garrett me contou que Sable tinha organizado um fã-clube para mim um ano antes de a gente se conhecer. Eu a questionei sobre o assunto, e as coisas ficaram estranhas. Tentei terminar, mas ela não aceitou muito bem. Primeiro, foram apenas ligações incessantes. Mensagens de texto. Recados na caixa postal. Mas depois ela passou a ir aos shows para me pedir outra chance.

Garrett e os caras começaram a chamá-la de *Sable Surtada.*

Numa noite, durante um show, foi preciso pedir que o segurança a escoltasse para fora — isso aconteceu dois dias depois que a bloqueei no celular e nas mídias sociais. Também bloqueei a conta que ela usava para administrar seu fã-clube de Leeds Gabriel.

Era tudo bizarro. Ela era bizarra.

E saber que ela ainda está por aí, olhando minhas redes e falando com pessoas que aparecem nas minhas fotos, me deixa muito incomodado.

— Pessoas como Sable me fazem questionar se quero mesmo ser conhecido pelo público. Nem sei por que estou tentando se odeio tudo que tem a ver com essa carreira.

Layla vem para cima de mim.

— Infelizmente, é impossível vender música sem um perfil on-line. Sucesso e gente bitolada vêm no mesmo pacote. — Ela beija a ponta do meu nariz. — Se você ficar muito famoso um dia, vai ter dinheiro para contratar alguém para excluir os *trolls* por você. Assim não vai precisar lidar com eles.

— Tem razão.

Sei que tenho dinheiro para isso agora, mas o assunto das minhas finanças ainda não veio à tona entre nós. Ela acha que sou um artista esfomeado, e mesmo assim me ama como se eu fosse capaz de lhe dar o mundo inteiro. Não tem sensação melhor do que a de ser amado por quem você é, e não pelo quanto vale.

Layla sorri.

— Eu vivo tendo razão. É por isso que você está apaixonado por mim.

— *Muito* apaixonado por você.

Eu a beijo, mas o beijo tem uma pitada de preocupação.

No começo, eu gostava de Layla. Sentia atração por ela. Mas nenhuma preocupação acompanhava esses sentimentos. Nas últimas semanas, no entanto, comecei a me preocupar.

Talvez o cuidado seja a única diferença entre gostar e amar alguém.

Eu me pergunto se não devo dizer para ela tomar um cuidado extra enquanto eu estiver fora, pois agora estou ainda mais apreensivo. Queria que ela não abrisse a porta enquanto eu não estivesse aqui. Queria muito que ela excluísse todas as suas contas nas redes sociais. Mas ela é adulta, cacete. Então não falo nada.

Não sei por que estou com esse frio na barriga, afinal de contas, sou insignificante. Um fã-clube não oficial e cinco mil seguidores não faz de mim alguém. Alguns comentários de fãs na internet não justificam um namorado superprotetor. Apesar disso, vou providenciar a instalação de um sistema de segurança enquanto estiver viajando. Assim vou ficar mais tranquilo.

— Tenho que encontrar Garrett daqui a duas horas. E ainda preciso tomar banho e terminar de arrumar a mala.

Layla me beija e rola para fora da cama.

— Vou colocar uma lasanha congelada no forno para você comer antes de sair. Quer pão de alho para acompanhar?

— Quero, parece ótimo.

Ela fecha a porta do quarto, e eu vou para o banheiro a contragosto.

Talvez a gente devesse ter um cachorro. Um que sirva de guarda, como um pastor alemão. Eu me sentiria melhor quando tivesse que deixar Layla sozinha aqui.

Ligo o chuveiro e tiro a camisa, mas, antes de desabotoar a calça, escuto alguém bater à porta. Falei para Garrett que o encontraria na casa dele. *Vai ver ele estava impaciente.*

— Eu abro! — grito do banheiro.

Não quero Layla abrindo a porta depois que li alguns daqueles comentários. Sem falar que Sable sabe onde moro. Ela dormiu na minha cama.

— Pode deixar! — grita Layla de volta.

Estou pegando a camisa e a vestindo pela cabeça quando escuto um barulho. Parece o som de um rojão. *Bam!*

Meu sangue congela — como se minhas veias fossem se estilhaçar caso eu me mexa. Mas eu me mexo. Eu corro.

Quando chego à porta do quarto, escuto o barulho outra vez. Mais um estouro!

Escancaro a porta. Tudo que conheço, tudo que amo e tudo que me faz viver está no chão da minha sala de estar. Tem sangue se acumulando embaixo do seu ombro. No seu cabelo. Imediatamente, caio de joelhos e ergo sua cabeça.

— Layla... — sussurro, um segundo antes de sentir uma pontada no ombro.

Depois, tudo é um borrão.

Um pesadelo.

Tudo para.

Simplesmente para.

Simplesmente...

A entrevista

O homem está em silêncio.

A *mansão inteira* está em silêncio. Muito silêncio.

Preciso de mais bourbon. Como se adivinhasse, ele se levanta, pega a garrafa, traz até a mesa e a empurra para mim.

— O que aconteceu depois?

Dou de ombros. Tomo um gole.

— Ela sobreviveu.

— Quem atirou nela? Sable?

Minha mandíbula está cerrada quando faço que sim.

— Isso. Por causa da porra de uma postagem no Instagram.

Minhas palavras saem curtas e ríspidas. Tenho certeza de que a expressão no meu rosto revela o quanto eu queria que essa conversa já tivesse acabado.

— Sable foi presa?

Balanço a cabeça.

— Não.

O homem está me olhando como se quisesse mais detalhes sobre aquela noite, e vou dar, mas não agora. Ainda estou tentando engolir tudo que aconteceu até aqui. Preciso digerir a situação por completo antes de colocá-la para fora.

— Não quero mesmo falar sobre isso agora — digo. — Não que não seja importante. É que... — Eu me afasto da mesa e me levanto. — Preciso ver como Layla está de novo.

Minha garganta está seca de tanto falar. Ele pausa o gravador enquanto me viro em direção à escada.

Paro na metade dos degraus. Encosto-me na parede e fecho os olhos. De vez em quando, ainda é difícil assimilar tudo que está acontecendo, apesar de estar nesta situação há semanas.

Tiro um tempo para separar tudo que estou falando sobre Layla no térreo do que preciso dizer para ela no andar de cima.

Após alguns longos segundos, eu me afasto da parede e vou até nosso quarto. Destranco a porta e a abro devagar, esperando encontrar Layla adormecida. Mas ela não está dormindo. Só está deitada.

— Estou com sede — diz ela inexpressivamente.

Pego o copo d'água perto da cama e espero ela se sentar. Já afrouxei a corda o bastante para que ela possa se mover um pouco, mas ela continua se contraindo quando a corda roça seus pulsos. Ela se inclina até que seus lábios alcancem o copo e dá vários goles antes de se deixar cair contra a cabeceira, exausta.

— Devia comer alguma coisa — digo. — O que você quer que eu traga?

Ela me olha com asco.

— Não sei, Leeds. É difícil ver o que tem na geladeira quando estou amarrada na cama.

A raiva dela penetra minha pele com a facilidade de um bisturi afiado, misturando-se à culpa que sinto por mantê-la aqui. Mas a raiva de Layla e minha culpa não conseguem perturbar minha consciência.

— Posso fazer um sanduíche.

— Que tal você me desamarrar e eu mesma faço?

Eu a deixo e desço para preparar o sanduíche. Peru e cheddar, sem cebola, duas rodelas de tomate. Não falo com o homem enquanto faço o sanduíche de Layla. Tenho perguntas para ele, mas isso fica para depois. Primeiro, quero contar tudo que sei. Quero acabar logo com isso.

Quando volto ao quarto, ponho na cama o sanduíche e o pacote de Cheetos que comprei para Layla. Também trouxe uma taça de vinho, que coloco na mesa de cabeceira.

— Vou desamarrar seus braços para você comer, mas não tente fugir desta vez — alerto-a. — Você sabe que não vai dar certo.

Ela assente, e o medo em seus olhos me diz que ela não quer passar por aquilo de novo. Na verdade, ela ficou tão apavorada com o que aconteceu da última vez que tentou fugir que provavelmente eu nem precisaria amarrá-la. Duvido até que tente sair deste quarto por vontade própria.

Infelizmente, não posso arriscar. Preciso que ela fique aqui.

Quando tiro a corda de seus pulsos, ela abaixa os braços e massageia o ombro. Fico me sentindo mal por ela estar dolorida, então abro espaço na cama e me sento atrás dela. Massageio seus ombros enquanto ela come, tentando aliviar um pouco da sua tensão. Ela dá uma pequena mordida no sanduíche e depois pega um pedaço de tomate com alface que caiu no prato. Ela os enfia na boca e lambe os dedos. Talvez seja só fome, mas ela parece estar gostando bastante do sanduíche. Lembro como ela costumava zombar dos sanduíches que eu fazia.

— Antes você odiava meus sanduíches.

Ela dá de ombros.

— As pessoas mudam — diz, entre as mordidas. — Você também era um namorado carinhoso que não me fazia de refém.

Touché.

Quando seus ombros parecem mais relaxados, deixo-a na cama enquanto vou ao banheiro, confiando que Willow vá deter Layla caso ela tente escapar outra vez. Pego o kit de primeiros socorros embaixo da bancada, volto para a cama e aplico uma pomada antisséptica nos pulsos de Layla, entre suas mordidas e seus goles de vinho. Comprei o kit num posto de gasolina há várias semanas, quando estávamos vindo para cá. Não fazia ideia do quanto ele seria útil.

Não conversamos enquanto ela come. Quanto mais rápido terminar, melhor. Quero me livrar logo das perguntas para começar a obter as respostas.

Quando ela acaba, enrolo um pouco de bandagem elástica nos seus pulsos para aliviar a dor provocada pela corda.

— Quer que eu te amarre do outro lado da cama para você poder se deitar virada para o outro lado?

Ela assente e estende os braços para mim.

Eu me odeio por fazer isso. Especialmente depois de passar uma hora contando sobre como me apaixonei por ela. Relembrando a agonia que senti quando a vi no chão da minha sala.

E agora preciso passar mais uma hora falando sobre tudo que aconteceu *depois* daquela noite. A estada no hospital, a recuperação, o que aquilo provocou na nossa vida. Os meses me sentindo culpado. A traição, as mentiras. A maneira como a manipulei. *Não estou nem um pouco ansioso por essa parte.*

— Tente dormir um pouco.

Ela só assente. Acho que a exaustão está falando mais alto.

Desço de novo, mas o homem não está mais na cozinha, e sim no Grande Salão. Pôs o gravador em cima do piano e está sentado no banco.

— Pensei em mudar um pouco de cenário — diz ele. Eu me sento no lado do sofá mais próximo, e ele aperta o botão de gravar outra vez. — O que aconteceu depois que vocês foram baleados?

— Liguei para a emergência. Tentei manter Layla viva até eles chegarem. Depois nós dois fomos operados.

— E depois?

Conto tudo de que consigo me lembrar — não muito. Acordei da cirurgia sem saber nem sequer se Layla estava viva. Conto que tive de ficar três horas na sala de recuperação sem nenhuma notícia do seu estado. Conto do sofrimento que foi ligar para a mãe e para a irmã dela e avisar sobre o que tinha acontecido, e das duas horas que passei sendo interrogado antes mesmo de saber se Layla tinha sobrevivido.

Conto tudo de que consigo me lembrar sobre a estada no hospital, mas nada disso importa. Nada sobre o fato de ela ter sobrevivido ou sobre a recuperação chega perto da importância de tudo que aconteceu depois que voltamos para a pousada.

— Por que decidiram voltar para cá?

— Eu queria tirá-la do Tennessee. Quando os médicos lhe deram alta, achei que seria bom se ela saísse de lá. E sei o quanto ela gosta daqui. — Faço uma pausa ao dizer essas palavras, depois me corrijo. — Bom... o quanto ela *gostava* daqui.

— Em que momento ela parou de gostar?

— Acho que foi no dia em que a trouxe de volta.

4

Comi um fio do cabelo de Layla hoje de manhã.

Pensei que algo tão estranho quanto comer o cabelo da namorada pudesse ser o pontapé inicial para comportamentos ainda mais estranhos. Talvez fosse um precursor do canibalismo, assim como maltratar animais na infância é, às vezes, o primeiro sinal de que a criança vai se tornar um serial killer.

Mas comer o cabelo de Layla foi uma mera tentativa, um pouco bizarra, de me absolver da culpa. Sonhei que engolir um fio do seu cabelo nos unia de alguma maneira, eliminando todo medo que eu pudesse sentir de que, um dia, nos afastaríamos devido a tudo que tinha acontecido. Então, quando acordei, arranquei um fio da sua cabeça enquanto ela dormia e o coloquei na boca.

Isso aconteceu oito horas atrás, e parece que o fio de algum jeito se enroscou no meu coração e interrompeu o fluxo sanguíneo.

Meu coração está sufocando.

Essa frase daria uma boa letra de música.

Enquanto esperamos na fila para entrar no avião, pego o celular e digito "*meu coração sufoca com sua própria culpa*" no bloco de notas, abaixo de muitas outras frases sombrias que surgiram de pensamentos aleatórios.

Minhas composições têm sido bastante depressivas ultimamente.

— Leeds — diz Layla, dando um empurrãozinho nas minhas costas.

A fila tinha andado. Guardo o celular no bolso e vou em direção aos nossos assentos.

Estou levando pouquíssimas coisas nesta viagem. Duas calças jeans, uma bermuda, algumas camisetas e o anel de noivado.

Guardei-o numa meia e enfiei-a bem no fundo do meu tênis de corrida. Layla tem sua própria mala, então não vejo motivo para ela mexer na minha, mas não quero que encontre o anel. Comprei quando ela ainda estava no hospital. Sabia que era precipitado, mas estava tomado pelo medo do desconhecido. Pensei que comprar o anel mandaria algum tipo de energia para o universo que faria Layla se restabelecer mais rápido.

A recuperação dela foi melhor do que o esperado, mas ainda não a pedi em casamento. Ela nem sabe que comprei o anel. Ainda não tenho certeza de quando vai acontecer porque quero que seja perfeito. Talvez nem aconteça nesta viagem, mas prefiro ter o anel e não precisar dele do que precisar dele e não o ter.

Organizei a viagem porque os últimos seis meses foram terríveis. Ficamos abalados física e emocionalmente. Espero que voltar ao lugar onde nos conhecemos seja uma espécie de recomeço nas nossas vidas. Tenho a impressão de que, se voltarmos ao início, não vamos precisar chegar ao fim.

Outro verso promissor.

O homem na minha frente está tentando enfiar sua mala grande demais no compartimento superior, então aproveito a pausa na fila e digito uma versão melhorada da frase no meu bloco de notas. *"Continuo voltando ao início porque não quero ver o nosso fim."*

A recuperação de Layla tem sido muito mais agitada do que a minha. Ela correu risco de vida durante uma semana inteira. Quando seu quadro se estabilizou, ela passou mais um mês internada antes de receber alta.

Eu me culpo diariamente por não ter tomado mais cuidado. Por não ter temido a instabilidade que Sable demonstrou durante todos os meses em que se recusava a parar de me contatar.

Eu me culpo por não ter pensado nas consequências de expor o rosto de Layla. Quer dizer, estamos falando da *internet*, porra. Eu devia ter sido mais esperto. Toda postagem tem algum tipo de repercussão.

Precisamos desesperadamente desta viagem. Da privacidade. De um descanso do mundo exterior. Só quero que as coisas voltem a ser como antes. Apenas nós dois, trancados num quarto, tendo as melhores conversas aleatórias do mundo entre as rodadas de sexo suado.

Empurro a mala de mão de Layla no compartimento superior. Nossos assentos são o 4A e o 4B, na última fileira da primeira classe. Layla se senta na janela. Está estranhamente quieta, deve ser ansiedade.

Ainda não contei a ela para onde estamos indo. Queria que fosse surpresa, mas é provável que não saber o destino esteja a deixando ansiosa. Não tinha pensado nisso até agora.

Eu me sento e afivelo o cinto enquanto ela fecha a cortina da janela.

— Tem alguma ideia de qual é o destino?

— Sei que o voo vai até o Nebraska. Só não sei o que tem lá — diz ela

— Na verdade, não vamos ficar no Nebraska. Mas é o aeroporto mais próximo do nosso destino.

Era para ser uma pista, mas ela não parece captá-la. Pega uma das garrafinhas de água entre nossos assentos e a abre.

— Espero que seja algo relaxante. Acho que não estou muito a fim de me aventurar.

Tento não rir ao pensar nisso. O que ela está esperando? Que eu a ponha para praticar alpinismo ou *rafting* depois de seis meses de fisioterapia?

Ela passou por muita coisa, e sei que tenho sido extremamente superprotetor, mas, aos poucos, estamos retomando nossa antiga rotina. Ninguém se recupera de algo assim e volta a ser uma pessoa animada e feliz de um dia para o outro. Ainda temos muito chão pela frente, mas tenho certeza de que vamos entrar no ritmo daqui a um tempo.

Layla tira o celular da bolsa antes de guardá-la embaixo do assento à sua frente.

— Precisamos postar uma foto sua no avião — diz, erguendo o celular.

Sorrio, mas ela balança a cabeça para indicar que não quer que eu faça isso. Paro de sorrir. Ela tira uma foto e abre-a em um aplicativo de edição.

É difícil não me sentir um pouco amargurado com a ideia de ficar famoso depois do que aconteceu com a gente. Layla jamais teria se machucado se não fossem as redes sociais.

Ela termina de editar a foto e me mostra para que eu aprove. Sempre aprovo. Para ser sincero, não me importo com o que ela posta. Faço que sim ao ver a foto, mas solto um grunhido ao ler as hashtags: #cantor #músico #LeedsGabriel #modelo.

— Modelo? Sério, Layla? Estou tentando ganhar a vida como músico ou como *influencer*?

— Hoje em dia, não dá para separar uma coisa da outra.

Ela posta a foto com as hashtags.

— Antigamente diziam que a MTV foi o fim dos músicos feios — murmuro. — Nem a pau. O Instagram é que é.

— Então que bom que você é bonito.

Ela me beija e guarda o celular na bolsa.

Ponho o meu no modo avião e o guardo no bojo do assento da frente, apreensivo em relação às milhões de fotos que Layla vai me obrigar a tirar até a hora de dormir. Sei que eu deveria ser grato a ela por desejar meu sucesso. Mas tudo isso me parece meio sujo agora. O fato de nossa história ter saído em algumas manchetes e circulado por Nashville fez com que minhas vendas aumentassem um pouco, e meus seguidores, bastante — agora tenho mais de dez mil. Apesar disso, não consigo parar de sentir como se estivesse me aproveitando do que aconteceu com ela.

Estou me sentindo como um vendido que nunca teve nada para vender.

O avião começa a taxiar, e Layla, a mexer nervosa na bainha do vestido. Ela já esvaziou nossas duas garrafas de água.

O ataque a mudou muito. Mudou nós dois.

Ela perdeu muitas coisas por minha causa. Meses da sua vida. Sua confiança. Sua segurança. E agora tem ansiedade, problemas de dependência, terror noturno, ataques de pânico e lapsos de memória. Quem está sentada ao meu lado não é mais a garota despreocupada e confiante por quem me apaixonei, e sim outra pessoa que parece estar se segurando para não surtar.

É como se toda sua resiliência estivesse enterrada sob camadas e camadas de cicatrizes.

Talvez seja por isso que, enquanto ela se recupera, basicamente a deixei assumir o papel de minha agente. Faço o que ela pede porque minha carreira parece ser a única coisa que lhe traz algum senso de propósito. Que a faz se esquecer de tudo o que aconteceu.

E, talvez, transformar a causa disso tudo em algo positivo seja sua forma de lidar com a situação. Todos os aspectos da nossa vida sofreram, menos minha carreira. Layla diz que é bom termos algo bom em que pensar. Não quero privá-la disso, mas meio que sinto falta da época em que ela não levava minha carreira tão a sério. Sinto falta de quando me incentivava a largar a banda em prol da minha própria felicidade. Sinto falta de como tirava o violão da minha mão para subir em cima de mim. Sinto falta de quando ela não ligava para o que postavam no meu Instagram.

Acima de tudo, sinto falta de ser eu mesmo. Ultimamente, parece que tenho me afastado de quem sou para me tornar a pessoa de que ela precisa neste momento.

— Já pode desafivelar o cinto? — pergunta.

Seu rosto está enterrado na manga da minha camisa. Ela está segurando minha mão. Para ser sincero, eu nem tinha percebido que decolamos. É como se, agora, eu vivesse mais tempo dentro da minha própria cabeça do que no mundo real.

— Ainda não.

Ela deve estar extremamente nervosa, já que não consegue nem erguer o olhar para conferir o aviso luminoso. Levo a mão até o lado de sua cabeça e pressiono os lábios em seu cabelo. Ela tenta disfarçar, mas ansiedade não é algo que você pode esconder. É visível na maneira como ela se comporta. Como suas mãos apertam o vestido. Como sua mandíbula está cerrada. Até mesmo pela maneira como seus olhos não param quietos quando estamos em público, como se ela estivesse esperando alguém aparecer do nada para nos atacar.

Quando um tinido indica que os avisos luminosos dos cintos foram apagados e que é seguro se mover pela cabine, Layla finalmente se afasta de mim. Seus olhos percorrem a cabine, nervosos, enquanto ela faz uma nota mental do que há ao seu redor. Ela abre a cortina e encara as nuvens, erguendo a mão, inconscientemente, até a cicatriz na lateral da cabeça. Layla sempre a toca. Às vezes, fico imaginando em que pensa quando faz isso. Ela não tem nenhuma lembrança daquela noite. Sabe apenas o que lhe contei, mas raramente pergunta sobre isso. Na verdade, *nunca* pergunta sobre isso.

Ela balança o joelho para cima e para baixo. Muda de posição no assento, depois olha para a classe econômica atrás da gente. Seus olhos estão arregalados, como se estivesse prestes a ter um ataque de pânico.

Só no último mês, Layla teve dois ataques de pânico intensos. E foi assim que ambos começaram. Ela toca a cicatriz. Seus dedos estremecem. Seus olhos se enchem de medo. Sua respiração fica ofegante.

— Você está bem?

Ela assente, mas não faz contato visual. Apenas expira pela boca várias vezes, de modo lento e silencioso, como se estivesse tentando ocultar de mim o esforço que está fazendo para se acalmar.

Ela fecha os olhos e inclina a cabeça para trás. Parece mais que quer se esconder embaixo do assento.

— Preciso dos meus comprimidos — sussurra.

Eu sabia que ela não estava bem. Pego sua bolsa do chão e procuro o remédio para ansiedade, mas não o encontro em lugar algum. Só uma carteira, um pacote de chiclete e um rolo adesivo para roupas.

— Não estão na mala que você despachou?

— Merda — murmura, ainda de olhos fechados.

Ela está agarrando os braços do assento, contraindo-se como se estivesse com dor. Não finjo que sei como é lidar com ansiedade. Na semana passada, quando perguntei como era, ela tentou me explicar. Disse: "*Parece que um calafrio está correndo no meu sangue.*"

Até então, sempre tinha achado que uma crise de ansiedade fosse o mesmo que uma preocupação exacerbada. Mas Layla me explicou que chegava a ser uma sensação física. Ela sente a ansiedade percorrer seu corpo como minúsculas ondas de choques elétricos. Depois que me contou, simplesmente a abracei. Eu me senti impotente. Hoje em dia, sempre me sinto impotente quando se trata de Layla, e é por isso que faço de tudo para garantir que ela esteja bem.

E ela não está bem agora.

— Quer esperar no banheiro até ficar melhor? — pergunto.

Ela faz que sim, então pego sua mão e a ajudo a sair do assento. Quando chegamos à frente da cabine, eu me aproximo da aeromoça.

— Ela está tendo um ataque de pânico. Vou entrar e ficar com ela até passar.

Assim que a aeromoça dá uma olhada em Layla, seu rosto adquire uma expressão compreensiva. Ela fecha a cortina para bloquear a vista que a cabine da primeira classe tem do banheiro.

Depois que fecho a porta, não sobra espaço para nos mexermos. Envolvo um braço na cintura de Layla e aproximo seu rosto do meu peito. Com o outro, umedeço um papel absorvente na pia e o pressiono na sua nuca enquanto a abraço.

Na semana passada, ela disse que meus braços são mais eficazes do que seu edredom. Não sei o que acho de ser a única coisa que parece amenizar seu pânico. Gostaria que ela encontrasse uma maneira de enfrentá-lo sem minha ajuda. Nem sempre posso estar ao seu lado, e me preocupo com o que aconteceria se ela tivesse um ataque quando não estou por perto.

Abraço-a por alguns instantes, sentindo seu corpo tremer contra o meu.

— Quer que eu conte para onde a gente vai? — pergunto. — Talvez você esteja mais ansiosa por não saber.

Ela balança a cabeça.

— Não quero estragar sua surpresa.

— Eu estava planejando contar depois da decolagem mesmo. — Afasto seu rosto do meu peito para conseguir ver sua reação. — Estamos indo para o *Corazón del País*. Reservei duas semanas inteiras para a gente.

Não há uma reação imediata. Mas, depois de alguns segundos, ela faz uma cara confusa.

— *Onde?*

Tento disfarçar minha preocupação, mas esses lapsos de memória têm acontecido com frequência. Ela demora um pouco para acessar lembranças que deveriam ser instantâneas. O médico disse que é um sintoma normal em pessoas que sofreram danos cerebrais, mas ainda fico chocado toda vez que percebo quanto de memória ela perdeu.

Levei bastante tempo para aceitar que Layla sofreu danos cerebrais.

É mínimo, mas é perceptível. Especialmente quando ela demora um pouco mais para se lembrar de coisas que foram tão importantes para mim. Para nós. Não levo para o lado pessoal, mas mesmo assim sinto uma pontada.

— A pousada — digo.

A familiaridade reaparece em sua expressão.

— Ah, é. O casamento da Aspen. A banda terrível do Garrett. — Há uma faísca de entusiasmo nos seus olhos. — A *pousada*.

— Na verdade, não é mais uma pousada. Está à venda agora, fechou faz três meses. Mandei uma mensagem para a corretora e perguntei se a gente podia alugar por umas duas semanas.

— Vamos ter a casa inteira só para a gente?

Faço que sim.

— Só nós dois.

— E os cozinheiros? E o pessoal da limpeza?

— Não é mais um estabelecimento comercial, então é a gente que vai cozinhar. Já providenciei a entrega dos mantimentos. — Percebo que ela ainda está tentando vencer o pequeno ataque de pânico, então continuo falando para distraí-la. — Aspen e Chad querem passar uma noite lá com a gente. Fica a apenas duas horas de Wichita. Estão pensando em ir na sexta.

Layla assente e pressiona a bochecha na minha camisa.

— Vai ser legal.

Abraço-a por mais alguns minutos, até ela parar de tremer.

— Está melhor?

— Estou.

— Que bom. — Passo a mão no seu cabelo e beijo o topo de sua cabeça. — É melhor a gente voltar para os assentos. Senão todo mundo no avião vai ficar falando do casal que transou no banheiro.

Ela não me solta. Em vez disso, aproxima a boca da minha e sua mão começa a descer pelo meu peito até o botão da minha calça.

— Então a gente não pode deixar eles mentirem.

Ela fica na ponta dos pés até seus lábios encostarem nos meus.

Sei que ela acha que deve ser uma fantasia minha — *e eu estaria mentindo se dissesse que não é* —, mas agora não. Não logo depois de ela se recuperar de um ataque de pânico. Parece errado.

Seguro seu rosto entre minhas mãos.

— Aqui não, tá bom?

Ela desanima um pouco.

— Vai ser rapidinho.

Beijo-a.

— Agora não. À noite.

Eu me separo dela, abro a porta e me afasto para que ela possa sair.

Layla gesticula para que eu saia e balança a cabeça.

— Quero usar o banheiro primeiro — diz com a voz fraca.

Ela parece estar franzindo as sobrancelhas quando fecho a porta. Volto para meu assento me sentindo um grande babaca por rejeitá-la.

Mas teria sido um babaca maior ainda se a gente tivesse trepado sessenta segundos depois de ela ter um ataque de pânico.

Não quero que ela se acostume a coisas desse tipo.

Não posso ser um band-aid nas suas feridas. Tenho que ajudar a curá-las.

* * *

— Falta quanto tempo para a gente chegar?

É a primeira coisa que diz desde que entramos no carro alugado. Ela adormeceu antes mesmo de sairmos do terminal do aeroporto.

— Uns vinte minutos.

Ela alonga as pernas e os braços, e solta um gemido que me faz mexer no banco. Estou arrependido de não ter inclinado suas costas sobre a pia desde que saí do banheiro do avião. O Leeds de antes teria topado transar ali. Duas vezes, provavelmente.

Às vezes, acho que mudei mais do que ela. O amor que sinto tem sido excessivamente protetor desde sua cirurgia. Acho que, agora, sou cuidadoso demais com Layla. Cuidadoso quando falo com ela, quando a abraço, quando a beijo, quando fazemos amor.

Armo a seta para pegar a próxima saída.

— Precisamos abastecer. É a última parada antes de a gente chegar. Quer ir ao banheiro?

Layla balança a cabeça.

— Não, estou bem.

Quando chegamos ao posto, encaixo o bico de abastecimento no carro, vou até a porta do passageiro e a abro. Layla me olha, protegendo a vista do sol da tarde. Pego sua mão e a puxo para fora do carro.

Eu a abraço, encostando-a contra o veículo, depois beijo o lado de sua cabeça.

— Desculpe.

É só o que digo. Não sei se está decepcionada porque a rejeitei nem se sabe por que estou me desculpando, mas ela se aproxima um pouco mais de mim.

— Tudo bem. Você não precisa me desejar a toda hora — diz.

O vento está cobrindo seu rosto de fios de cabelo, então os ponho para trás com as mãos. Ao fazer isso, sinto alguma coisa nos fios. Eles estão grudados — pegajosos entre meus dedos. Eu me aproximo e examino sua cabeça, apesar de ela tentar se afastar. Seu cabelo é escuro, então não consigo ver o sangue, mas as pontas dos meus dedos estão vermelhas quando tiro as mãos do meio dos fios.

— Você está sangrando.

— Estou?

Ela pressiona os dedos na cabeça, bem em cima da incisão.

O bico de abastecimento faz um barulhinho, então eu a solto e o tiro do tanque do carro.

— Vou estacionar, depois entro na loja e ajudo você a se limpar.

Depois de estacionar, fuço as prateleiras até achar um pequeno kit de primeiros socorros. Vou para o banheiro feminino encontrar Layla. Há apenas uma divisória sanitária, então tranco a porta ao entrar. Ela está virada para mim, encostada na pia. Pego um cotonete e um pouco de água oxigenada e limpo primeiro o sangue seco no seu cabelo, depois ao redor da incisão.

— Bateu a cabeça em alguma coisa?

— Não.

— Está bem feio. — Já devia ter curado. Faz seis meses que a ferida cicatrizou, mas abre a cada mais ou menos quinze dias. — Talvez fosse bom alguém dar uma olhada nesta semana.

— Não está doendo. Vai ficar tudo bem. Estou bem.

Termino de limpar o ferimento e aplico uma pomada antisséptica. Não volto a perguntar por que está sangrando. Ela jamais admitiria que faz isso consigo mesma, mas já a vi mexer na cicatriz.

Arrumo a bagunça e fecho o kit de primeiro socorros enquanto Layla usa o banheiro. Ela vai até a pia e lava as mãos. Estou encostado na porta, observando-a pelo espelho.

E se parte do problema for eu? E se minha hesitação em tratar Layla exatamente como antes for algum tipo de obstáculo?

Nós fazemos amor com frequência, mas agora é diferente. Nos primeiros meses, éramos a combinação perfeita de tudo que faz um sexo ser bom. Eu era meigo e delicado, mas também ousado e bruto, às vezes ao mesmo tempo. Não a tratava como se ela fosse frágil, mas como se fosse inquebrável.

Acho que foi aí que errei. Preciso tratá-la como a pessoa que ela está tentando ser outra vez — a Layla cheia de força e espontaneidade, antes que isso fosse arrancado dela.

Layla está me encarando pelo espelho enquanto ponho o kit de primeiros socorros ao seu lado na pia. Nos entreolhamos enquanto minha mão levanta seu vestido e desliza devagar entre suas coxas. Vejo que ela engole em seco quando ponho o dedo na sua calcinha e a puxo para baixo.

Levo a mão direita à sua nuca e a empurro para a frente enquanto desabotoo minha calça jeans.

E então, pela primeira vez em seis meses, não sou nem um pouco delicado com ela.

5

Digito a senha que a corretora me deu. O portão de ferro forjado sacode enquanto desliza hesitante pela entrada de cascalho, como se tivesse de se esforçar para lembrar como funciona.

A pousada é uma mansão antiga de dois andares, em estilo vitoriano, com vista para hectares de árvores densas. É completamente branca com a porta da frente vermelha e, pelo que eu me lembre, tem seis quartos no segundo andar e uns dois no térreo.

À primeira vista, a propriedade parece igual ao ano passado — só que mais espaçosa. O estacionamento está vazio. Não há hóspedes andando pelo terreno. Lembro que na primeira vez que pisei aqui, havia um burburinho enérgico do pessoal que estava se preparando para o casamento de Aspen e Chad. Era o auge do verão, então a grama estava verde, e a relva, bem-cuidada.

Agora, o terreno parece ter caído no esquecimento, esperando a primavera trazer de novo à vida tudo que foi assassinado pelo inverno.

— Parece igual — digo, enquanto estaciono o carro, mesmo que o lugar pareça totalmente diferente. Mais... solitário.

Layla não diz nada.

Abro a porta e é impossível não notar o vazio no ar. Sem cheiros, sem sons, sem passarinhos cantando. Está silencioso, e eu meio que gosto disso. Gosto da ideia de estar no coração do país com Layla outra vez, com o bônus do isolamento total.

Pegamos a bagagem no porta-malas. Subo os degraus da varanda carregando as duas enquanto Layla digita o código que a corretora me deu para abrir a porta.

Entro primeiro, e percebo na hora que o cheiro está diferente. No ano passado, durante o casamento, não cheirava a naftalina. Espero que haja velas para acendermos e disfarçar o odor.

Layla passa pelo limiar da porta e, no mesmo instante, estremece. Apoia a mão na parede, como se estivesse tentando se equilibrar.

— Tudo bem?

Ela assente.

— Tudo. É que... — Ela fecha os olhos por alguns segundos. — Está frio aqui. E minha cabeça está doendo. Acho que quero tirar um cochilo.

Não está frio. Na verdade, está até meio abafado, mas os braços dela estão totalmente arrepiados.

— Vou achar o termostato. Deixe a mala aqui que eu levo para nosso quarto daqui a pouco.

Vou em direção à cozinha para procurar o termostato. Não o encontro, mas fico aliviado ao ver que a corretora entregou os mantimentos. Normalmente, eu não pediria para alguém fazer compras para mim, mas ela se ofereceu e eu dei uma bela gorjeta.

Não tinha certeza se eles deixariam a gente se hospedar aqui, então mencionei estar interessado em comprar a propriedade e pedi um período de teste. Mas não contei isso a Layla. Primeiro, queria dar uma conferida no lugar — ver se a gente ainda o ama tanto quanto na primeira vez que estivemos aqui.

Apesar disso, não sei se a expressão que surgiu no rosto de Layla desde que entramos na propriedade expressa algum desejo de morar na mansão. Na verdade, ela parece pronta para ir embora.

Vou até o Grande Salão para procurar o termostato. Fico aliviado ao ver que o piano *baby grand* ainda está aqui. A tampa está fechada e há uma fina camada de pó sobre ela, o que me entristece. Um piano tão bonito merece ser tocado, mas, pelo jeito, acho que fui a última pessoa a encostar nele.

Passo o dedo pela parte de cima do piano, formando uma linha em meio ao pó. Não sabia o que esperar depois de ouvir que a pousada estava desocupada. Fiquei preocupado, achando que os proprietários tinham levado o piano, mas todos os móveis continuam aqui.

Layla sabe que esta viagem é tanto a lazer quanto a trabalho. Tenho um álbum para compor, então, nas próximas duas semanas, planejo tocar piano o máximo possível sem fazê-la se sentir excluída.

Droga, acho que ela vai me forçar a deixá-la excluída. Quer que esse álbum fique pronto mais do que eu.

Não encontro o termostato, então saio do Grande Salão. Quando olho para o corredor, vejo Layla espiando dentro de um quarto. Ela fecha a porta, continua andando e abre a de outro. Parece confusa, como se não lembrasse onde ficava o nosso. Começa a fechar aquela porta também.

— Fica no segundo andar, Layla.

Ela se assusta ao me ouvir e se vira.

— Eu sei. — Ela aponta para o cômodo por onde estava passando e entra nele. — É que… eu queria usar o banheiro.

Layla entra no banheiro e fecha a porta.

Ela acabou de ir ao banheiro do posto de gasolina, vinte minutos atrás.

Às vezes, acho que sua perda de memória é maior do que ela admite. Já pensei em testá-la — talvez mencionar algo que nunca aconteceu só para ver se ela fingiria se lembrar.

Mas isso seria frio e calculista. E já me sinto culpado demais.

Assim que escuto a água correr no banheiro, vejo o termostato perto da escada. Está marcando 21 graus. Acho que não quero uma temperatura mais alta, mas aumento alguns graus para que o calor acabe com o frio que ela está sentindo.

Vou à sala de estar só para inspecionar todas as áreas da casa que não vi da última vez.

Não parece muito acolhedora — é como se ninguém devesse ficar aqui. Há um sofá cor de creme e uma namoradeira combinando, ambos voltados para uma lareira. Ao lado de uma mesa com livros estrategicamente empilhados há uma poltrona de couro marrom.

A sala tem apenas uma janela, mas a cortina está fechada, deixando o cômodo escuro. Passei por aqui algumas vezes da última vez, mas nunca entrei. Estava sempre ocupado, mas, agora, aquelas pessoas foram substituídas por sombras.

Não gosto deste lugar tanto quanto gosto do Grande Salão. Talvez seja porque Layla e eu ficamos mais próximos no Grande Salão. Ele faz parte da nossa história.

Já esta sala parece desconectada de nós dois. Se a mansão é o coração do país, este cômodo é a vesícula.

Se a gente acabar comprando a propriedade, este seria o primeiro cômodo que eu reformaria. Derrubaria parte da parede e acrescentaria mais janelas. Decoraria com uma mobília em que Layla pudesse derramar cereal ou vinho tinto.

Faria dele um lugar acolhedor.

Desde que Layla recebeu alta do hospital, não nos sentimos em casa em lugar nenhum. Nem eu nem ela quisemos voltar para meu apartamento em Franklin, o que é compreensível. Mas não achei certo arranjar uma casa nova sem consultar Layla, então aluguei um apartamento temporário perto do hospital e foi para lá que a levei quando ela foi liberada. Tenho hesitado em comprar algo permanente. Não sei se quero morar em Franklin. Nem mesmo em Nashville.

Ando analisando muitas casas, mas nada me chamou a atenção até ver esta propriedade à venda.

Tem alguma coisa sobre este lugar. Talvez seja porque foi onde conheci Layla. Talvez porque estar literalmente no centro do país é mesmo reconfortante de alguma maneira. Ou talvez porque, de Nashville para cá, é um dia inteiro dirigindo, e adorei a ideia de sair daquela cidade.

Seja o que for, não estou aqui só porque queria férias. Estou aqui porque quero tirar um tempo para me concentrar na minha música e quero que Layla encontre paz. Tenho a impressão de que este é o único lugar que pode nos dar isso. O isolamento seria perfeito para nós. Ela se sentiria segura.

Eu me viro ao ouvir um grito de Layla.

Saio correndo da sala em direção ao banheiro, quando escuto o barulho de vidro quebrando.

— Layla? — Escancaro a porta, e ela me encara com olhos assustados. Imediatamente seguro sua mão porque os nós de seus dedos estão sangrando. Há cacos de vidro no fundo da pia. Olho para cima, e vejo o espelho do banheiro estilhaçado. Parece que alguém deu um soco bem no meio dele. — O que aconteceu?

Layla balança a cabeça. Seu olhar vai do espelho quebrado para todos os cacos de vidro na pia.

— Eu… eu não sei. Estava só lavando a mão, e o espelho se estilhaçou.

Tem uma reentrância óbvia no espelho, como se alguém tivesse dado um murro nele, mas não consigo pensar por que Layla faria isso. Talvez já estivesse quebrado, e quando ela foi lavar as mãos, o movimento deslocou os cacos.

— Vou pegar o kit de primeiros socorros no carro.

Quando volto da van, ela está na cozinha. Cuido de seus ferimentos assim como fiz mais cedo. Não faço perguntas. Ela parece abalada. Suas mãos estão tremendo. Ao terminar, pego o kit de primeiros socorros e uma das nossas malas.

— Vou mandar um e-mail para a corretora falando do espelho — digo. — Alguém podia ter se machucado de verdade por causa disso.

Ela pega a outra mala e me segue até o segundo andar. Dá para perceber que está perturbada devido ao incidente.

No entanto, tenho que parar de tratá-la como se fosse incapaz de se cuidar sozinha. Ela é capaz. É forte. É incrível. E eu vou ser a pessoa que vai lembrá-la disso, porque parece que ela se esqueceu.

6

Se não estivesse tentando ganhar a vida como músico, seria chef de cozinha.

Cozinhar é relaxante. Nunca me dediquei a isso antes da cirurgia de Layla. Quando começamos a morar juntos, ela me ensinou algumas coisas, mas depois do ataque não me senti à vontade com a ideia de ela se esforçar demais, então comecei a preparar a comida. Sou especialista em sopas, principalmente porque era só o que Layla queria comer durante a recuperação.

Ela está lá em cima desfazendo as malas. Eu me certifiquei de guardar meus sapatos no armário para que ela não visse o anel. Desci para fazer o jantar. Queria começar bem a viagem, então vou preparar *pasta* e *fagioli*. Seu prato preferido.

Aprendi bastante desde que ela saiu do hospital. Principalmente com sua mãe, Gail. Ela ficou conosco nas primeiras semanas depois que Layla recebeu alta. Queria levá-la de volta para Chicago, mas, felizmente, Layla não quis. Eu não queria que ela fosse. Eu me sentia responsável por ajudá-la a se recuperar, já que nada daquilo teria acontecido caso eu tivesse sido mais protetor.

Admito que precisei me adaptar. Fazia apenas dois meses que tinha conhecido Layla antes de ela passar um mês no hospital. Logo depois, a mãe dela se mudou temporariamente para nosso apartamento novo e já abarrotado. Em menos de três meses, eu, que sempre morei sozinho quando adulto, passei a viver com minha namorada, sua mãe e, às vezes, Aspen, sua irmã. O apartamento que aluguei tinha apenas um quarto, então o sofá estava sempre ocupado e um colchão inflável ocupava quase todo o restante da sala de estar.

Fiquei contente quando sua mãe finalmente voltou para Chicago, mas não porque não gostasse dela. Só era um pouco demais. Passarmos por tudo aquilo, sentirmos que não tínhamos nosso próprio espaço e depois assistir a Layla tendo dificuldades para retomar sua vida. Tudo que eu queria era normalidade. Nós dois queríamos.

Mas nem tudo foi ruim. Pude conhecer a família de Layla e rapidamente descobri por que me apaixonei por ela. São pessoas muito carismáticas e abertas. Pô, acho que gostei até de Chad Kyle. Só o vi uma vez depois do casamento e, como Layla tinha mencionado, ele é um pouco babaca, mas é engraçado.

Eu meio que estou ansioso pela visita deles na sexta.

Depois de colocar todos os ingredientes na panela, seco as mãos em um pano de prato e subo para ver como Layla está. Quando decidi descer para começar a preparar o jantar, ela estava desfazendo as malas, mas já faz meia hora, e desde então está tudo silencioso lá em cima. Não ouvi seus passos.

Ao abrir a porta, vejo Layla dormindo na cama, com as malas abertas e ainda cheias. Está roncando baixinho.

Foi um dia longo. É a primeira viagem dela desde que recebeu alta do hospital. Imagino que tenha sido cansativo, então começo a desfazer as malas em silêncio enquanto ela dorme.

De vez em quando, olho para ela e me lembro dos primeiros dias que passamos aqui. Cada segundo ao seu lado parecia um despertar. Como se eu nunca tivesse aberto os olhos de verdade antes de conhecê-la.

Eu era cego, mas agora vejo.

Era assim que Layla me fazia me sentir. Como se alguém tivesse devolvido todo o ar para minha vida quando eu nem sabia que estava sufocando.

Daria tudo para me sentir daquele jeito outra vez, antes que a sensação fosse injustamente roubada de nós. Estávamos confortáveis na minha casa em Franklin. Layla não tinha dificuldade para dormir à noite. Não olhava por cima do ombro toda vez que estávamos em público.

Vou até o lado da cama onde Layla está dormindo e toco seu cabelo, pondo-o delicadamente atrás da sua orelha. Precisaram raspar uma parte dele durante a cirurgia, então agora ela o usa de outra maneira para cobrir a área. Afasto as mechas e olho a cicatriz.

Sou grato por ela.

Sei que Layla a odeia e que faz de tudo para cobri-la, mas às vezes, enquanto ela dorme, olho a cicatriz para me lembrar do que estive a ponto de perder.

Layla se contrai um pouco, então afasto a mão bem na hora que um cheiro de queimado entra no quarto. Olho para a porta, confuso, porque é impossível que a sopa já esteja queimando. Faz menos de dez minutos que acendi o fogo.

Vou até o topo da escada e vejo uma nuvem escura de fumaça saindo pela entrada da cozinha.

Assim que começo a descer, ouço um estrondo vindo de lá.

É tão forte que o sinto no peito.

Desço o restante dos degraus correndo e, quando chego à cozinha, há sopa por toda parte. Dou uma olhada no fogão, no chão, nas paredes. Afasto a fumaça do rosto com as mãos e tento descobrir o que precisa de mais atenção.

Mas não tem nada pegando fogo. Só um monte de fumaça e uma bagunça do cacete.

Estou chocado, encarando a cena, quando Layla desce a escada rapidamente.

Ela para na entrada da cozinha e assimila o caos.

— O que aconteceu?

Vou até o fogão para apagar a boca, mas, quando estendo o braço na direção do botão, percebo que o fogo sequer está aceso. Foi desligado.

Meu braço despenca ao lado do meu corpo. Olho a boca do fogão e depois a panela no canto oposto da cozinha.

— Por que a torneira está aberta? — pergunta Layla.

Há um jato de água saindo da torneira. Não me lembro de tê-la aberto. Vou até lá, fecho-a e percebo algo dentro da pia.

Um pano queimado.

O mesmo pano que usei para secar as mãos antes de subir para o quarto.

É óbvio que o pano pegou fogo, está esturricado, mas como ele foi parar na pia? Como a torneira estava aberta? Quem desligou o fogão?

Quem derrubou a panela de sopa?

Imediatamente, vou até a porta da frente, mas está trancada por dentro. Layla me acompanha.

— O que está fazendo?

Sei que há uma porta nos fundos, mas, se alguém tivesse derrubado a panela do fogão enquanto eu descia a escada, eu teria visto a pessoa indo até a porta. A cozinha não tem outra saída.

Volto para lá e olho a janela. Também está trancada por dentro.

— Leeds, você está me assustando.

Balanço a cabeça.

— Está tudo bem, Layla — digo de um jeito tranquilizador. Não quero afligi-la. Se eu agir como se não pudesse explicar o que aconteceu, ela vai se preocupar sem necessidade. — O pano pegou fogo. Depois derrubei a panela de sopa sem querer tentando apagá-lo. — Acaricio seus braços. — Desculpe. Vou limpar tudo.

— Eu te ajudo — diz ela.

Deixo que ela faça isso. Prefiro que a gente esteja no mesmo cômodo, já que não sei que porra foi essa que acabou de acontecer.

A entrevista

A fita acaba, então o homem a ejeta e a vira. Depois, aperta o botão de gravar outra vez.

Será que ele sabe o quanto seria mais fácil se usasse um celular? Ele deve acreditar em teorias da conspiração e se recusar a andar por aí com um de tanto que questiona o governo.

— Quero ver o fogão — diz o homem.

Ele pega o gravador e caminha até a cozinha. Fico sentado no sofá por um instante, perguntando-me se não foi um erro chamá-lo aqui. A maioria das pessoas sãs diria que estou perdendo a cabeça depois de escutar minha história. E cá estou eu, acreditando que este homem não vai revelar minha história para todas elas.

Sinceramente? Não estou nem aí. Minha possível carreira, meus poucos seguidores, a imagem que Layla tem tentado construir para mim — nada disso importa mais. Tudo parece insignificante, agora que vi do que este mundo é capaz.

Parece que passei a vida inteira em águas rasas e, nas últimas semanas, afundei até o final da Depressão Challenger.

Quando entro na cozinha, o homem está com a cabeça inclinada, encarando o fogão. Ele aperta o botão, gira-o e espera a chama acender. Quando ela acende, ele a observa por um momento. Em seguida a desliga.

O homem gesticula em direção ao fogão.

— Você tem que pressionar para desligar. Então como você explicaria o que aconteceu?

Dou de ombros.

— Eu não soube explicar.

Ele dá uma risadinha. É a primeira vez que expressa alguma reação. Ele se senta à mesa e põe o gravador entre nós dois.

— Layla pareceu incomodada?

— Na verdade, não. Assumi a culpa e ela não duvidou. A gente limpou a cozinha junto e eu acabei fazendo só um macarrão.

— Alguma outra coisa lhe pareceu estranha naquela noite?

— Nada comparado ao que aconteceu com o fogão.

— Mas aconteceu algo fora do comum?

— Nos dias seguintes, aconteceram várias coisas que me fizeram duvidar da minha sanidade.

— Que tipo de coisas?

— Coisas que teriam feito qualquer outra pessoa sair correndo daqui sem pensar duas vezes.

7

Layla está remexendo o macarrão na tigela, mais empurrando com o garfo do que comendo. Parece entediada.

— Não gostou?

Ela fica tensa quando percebe que a estou observando.

— Está gostoso — diz, dando uma pequena garfada.

Ultimamente, ela não tem tido muito apetite. Mal come e, quando come, prefere qualquer coisa que tenha carboidrato. Acho que é por isso que ela só deu três pequenas garfadas — porque só tem carboidrato na sua tigela.

Ela se pesou uma semana depois de receber alta do hospital. Lembro que eu estava escovando os dentes na pia. Layla subiu na balança ao meu lado e sussurrou para si mesma: "*Meu Deus.*" Depois disso, não a vi fazer nenhuma refeição completa.

Ela mastiga com cuidado e encara a tigela à sua frente. Toma um gole de vinho e volta a empurrar o macarrão de um lado para o outro.

— Quando Aspen e Chad chegam? — pergunta ela.

— Na sexta.

— Quanto tempo eles vão ficar?

— Só uma noite. Eles estão fazendo aquela viagem de carro.

Layla assente como se soubesse do que estou falando, mas quando liguei para Aspen para contar da viagem, ela me disse que não falava com Layla havia duas semanas. Mais tarde, na mesma noite, conferi o celular de Layla, e tinha várias ligações perdidas da mãe e da irmã. Não sei por que está evitando as duas, mas é mais comum ela mandar as ligações para a caixa postal do que atendê-las.

— Falou com sua mãe hoje? — pergunto.

Layla balança a cabeça.

— Não. — Ela me olha. — Por quê?

Não sei por que perguntei isso. Só odeio o fato de ela estar evitando a maioria das ligações da mãe. Quando Layla faz isso, Gail me manda mensagens querendo saber o que há de errado com a filha. Depois, manda mensagens para Aspen, que fica preocupada. Depois, Aspen me manda mensagem e pergunta por que Layla não está atendendo as ligações.

Seria mais fácil para todo mundo se Layla simplesmente desse notícias com mais frequência, assim as duas não se preocupariam tanto. Mas elas se preocupam. Todos nós nos preocupamos. O que deve ser mais um passo para trás para Layla.

— Queria que minha mãe arranjasse um hobby para não ficar esperando falar comigo todo dia — diz Layla, soltando o garfo.

Ela toma outro gole de vinho e, ao colocar a bebida de volta na mesa, fecha os olhos por vários segundos.

Ao abri-los, encara o macarrão em silêncio.

Inspira como se quisesse apenas esquecer a conversa.

Talvez ela tenha ficado muito tempo com elas depois que recebeu alta do hospital. Deve estar precisando dar um bom tempo das duas, assim como eu preciso dar um tempo do resto do mundo.

Layla pega o garfo e o olha. Em seguida, olha a tigela de macarrão outra vez.

— Que cheiro *delicioso*.

Ela diz "delicioso" como se fosse um gemido. Até cheira o macarrão. Inclina se para a frente e fecha os olhos, inspirando o aroma do molho. Acho que esse é seu novo truque para perder os sete quilos que sempre menciona — cheirar a comida em vez de comê la.

Layla pega o garfo e o gira dentro da tigela. Come a maior garfada que a vi comer. Quando a comida está na boca, ela solta um grunhido.

— Meu Deus, que delícia. — Ela dá outra garfada, mas antes mesmo de engolir já está enfiando mais comida na boca. — Quero mais — diz, com a boca cheia.

Ela pega a taça de vinho e a aproxima dos lábios enquanto levo sua tigela até o fogão e sirvo mais macarrão.

Quando me sento à mesa outra vez, ela praticamente arranca a tigela das minhas mãos e a devora inteira em poucas garfadas. Ao terminar, ela se recosta e pressiona a palma da mão sobre a barriga, ainda segurando o garfo com firmeza na mão direita.

Começo a rir de alívio por ela finalmente estar se alimentando, e também porque nunca vi alguém comer com tanto entusiasmo.

Layla fecha os olhos e geme, inclinando-se para a frente. Apoia os cotovelos na mesa e leva a mão da barriga para a testa.

Estou dando uma garfada no meu próprio macarrão quando ela abre os olhos. Encara a tigela vazia e faz uma cara de horror, como se estivesse arrependida de todo o carboidrato que ingeriu. Depois cobre a boca com a mão.

— Leeds? Minha comida sumiu.

— Quer mais?

Ela olha para mim. Nunca vi a parte branca de seus olhos tão chamativa.

— A comida *sumiu* — sussurra.

— Não tudo. Pode comer o que sobrou se quiser.

Ela parece horrorizada ao escutar isso, como se eu a tivesse insultado.

Layla olha o garfo que ainda está segurando e o analisa como se não fosse um garfo. Em seguida, solta-o. Joga-o, na verdade. Ele desliza pela mesa e acerta minha tigela enquanto ela empurra a cadeira para trás e se levanta.

— Layla, o que foi?

Ela balança a cabeça.

— Nada. Estou bem. É que... comi rápido demais. Estou um pouco enjoada.

Ela se vira, sai da cozinha e sobe apressada a escada.

Vou atrás. Ela está se comportando como se estivesse prestes a ter outro ataque de pânico.

Quando chego ao quarto, ela está remexendo na gaveta da cômoda e murmurando: *"Cadê?"* Quando não encontra seja lá o que está procurando, abre a porta do armário. Surto um pouco, achando que ela pode encontrar o anel por acidente. Eu me aproximo e seguro suas mãos, desviando sua atenção do armário para mim.

— O que está procurando?

— Meu remédio.

É óbvio.

Ponho a mão na gaveta de cima da cômoda e tiro o frasco de remédio. Abro-o e lhe entrego um comprimido, mas ela parece querer arrancar o recipiente de mim e tomar todos de uma vez.

Não faço a mínima ideia do que a deixou tão apavorada, mas, assim que pega o comprimido, ela entra no banheiro e abre a torneira. Layla põe o comprimido na língua, depois toma um gole direto da pia. Inclina a cabeça para trás e o engole, o que me faz lembrar da noite em que Aspen deu o remédio a ela na piscina.

Pensar naquilo me faz sorrir enquanto me encosto na armação da porta. Agora que tomou o Alprazolam, Layla parece um pouco mais calma, então puxo conversa para tentar distraí-la de sua própria ansiedade.

— Lembra quando achei que sua irmã tinha me dado droga?

Layla vira a cabeça rapidamente para mim.

— Por que eu me lembraria de Aspen dando *droga* a você? — Assim que ela diz isso, vejo remorso nos seus olhos. Layla deixa a cabeça cair entre os ombros e segura a pia. — Desculpe. O dia foi longo.

Ela expira pela boca e se afasta da pia. Aproxima-se de mim e envolve os braços na minha cintura, pressionando a testa contra meu peito.

Abraço-a porque não faço ideia do que está acontecendo na sua cabeça. Ela está dando o melhor de si, então não permito que seu humor me incomode. Fico a segurando durante vários minutos, sentindo seu batimento cardíaco desacelerar aos poucos.

— Quer ir dormir? — sussurro.

Ela assente, então subo as mãos pelas suas costas e a ajudo a tirar a blusa. Em algum momento entre a porta do banheiro e a cama, começamos a nos beijar.

Agora essa é nossa rotina noturna. Ela se estressa. Eu a acalmo. Fazemos amor.

* * *

Depois que Layla pegou no sono, tomei um banho. Não conseguia dormir, então desci e, em duas horas, completei um dia inteiro de trabalho: fiz a barba, lavei a louça e escrevi alguns versos para uma música nova.

Agora é uma da manhã, e finalmente voltei para a cama com Layla, mas meus pensamentos continuam acelerados.

Fecho os olhos e tento me obrigar a dormir, porém minha mente está a mil por hora. Achei que hoje seria um dia diferente para Layla. Sem estresse. Achei que seria parecido com nossa primeira vez aqui. Mas não. Foi como todos os outros desde que ela saiu do hospital. Por mais que eu não queira voltar ao assunto, realmente acho que ela deveria se consultar com um terapeuta. O médico recomendou. A mãe e a irmã dela recomendaram. Mas Layla insistiu que não precisava. Até agora, fiquei ao seu lado. Achei que se eu a ajudasse no processo de recuperação, sua ansiedade passaria. Mas está piorando.

Estou encarando o despertador quando sinto o lado da cama de Layla se mexer. Escuto ela se levantar e andar pelo piso de madeira.

Primeiro, acho que está indo ao banheiro. Mas o som dos seus passos cessa, e ela não se move por um tempo. Como sinto que ela não está na cama, me viro para ver o que está fazendo.

Há um espelho de corpo inteiro na parede, a alguns metros da cama. Layla está se olhando fixamente. O quarto está escuro, iluminado apenas por um pouco de luar que entra pela janela, então não tenho certeza do que ela está tentando ver. Layla vira da esquerda para a direita e se inspeciona no espelho. É estranho ela ficar se encarando por tanto tempo. Espero mais alguns minutos, pensando que vai voltar para a cama, mas não volta.

Layla se aproxima do espelho, erguendo a mão até ele. Desliza o indicador pela superfície do vidro, como se estivesse contornando o próprio corpo.

— Layla?

A cabeça dela se vira bruscamente na minha direção. Seus olhos estão arregalados de vergonha, como se tivesse sido pega no flagra fazendo algo que não devia. Ela volta correndo para a cama e escorrega para baixo da coberta, de costas para mim.

— Pode voltar a dormir. Estou bem — sussurra.

Observo a parte de trás da sua cabeça por um tempo, depois me viro. Mas tenho certeza de que não vou conseguir dormir. Principalmente agora.

Ainda estou encarando o despertador quando dá 1h30. Layla já voltou a dormir e está roncando baixinho.

Não vou conseguir dormir, por mais tempo que eu fique deitado.

Saio da cama de fininho, pego o celular e desço para o térreo. Vou até o Grande Salão e me sento no sofá. Aqui, é 1h35, mas em Seattle são apenas 23h35. Minha mãe nunca dorme antes da meia-noite, então mando uma mensagem para ver se ela está acordada. Ela retorna com uma ligação.

Encosto no braço do sofá e deslizo o dedo na tela do celular.

— Oi.

— Vocês chegaram no Kansas? — pergunta ela.

— Chegamos, lá pelas cinco da tarde.

— Como Layla está?

— Está bem. A mesma coisa.

— E você?

Suspiro.

— Estou bem. A mesma coisa.

Minha mãe ri porque sabe quando estou mentindo descaradamente. Mas também sabe que conto o que estou a fim de contar quando estou a fim de contar.

— E o Tim, como está?

Ele é o primeiro namorado da minha mãe desde a morte do meu pai. Já o encontrei algumas vezes. Ele parece gente boa. Humilde. Gentil. O tipo de cara que eu queria para ela.

— Está bem. A aula que ele dava de manhã não tinha tantos alunos, então foi cancelada. Agora ele tem uma hora livre todo dia e está adorando.

— Que bom.

Então, antes mesmo de conseguir pensar nas palavras que estão saindo da minha boca, pergunto:

— Você acredita em fantasmas?

— Que pergunta aleatória.

— Eu sei. É que não me lembro de você falando sobre isso nenhuma vez.

— Teoricamente, não ligo muito para isso. Não posso dizer que *não* acredito, mas nunca tive uma experiência que me fizesse acreditar de verdade em fantasmas. — Ela faz uma pausa. — Por quê? Você acredita?

— Não — digo. Porque não acredito. — Mas hoje, mais cedo... não sei. Aconteceu uma coisa esquisita. Quase incendiei a casa enquanto estava cozinhando. Eu estava no segundo andar quando senti cheiro de fumaça. Então desci para a cozinha e o pano que eu tinha deixado no fogão estava na pia. A torneira estava aberta em cima dele. A panela tinha sido derrubada no chão, e alguém tinha desligado a boca do fogão. Layla estava lá em cima o tempo todo, então não pode ter sido ela.

— Que estranho. A casa tem sistema de segurança?

— Não, mas estava trancada por dentro, até as janelas. É impossível que alguém tenha apagado o fogo e depois ido embora sem ser visto.

— Hum. É estranho mesmo. Mas, se alguém impediu a casa de pegar fogo, parece mais que foi um anjo da guarda, não um fantasma.

Dou risada.

— Ou vai ver foi um caseiro... *fantasma* — diz minha mãe, rindo da própria piadinha. — O que mais anda acontecendo?

Solto outro suspiro, mas não entro em detalhes.

— Não tem problema você estar sentindo o que está sentindo, Leeds.

— Não falei o que eu estava sentindo.

— Não precisa. Sou sua mãe. Consigo perceber o estresse na sua voz. Além disso, a culpa sempre foi sua pior característica.

Ela tem razão. Encosto a palma na testa.

— Não sei o que eu tenho de errado.

— Vejamos... Você foi atacado dentro da sua própria casa. A garota que você ama quase morreu. Você passou um mês inteiro com ela no hospital e ainda mais tempo cuidando dela. Imagino que deve ser bem estressante. E, para piorar, tem um fantasma aí.

Dou risada, sentindo a tensão se esvair dos meus ombros. Ela sempre soube explicar tudo sem que eu precisasse contar o que estou sentindo.

— Sabe do que eu sinto saudade? — pergunta minha mãe.

— Do quê?

— De você. Faz seis meses que não te vejo, e a última vez não foi numa situação muito boa. Quando você vem a Seattle?

— Em breve. Agora que Layla foi liberada para viajar, vou ver o que ela quer fazer. Pode ser no próximo mês?

— Não importa quando, desde que você venha em algum momento.

— Tudo bem. Amanhã, depois que eu falar com ela, ligo para você.

— Tá ótimo. Te amo, saudades. Mande um beijo para Layla por mim.

— Mando, sim. Também te amo.

Encerro a ligação e fico imóvel no sofá, destruído. *Acho que estou deprimido. Talvez* eu *esteja precisando de terapia.*

Por mais que seja um pensamento de merda, meio que espero que tudo que tenho sentido recentemente seja só o sintoma de uma depressão, de algum tipo de desequilíbrio químico. Eu poderia tomar um comprimido todo dia e depois, assim espero, me apaixonar de novo pela minha própria vida.

Isso tudo poderia ser uma música. Estendo o braço até a mesa de canto onde deixei meu notebook mais cedo e abro o Word. Começo a digitar alguns versos.

Eu não sentiria nada se você golpeasse meu coração
Sentiria ainda menos se me esfaqueasse
Mas não deixei de amar você
Eu deixei de amar a vida

Analiso a letra, convencido de que nunca escrevi palavras tão verdadeiras. Parece que nada mais me entusiasma. Nem mesmo compor músicas. Parece que estou abrindo feridas que estava tentando curar.

Eu deveria comprar esta mansão. A gente poderia ficar aqui para sempre e ter uma horta, um cachorro e uns gatos. Talvez umas galinhas. Poderíamos reabrir a pousada e assistir às pessoas se casando no quintal todo sábado.

Minimizo a aba do Word e abro o navegador. Digito o website da corretora e procuro a casa. Salvei o anúncio nos favoritos porque visito a página todos os dias desde que descobri que a propriedade estava à venda. É fácil imaginar eu e Layla construindo uma vida aqui.

Acho que eu poderia aceitar uma vida pública maior se também tivesse uma vida privada extremamente isolada. Com certeza existe uma maneira de equilibrar as duas coisas.

A recuperação de Layla provavelmente seria menos estressante, ainda mais se eu instalasse uma cerca privativa e um portão eletrônico; se ela saísse da cidade onde todas as nossas piores lembranças começaram.

Clico no ícone do e-mail para escrever para a corretora. Quero fazer algumas perguntas sobre a propriedade e gostaria que ela nos encontrasse na casa para que Layla participasse da decisão.

Assim que termino de digitar, movo o cursor até o ícone de envio, mas antes de clicar, meu notebook se fecha bruscamente — bem em cima das minhas mãos.

Que porra foi essa?

Jogo o notebook para longe de mim. Jogo-o por instinto, por mais que me doa vê-lo cair com um baque no piso de madeira.

Mas que porra foi essa?

Olho para minhas mãos. Olho o notebook a um metro de mim. Não tem explicação para isso. Ele fechou com força o suficiente para deixar os nós dos meus dedos vermelhos.

No mesmo instante, subo a escada correndo. Quando chego ao banheiro, tranco a porta atrás de mim.

Tento pensar em todas as coisas que poderiam ter causado aquilo, mas não há nada. Não pode ter sido uma dobradiça quebrada, nem um defeito de fabricação, nem o vento.

Não acredito em fantasmas. Que idiotice. Que idiotice, porra.

Talvez eu esteja delirando. Ontem, no Tennessee, levantei às quatro da manhã para arrumar as malas da viagem. Faz quase vinte e quatro horas que estou acordado.

Deve ser isso. Só preciso dormir. E muito.

Eu me deito na cama com o coração ainda disparado. Cubro a cabeça com a coberta, como uma criancinha assustada tentando ignorar os monstros.

Amanhã, vou achar uma loja de eletrônicos para descobrir o que tem de errado com meu notebook. Também vou comprar câmeras. Algum tipo de sistema de segurança que possa ser conectado a um aplicativo no meu celular.

A partir de agora, tudo de esquisito que acontecer nesta mansão será gravado.

8

São quase nove horas da manhã quando acordo. Demorei uma eternidade para pegar no sono. Sinto que ainda preciso dormir por horas e horas, mas quero levantar antes de Layla. Depois do que aconteceu ontem à noite, tudo que quero é tomar café, isolado na varanda.

Após começar a preparar o café, abro a geladeira para procurar o creme, mas paro imediatamente quando algo me chama a atenção pelo canto do olho.

Meu notebook está em cima da mesa da cozinha.

Encaro-o, com medo de me mexer. *Será que o que aconteceu ontem foi um sonho?*

Odeio perceber que estou duvidando de mim mesmo tão facilmente. Nunca confundo sonho e realidade, mas agora isso parece uma possibilidade porque sei que o notebook ficou no piso do Grande Salão ontem à noite. Joguei-o no chão depois que ele se fechou nas minhas mãos.

Talvez Layla tenha se levantado depois que peguei no sono. Mas não sei por que usaria meu notebook, já que tem seu próprio.

Vou até a mesa e me sento de frente para o computador. Abro-o devagar e movo o dedo pelo *touchpad* para tirá-lo do modo repouso. Quero olhar o histórico do navegador e ver o que Layla achou que eu estava fazendo.

Quando o computador liga, o documento no Word em que escrevi a letra ontem à noite aparece na tela. Lembro especificamente de minimizar o arquivo antes de abrir o navegador, o que quer dizer que Layla com certeza usou meu notebook depois que dormi.

Sinto um buraco no estômago ao perceber que ela leu os poucos versos que compus. Será que ficou achando que as frases eram a seu respeito?

Estou prestes a minimizar o documento quando percebo que, no canto inferior esquerdo, consta que o arquivo tem duas páginas.

Só escrevi quatro frases.

Não escrevi nada que desse duas páginas.

Rolo o documento até chegar a algo, na segunda página, que tenho certeza de que não escrevi. São apenas quatro palavras, mas é o bastante para meu sangue gelar.

Desculpe ter assustado você.

Leio e releio as palavras digitadas no documento pelo menos umas vinte vezes antes de Layla descer. Assim que ela entra na cozinha, digo:

— Você usou meu notebook ontem à noite?

Ela me lança um olhar brincalhão, como se fosse uma pergunta idiota.

— Não.

Layla vai direto até a cafeteira. Agora está de costas para mim, mas não sei se acredito nela.

Será que não está gostando daqui? Que está querendo me assustar para que a gente vá embora?

Ela deve ter visto meu histórico de buscas e está preocupada com a ideia de eu comprar a mansão. Talvez não queira mais isso. Mas por que se daria ao trabalho de mudar meu notebook de lugar e, depois, me fazer achar que não foi ela quem escreveu aquelas quatro palavras? Por que não me diria simplesmente que não quer morar aqui?

Tem alguém tirando uma com minha cara e, como Layla é a única pessoa nesta casa, só pode ser ela. A merda é que está frágil demais para que eu possa confrontá-la. Tenho medo de acusá-la de mentir para mim e ela se sentir atacada, ir lá para cima, tomar outro comprimido e ficar dopada.

Leio as palavras outra vez antes de fechar o arquivo, mas não toco no assunto com Layla. Ou ela já sabe porque ela mesma escreveu, ou vai surtar se eu contar que alguém mudou meu notebook de lugar enquanto a gente dormia.

Nenhuma das opções é boa.

— Você precisa postar alguma coisa hoje — sugere ela, perto da cafeteira, enquanto mistura adoçante na xícara. — Talvez uma *selfie* sem camisa perto da piscina — diz, com uma piscadela.

Não consigo pensar na merda da minha rede social neste momento. Ou estou sentado na frente de alguém que está tentando me manipular, ou estou numa casa onde alguém — ou alguma *coisa* — está zombando da porra da minha cara.

Seja como for, preciso de um sistema de segurança.

Pesquiso no Google, mas a Best Buy mais próxima fica a horas daqui, e a Walmart, a cem quilômetros de distância. *Porra, estamos mesmo no meio do nada.* Até poderia pedir pela internet, mas a entrega demoraria alguns dias.

— Quer dar uma passada na cidade comigo? — pergunto. — Preciso de umas coisas.

Ela faz uma careta.

— Cidade? Leeds. Não tem nenhuma cidade por perto para a gente *dar uma passada.*

Fecho o notebook.

— Fica a uma hora de distância. A gente almoça fora.

Layla parece considerar a ideia enquanto beberica o café. Mas, parando para pensar, talvez ela acabe me perguntando por que preciso comprar um sistema de segurança para uma casa onde ela acha que vamos ficar só duas semanas.

— Ou posso ir sozinho. Não tem problema se você quiser passar um tempinho só.

Ela pensa um instante e depois me olha, tímida.

— Posso ficar, então? Não consegui dormir ontem à noite. Acho que vou acabar voltando para a cama e dormindo mais algumas horas.

— Tudo bem, amor. Sem problemas. — Beijo sua testa antes de sair da cozinha. — Volto depois do almoço. Manda uma mensagem se precisar de alguma coisa.

A entrevista

Estou inclinado para a frente, com os cotovelos apoiados na mesa. Estou menos incomodado de falar. Acho que é porque já passamos da parte mais difícil.

— Por que comprou um sistema de segurança? — pergunta o homem. — Por que simplesmente não foi embora de uma vez?

Mexo numa unha quebrada.

— Sei lá. Acho que porque foi a primeira vez em muito tempo que senti alguma coisa.

— Como assim?

— Eu estava me sentindo entorpecido por dentro. Já fazia um tempo. Mas as coisas que estavam acontecendo na casa eram tão fascinantes quanto inexplicáveis. Não fui embora porque, de uma certa maneira meio perturbadora... acho que estava *curtindo.*

— Então ficou aqui para fugir do tédio?

Penso por um momento.

— Não foi para fugir do tédio, na verdade. Eu tinha Layla. Mas com certeza não fiquei com medo. É difícil achar uma coisa ameaçadora quando você não acredita nela. Achei que o sistema de segurança explicaria tudo.

— E agora? Está se sentindo ameaçado agora?

Penso em tudo que aconteceu desde que chegamos aqui. Algumas vezes, quis ir embora... fugir de tudo isso. Certas coisas foram, para ser sincero, apavorantes. Mas, mesmo depois de todas elas, respondo com firmeza:

— Não. Não me sinto ameaçado. Sinto pena.

— Não é a reação que as pessoas costumam ter nessas situações.

— Eu sei. Mas foi por isso que entrei em contato com você. Não foi porque estou me sentindo ameaçado. Foi porque quero respostas.

— E o sistema de segurança ajudou você a encontrar alguma?

— No começo, não. Mas depois... sim.

9

Instalei uma câmera de segurança na cozinha e outra numa prateleira de livros no Grande Salão. Ambas estão conectadas a um aplicativo no meu celular, então recebo uma notificação sempre que há movimento.

A instalação foi há dois dias, e até agora só fui notificado quando Layla e eu passamos na frente das câmeras.

Vim para a mansão com a intenção de me dedicar a Layla, mas dizer que ando distraído seria um eufemismo. Estou sempre olhando por cima do ombro, esperando alguma coisa acontecer. Tanto que dou a desculpa de que vou trabalhar até tarde, mas só fico sentado no Grande Salão, visitando websites sobre essas merdas sobrenaturais. Ontem fiquei assim por tanto tempo que acabei pegando no sono no sofá.

Acordei agora. Ainda está escuro lá fora. Acho que são umas cinco horas da manhã. Continuo no sofá, mas não me mexi desde que abri os olhos.

Penso na posição em que estava quando adormeci, no que estava segurando e no fato de que não estava coberto. Porque não me lembro da manta nas minhas mãos. Lembro que ela estava no encosto do sofá, mas não de usá-la para me cobrir.

Quando dormi no sofá ontem à noite, ela estava dobrada por cima do encosto.

Sei que é muito provável que Layla tenha descido e usado a manta para me cobrir, mas mesmo assim tento lembrar o que fiz antes de abrir o aplicativo.

Layla não sabe sobre as câmeras de segurança. Não estou tentando esconder nada, mas as instalei enquanto ela estava dormindo. Acho que, se ela as visse e falasse alguma coisa, eu diria que já estavam aqui quando chegamos, para não afligi-la.

Assistir aos vídeos gravados pelo aplicativo é invadir sua privacidade, mas não quero dizer a ela que tenho acesso às imagens, pois não quero que se preocupe sem necessidade. Também não quero que ache que a estou espionando.

Mas, de certa forma, eu estou. Instalei as câmeras para pegá-la no flagra. Afinal, *quem mais* eu pegaria no flagra? Um fantasma em que não acredito? Um invasor que consegue de algum jeito abrir fechaduras num piscar de olhos?

Eu me mexo pela primeira vez desde que abri os olhos há alguns minutos. Sento-me devagar no sofá e estendo o braço para pegar o celular. Abro o aplicativo e percebo que meus dedos tremem enquanto volto o vídeo até o momento em que adormeci. *Por que minhas mãos tremeriam se eu achasse que foi Layla?*

Peguei no sono por volta das duas da manhã, então dou play mais ou menos nessa hora. Continuo sentado no sofá, semicoberto pela manta, e assisto às imagens com atenção, avançando o vídeo de poucos em poucos minutos.

Às 3h20, uma sombra aparece na porta do Grande Salão.

Layla não está na imagem, mas dá para perceber que é sua sombra.

Alguns segundos depois, ela entra devagar no Grande Salão e me encara enquanto estou dormindo. Em seguida, põe a manta em cima de mim.

Foi Layla.

Sou um idiota. Estou perdendo a cabeça, me obrigando a acreditar que coisas sem explicação estão acontecendo.

Movo o dedo para pausar o vídeo, mas ele paira sobre a tela porque um movimento de Layla chama minha atenção.

Depois de me cobrir, ela volta os olhos diretamente para a câmera de segurança do Grande Salão.

Assisto ao vídeo com um nó na garganta. Layla olha a câmera por uns quinze segundos antes de se aproximar. Atravessa o salão com uma expressão de curiosidade no rosto, e para bem na frente da câmera. Não a pega. Nem sequer encosta nela. Apenas a encara como se quisesse que eu a visse.

Um minuto depois, ela se vira e sai do cômodo, deixando-me dormindo no sofá.

Toda a interação entre Layla e a câmera foi muito bizarra. Volto o vídeo e assisto outra vez. Mas, agora, continuo assistindo por um bom tempo após Layla ir embora. Eu me viro no sofá umas duas vezes, mas, além desses dois movimentos, não acontece mais nada no cômodo.

Até que acontece.

Às 4h29m, mais ou menos, a imagem muda abruptamente e o vídeo fica preto.

Pauso e olho para a câmera de segurança na prateleira de livros. Está apontada para a parede agora.

Levanto-me de imediato, vou até ela e a ajusto para que filme o Grande Salão outra vez.

É impossível que tenha se virado sozinha.

Assisto ao vídeo pelo menos umas quinze vezes, tentando descobrir como aquilo poderia ter acontecido, mas é impossível. E não havia ninguém no Grande Salão além de mim.

Começo a andar de um lado para o outro.

Não consigo explicar.

Ninguém conseguiria explicar.

E caso eu mostrasse a alguém, me acusariam de adulterar o vídeo.

Talvez seja porque o vídeo *é* falso? Isso é possível? Talvez alguém tenha programado a câmera para se mover sozinha?

Vou até ela de novo. Eu a pego e a inspeciono uma segunda vez, como se fosse encontrar uma explicação para o fato de ela ter se movido sozinha.

E se houver um hacker na empresa do aplicativo? Dá para imaginar isso acontecendo. Um cara sentado na frente do computador, manipulando os ângulos e as posições das câmeras para assustar as pessoas.

É a explicação mais plausível. Mesmo assim, dez minutos depois ainda estou no meu notebook, à mesa da cozinha, pesquisando sobre fantasmas e casas mal-assombradas.

Crio um perfil falso para entrar num bate-papo sobre paranormalidade. Leio os posts do fórum até amanhecer.

Reviro os olhos ao ler cada uma das histórias. Pessoas alegando terem visto uma sombra, escutado um barulho, visto uma lâmpada piscar. Tudo isso é fácil de explicar.

Mas não dá para explicar as merdas que aconteceram *aqui*, nesta mansão.

Como uma câmera se mexe sozinha? Uma boca de fogão se apaga sozinha? Um pano de prato vai parar na pia sozinho? Um notebook digita mensagens e vai de um cômodo a outro sozinho?

Sinto a certeza das minhas crenças se abalar enquanto crio meu próprio post no fórum. No título, digito "Cético".

Depois escrevo:

> Não acredito em fantasmas. Nem um pouco. Mas andam acontecendo umas coisas que nem eu, com todo o meu ceticismo, consigo explicar. Aparelhos eletrônicos se desligam sozinhos. Objetos se mexem sozinhos. Meu notebook se fechou abruptamente em cima das minhas mãos. No início, pensei que minha namorada estivesse tirando sarro de mim, mas os momentos em que as coisas aconteceram e o posicionamento dela na casa não se encaixam. Não sei o que estou esperando que vocês digam. Acho que só quero que algum outro cético me dê uma explicação. Mas quantas coisas precisam acontecer para que elas deixem de ser explicáveis?

Assim que posto, me sinto um grande idiota.

Fecho o notebook e o encaro.

Estou enlouquecendo.

Não porque tem coisas estranhas acontecendo, mas porque me permiti acreditar que elas não têm explicação. Tudo tem explicação. Só preciso descobrir, só isso.

— Você acordou cedo.

Meu corpo todo estremece ao ouvir a voz de Layla. Nem a escutei descendo a escada. Ela se inclina e me beija antes de ir até a cafeteira. Preparei café, mas foi há duas horas — quando eu era um idiota que decidiu passar a manhã inteira lendo histórias de fantasmas na internet.

Não sou mais aquele idiota. Amadureci nos últimos dois minutos. Voltei a ser uma pessoa sensata.

— O que você vai fazer hoje? — pergunta Layla.

Ela está olhando o celular e tomando um gole na caneca de café.

— Não sei. Pensei em trabalhar nas minhas músicas. E você?

Ela dá de ombros.

— Acho que vou passar o dia na piscina.

Layla põe o celular e o café no balcão e se aproxima de mim. Ela se encaixa entre mim e a mesa, então recuo um pouco a cadeira para que ela possa subir em mim. Está vestindo uma camiseta colada que nem sequer cobre sua barriga e uma calcinha rosa.

Sempre que Layla está usando algo tão revelador, é a primeira coisa que noto. E assim que noto, ela acaba ficando nua porque a gente vai parar na cama, no chuveiro ou no sofá.

Mas, desta vez, só percebi quando ela se sentou no meu colo.

Deslizo as mãos até sua bunda e afundo o rosto em seu pescoço. Essa é mais uma prova de que estou focando em outras coisas desde o dia em que chegamos aqui.

— Você não disse que a piscina era aquecida?

— Isso.

— Devia tirar o dia para descansar e ficar na piscina comigo — diz ela.

Um dia na piscina parece ótimo. Ficar ao ar livre parece ótimo. Passar um tempo na água com Layla talvez me lembre da primeira vez que estivemos juntos naquela piscina, o que me parece *mais* do que ótimo.

Deslizo as mãos para suas costas e sorrio.

— Dia na piscina com roupa de banho ou dia na piscina pelados?

— Que pergunta ridícula.

Ela sorri, e é o primeiro sorriso genuíno que vejo em seu rosto há um bom tempo. Adoro tanto seu sorriso que o beijo.

Também o acho ardiloso. Por que ela não me perguntou sobre a câmera?

Talvez ache que pertence ao proprietário da casa.

Então é melhor ela continuar achando.

* * *

Layla encontrou uma boia gigante com porta-copos e uma caixa de som com bluetooth, então estamos boiando juntos no meio da piscina. Ela está deitada de bruços para tentar se bronzear, embora esteja fazendo uns quinze graus. Acho que dormiu. Estou deitado de costas, interagindo descarada e secretamente no fórum de paranormalidade.

Já é fim de tarde e, apesar de ter decidido que não sou mais a pessoa que cometeu a burrice de postar no fórum hoje de manhã, ainda estou lendo avidamente os comentários da minha publicação.

> Há quanto tempo você mora na casa?
>
> Cara, cai fora daí.
>
> Alguém já foi assassinado aí dentro?

Dou uma única resposta a alguns comentários:

> Não moramos nesta casa. Ela está à venda, mas a alugamos só para passar uma curta temporada.

Estava pensando em comprar, mas agora não tenho certeza se quero. Não sei a história da casa. Como posso descobrir isso?

Assim que posto, Layla solta um gemido.

— Faz duas horas que você está nesse celular — diz.

Ela arranca o aparelho das minhas mãos. Tento pegá-lo de volta porque o fórum de paranormalidade ainda está aberto, mas Layla não olha a tela. Apenas estende o braço e põe o celular no concreto ao lado da piscina para mantê-lo longe de mim.

Estou me sentindo mal. Ela tem razão. Não desgrudei do celular o dia inteiro.

Layla se vira para deitar de costas. A boia sobe e desce com o movimento. Seus olhos estão fechados, e ela está relaxada enquanto cobre a cabeça com os braços preguiçosamente. Encaro-a por um instante — meus olhos percorrem todo seu corpo. Ela está extremamente sexy.

— Você já transou numa boia alguma vez? — pergunto.

Ela não abre os olhos. Apenas sorri e balança a cabeça.

— Não. Mas com certeza topo o desafio.

* * *

A combinação de álcool e estômago vazio acabou arruinando nossa transa na piscina. Caímos da boia três vezes. Mas não desistimos. A gente só foi para uma das espreguiçadeiras mais próximas para terminar.

Quando o sol começou a se pôr, o vento ficou mais forte, e, por mais que a água estivesse quente, estava esfriando demais para continuarmos ao ar livre.

Agora, faz horas que estamos dentro de casa, relaxando na cama. Ela está assistindo a filmes, e eu estou no notebook pesquisando fóruns, mas é difícil tentar manter a tela fora do campo de visão de Layla com ela se mexendo tanto.

Acabo decidindo continuar minha pesquisa lá embaixo. Estendo o braço e apago meu abajur.

— Você também vai dormir? — pergunta Layla, com a voz abafada pelo travesseiro a que está agarrada.

— Vou trabalhar numa música um pouquinho. — Eu me inclino e a beijo. — Manda uma mensagem se o piano estiver alto demais.

Ela assente, de olhos fechados.

— Pode desligar a TV?

Eu faço o que ela pede e desço para o térreo.

Hoje foi legal. Layla parecia relaxada. Contente. Houve um momento, logo depois que a gente transou, em que quase contei que estou considerando comprar a casa. Estava beijando seu pescoço e pensando em como o dia tinha sido legal. Em como todos os dias futuros poderiam ser legais. Queria saber a opinião dela sobre o assunto, mas não consegui colocar as palavras para fora.

Comprar uma casa é um compromisso imenso.

Comprar uma casa com uma garota que conheço há menos de um ano é um compromisso *maior ainda*.

Hoje foi quase perfeito. Mas uma onda de incerteza continua pairando no ar, não apenas sobre as coisas estranhas que têm acontecido na casa, mas também sobre se Layla gostaria de tomar uma decisão tão importante.

Preferi não dizer nada. Pelo menos por enquanto.

Quando chego ao Grande Salão, me sento na frente do piano, mas não estou a fim de trabalhar na minha música agora. Ponho o notebook em cima do piano com a intenção de conferir meu e-mail, mas não o abro. Volto imediatamente para o fórum de hoje de manhã e começo a ler os comentários da minha postagem.

> Por que o lugar está à venda? Você devia perguntar aos donos por que saíram daí.

O comentário desperta minha curiosidade. A propriedade não estava à venda na primeira vez que estivemos aqui. E me lembro de Layla falar que Aspen teve de reservar a data com um ano de antecedência para garantir o local. Se eles estavam agendando eventos com tanta antecedência, os negócios deviam estar indo bem. Por que fechariam a pousada e colocariam a mansão à venda tão de repente?

Continuo rolando a tela para ler os comentários, até que deparo com alguém cujo nome de usuário é DesvendeLtda. Clico no perfil e dou risada com a descrição: *fantasma também é gente.*

Caramba. O pessoal leva mesmo isso a sério.

Volto para o comentário e o leio.

> Já tentou falar com seu fantasma?

O comentário tem várias respostas.

Não consigo nem ler. Não consigo levar essas pessoas a sério ao vê-las dizendo que já conversaram com fantasmas.

Fecho o notebook, sentindo pena da gente que passa tanto tempo naquele fórum.

Mesmo se fantasmas existirem, como eu me *comunicaria* com um deles, cacete?

Por mais que esteja tentando pôr meu intelecto acima de todas as pessoas do fórum, me pego passando os olhos pelo Grande Salão. Olho para trás, para a frente.

Eu me certifico de que Layla não está por perto quando sussurro:

— Tem alguém aqui?

Nada acontece.

Ninguém responde.

Porque *fantasmas não existem, porra.*

— Jesus amado — murmuro.

Agora cheguei ao mesmo nível dos pirados do fórum.

Eu me levanto e espreguiço os braços acima da cabeça. Dou uma olhada no salão e espero mais alguns segundos, como se alguém fosse mesmo me responder.

Finalmente, balanço a cabeça ao perceber quão absurdas são as coisas que tenho pensado nos últimos dias. Vou até a porta e seguro a maçaneta, quando um som inesperado me faz parar no meio do caminho.

Uma das teclas do piano acabou de ser tocada.

Tão alto que sei exatamente qual foi. Dó central.

Fecho os olhos.

Não é possível que isso tenha acabado de acontecer.

Eu me viro devagar, com os olhos ainda fechados, sem saber o que esperar ao abri-los. Talvez meu notebook tenha caído nas teclas? Minha pulsação está latejando tão forte que consigo senti-la no meu pescoço.

Abro um olho... depois o outro.

Não tem ninguém no piano. Não tem ninguém no salão além de mim.

Imediatamente, tiro o celular do bolso, abro o aplicativo das câmeras de segurança e assisto à gravação dos últimos trinta segundos.

O aplicativo mostra quando me levanto do piano e me espreguiço. Fixo os olhos no piano. Assim que estendo a mão para segurar a maçaneta, o dó central é pressionado pelo nada.

A tecla só... *tocou sozinha.*

Não tinha nada ali. Absolutamente nada.

É impossível explicar isso.

Meu primeiro instinto é sair correndo, mas o segundo — a parte de mim que acha isso fascinante — fala mais alto.

— Faça de novo — digo, chegando perto do piano.

Depois de alguns segundos, a mesma tecla toca outra vez.

Dou um passo rápido para trás.

Parece que meus joelhos vão fraquejar.

— *Caralho.*

Eu me inclino, encarando o piano. Inspiro devagar.

Quero fazer outra pergunta. Quero fazer um milhão de perguntas. Mas é difícil demais aceitar esta realidade. Pelo jeito, cheguei ao meu limite, pois vou até a porta. Apressado. Correndo. No meio da escada, paro e encosto na parede.

Penso em todas as histórias de fantasmas das quais zombei. Em todos os contos de fadas em que nunca acreditei.

Será que eu estava mesmo errado?

A incredulidade começa a fervilhar dentro de mim, ou talvez seja medo. Como posso ter pensado errado a vida inteira? Sempre consegui achar uma explicação para tudo. Os últimos dias foram a única ocasião em que não consegui explicar alguma coisa.

Posso continuar fugindo ou posso voltar lá e confrontar. Desvendar. Tranquilizar minha mente.

Penso nos idiotas dos filmes de terror que nunca saem correndo quando deveriam, mas agora me identifico com eles. A necessidade de refutar a coisa assustadora é maior do que a de fugir do possível dano que ela possa causar.

Não estou convencido de que devo sentir medo dela. Estou convencido de que devo investigá-la.

Ao voltar para o salão, eu tranco a porta atrás de mim. Percebo que a maioria das pessoas sãs já estaria no carro alugado, dando o fora daqui. Talvez eu faça o mesmo daqui a alguns minutos.

— Quem é você? — pergunto, encarando o piano, com as costas apoiadas na porta caso precise escapar rapidamente.

Espero, mas percebo que não dá para responder uma pergunta assim com uma tecla.

Hesito antes de finalmente me aproximar do piano. Olho atrás dele. Embaixo dele. Dentro dele. Não tem nenhum fio... nenhuma estrutura que permitisse alguém fazer isso.

— Toque uma tecla diferente.

Desta vez, o ré é tocado quase no mesmo instante.

Cubro a boca com a mão e murmuro na minha palma:

— Puta merda.

Devo estar sonhando. É a única explicação.

— Toque o lá.

O lá é tocado.

Não sei o que está acontecendo, mas suprimo o ceticismo por completo e sigo apenas meu instinto dessa vez.

— Quero fazer algumas perguntas. Toque o dó central para responder que sim. Ré, para não. Lá, se não souber a resposta.

O dó central é tocado baixinho, o que significa "sim". Minha voz sai um pouco trêmula quando pergunto:

— Você é perigoso?

Não sei por que faço essa pergunta. Qualquer entidade perigosa com certeza negaria que é perigosa.

O ré é pressionado, indicando "não".

— Você é um fantasma?

Não sei.

— Você está morto?

Não sei.

— Você me conhece?

Não.

Começo a andar de um lado para o outro. Parece que minhas pernas estão flutuando, porque não as sinto. Minha pele formiga de agitação. Ou de medo. Às vezes, as duas coisas se confundem.

— Estou conversando com um piano. Que porra é essa que está acontecendo? — murmuro.

Só posso estar sonhando. Estou dormindo agora. Ou vai ver tem alguém me pregando uma peça. Devo estar num desses programas de pegadinhas. Cacete, é possível que Layla tenha me inscrito em um para que eu ficasse mais famoso.

Talvez tenha alguém se divertindo com a situação. Eu deveria fazer perguntas que só quem está aqui saberia responder. Olho para a câmera de segurança. *Talvez seja isso?* Tem alguém da empresa de segurança achando que se trata de uma pegadinha engraçada? Tiro a capa de uma das almofadas do sofá e a arremesso na câmera para cobri-la.

Levanto os cinco dedos da mão.

— Estou mostrando três dedos?

Não.

— Um?

Não.

— Cinco?

Sim.

Abaixo o braço.

— Estou enlouquecendo? — sussurro para mim mesmo.

Não sei.

— Essa pergunta não foi para você.

Sento no sofá e esfrego as mãos no rosto.

— Você está sozinho?

Sim.

Espero um pouco antes de fazer outra pergunta. Estou tentando assimilar tudo que aconteceu na última meia hora, mas, ao mesmo tempo, encontrar explicações.

Nenhuma tecla é tocada enquanto fico sentado em silêncio. Nunca senti tanta adrenalina. Quero acordar Layla para mostrar-lhe o que está acontecendo, mas eu estaria reagindo como se tivesse achado um vira-lata na rua e não um... *plano* totalmente diferente. Layla disse isso uma vez. Que acha que existem planos diferentes. *Caralho. Vai ver ela tinha razão.*

Isso me dá mais vontade ainda de contar para ela, mas fico com medo de ela acabar surtando. Pode querer ir embora. A gente teria de guardar as coisas e entrar no carro, e depois eu nunca obteria respostas para os milhares de perguntas que se formaram na minha cabeça nos últimos cinco minutos. Perguntas do tipo: o que é essa coisa? *Quem* é essa coisa?

— Você pode se mostrar para mim?

Não.

— Porque não quer?

Não.

— Porque não sabe como?

Sim.

Passo as mãos no cabelo e depois seguro minha nuca enquanto vou até uma das prateleiras nas paredes. Preciso de mais provas de que não é uma pegadinha. Não é fácil deixar de lado suas crenças pessoais de um dia para o outro.

— Tire um livro de uma dessas prateleiras.

Uma câmera de segurança hackeada não seria capaz de fazer isso.

Fico encarando pacientemente a prateleira na minha frente.

Dez segundos silenciosos se passam; então o livro em que estou focado desliza para fora da prateleira e cai no chão com um baque. Olho para ele, totalmente incrédulo.

Abro a boca, mas nenhum som sai dela.

Fico um tempo andando de um lado para o outro. Penso em tudo que aconteceu até agora e acho que estou entorpecido. Incrédulo.

— Você tem um nome?

Sim.

— Qual é?

Nada acontece. Nenhuma tecla é tocada. Percebo que não dá para responder a pergunta com uma das teclas do piano. Estava começando a pensar em uma maneira de usar as teclas para soletrar palavras quando escuto um barulho. Olho para meu notebook, que está em cima do piano. Ele está se abrindo.

Meu documento do Word aparece.

Tem letras sendo digitadas

W... i... l... l... o... w...

Eu me afasto do computador com um passo rápido.

Agora estou extremamente tenso.

Antes, com o piano, parecia que ainda existia uma minúscula chance de encontrar uma explicação para aquilo. Uma tecla defeituosa. Um rato nas cordas. *Qualquer coisa.*

Mas depois teve o livro, e isto, que realmente *é* uma conversa com o... *nada.* Não tem ninguém aqui além de mim, então só há uma explicação.

Fantasmas existem.

E este se chama Willow.

Fico encarando o computador por tanto tempo que a tela escurece. Em seguida, o notebook se fecha sozinho, sem nenhum fio, sem nenhuma explicação — que loucura. *Caralho. Boa noite!*

Saio do salão.

Quando chego ao quarto, abro a gaveta onde Layla guarda seus remédios. Ela tem três: um para ansiedade, outro para ajudá-la a dormir, outro para dor.

Tomo um de cada.

A entrevista

— Por que você foi embora quando ela disse como se chamava?

Dou uma risada.

— Por que não fui embora quando o fogão apagou sozinho? Ou quando o notebook se fechou nas minhas mãos? Não sei. Acho que sou uma pessoa difícil de convencer, só isso. Não é fácil para ninguém mudar tudo em que acredita em meia hora.

O gravador ainda está rodando quando ele diz:

— Mais alguma coisa aconteceu naquela noite?

Abro a boca para dizer que não, mas nós dois olhamos para o teto assim que escutamos um estrondo. Saio da cozinha e subo a escada correndo.

Layla ainda está amarrada à cama, mas o abajur da mesa de cabeceira foi derrubado. Ela está me olhando calmamente.

— Me solte, senão vou quebrar outra coisa.

Balanço a cabeça.

— Não posso.

Ela ergue a perna e chuta a mesa de cabeceira, que desliza uns trinta centímetros. Depois a chuta de novo, derrubando-a.

— Socorro! — grita. — SOCORRO!

Ela sabe que tem alguém lá embaixo, mas não faz ideia de que ele não está aqui para ajudá-la a escapar.

— Ele não está aqui para ajudar você, Layla. E sim para ajudar a gente a obter respostas.

— Não quero respostas! Quero *ir embora*!

Desde que tudo começou, já a havia visto aborrecida, mas acho que não *tão* aborrecida como está agora. Parte de mim quer soltá-la e deixá-la ir embora, mas se eu fizer isso, vou estar em apuros. Ela iria direto à polícia. E qual seria minha desculpa? Um fantasma me obrigou?

Se não for preso, vou ser enviado para algum hospital psiquiátrico.

Seguro o rosto de Layla com firmeza entre as mãos, mas ela não para quieta, e preciso que me olhe nos olhos.

— Layla. Layla, *me escute*.

Há lágrimas escorrendo pelas suas bochechas. Ela está ofegante e inspirando entre soluços trêmulos. A parte branca dos seus olhos ficou vermelha de tanto choro.

— Layla, você sabe que isso está fora do meu controle. Você *sabe* disso. Você viu o vídeo. — Enxugo as lágrimas nas suas bochechas, mas outras caem. — Mesmo que eu te desamarrasse, você não poderia ir embora.

— Por que preciso ficar amarrada se não posso ir embora? — Sua voz está chorosa, com uma dor aguda. — Me desamarra, me deixa descer com você. Pode me amarrar na cadeira, não ligo. Só não quero mais ficar aqui sozinha.

Eu quero fazer isso. Mas não posso. Não quero que escute tudo que estou prestes a admitir para o homem lá embaixo. Sei que está assustada, mas ela está segura aqui. Mesmo que não se sinta assim.

— Tá bom. Vou levar você para o primeiro andar comigo. — Seus olhos se enchem de esperança, que desaparece quando prossigo. — Em breve. Preciso de mais vinte minutos, aí eu volto. — Beijo sua testa. — Vinte minutos, prometo.

Encosto a mesa de cabeceira na cama outra vez. Ponho o abajur quebrado em cima dela e volto para a cozinha. Meus pés parecem mais pesados enquanto desço a escada. Quanto mais tempo Layla fica amarrada à força, mais culpado me sinto e mais difícil vai ser para ela me perdoar.

Será que vale mesmo a pena? Vale a pena fazê-la passar por isso para que eu e Willow obtenhamos respostas?

— Ela está bem? — pergunta o homem quando volto à cozinha.

— Não, não está. Ela está amarrada na cama. — Eu me sento com um baque e pressiono o rosto entre as mãos. — Vamos acabar logo com isso, assim eu posso descobrir o que fazer com ela.

— Ela sabe por que estou aqui?

— Não.

— Ela sabe de alguma coisa pelo menos?

— Algumas. Mas acha que está tudo relacionado à lesão na cabeça dela. À perda de memória. Não sabe que não tem nada a ver com ela.

— O que ela acha de estar trancada aqui dentro por sua causa?

— Acha que sou um monstro.

— Por que você não a deixa ir embora?

É uma pergunta simples, mas com muitas respostas complexas.

— Porque talvez ela tenha razão. Talvez eu seja um monstro.

Ele assente, quase com pena. Não sei como consegue olhar para mim sem nenhum julgamento, mas é exatamente o que está fazendo. Como se já tivesse visto isso antes.

— Depois do incidente com o piano, você falou com Willow novamente naquela noite?

Balanço a cabeça.

— Não. Peguei no sono e dormi doze horas seguidas por causa dos comprimidos que tomei. Quando acordei, Layla decidiu que queria passar o dia na piscina de novo, apesar de estar queimada do sol do dia anterior. Ficou debaixo do toldo e leu um livro na sombra. Eu me juntei a ela porque não queria ficar dentro da casa. Estava tenso depois do que tinha acontecido na noite anterior. Mas enquanto a gente estava lá fora, passei o tempo inteiro no celular. Distraído com as câmeras, esperando alguma outra coisa acontecer. Falando com o pessoal do fórum.

— Você falou com Willow novamente naquele dia?

— Chad e Aspen chegaram por volta das cinco da tarde. Nem tentei me comunicar com Willow. Procurei esquecer que aquilo tinha acontecido, mas Willow tornou isso impossível.

— Como?

— Ela jantou com a gente.

10

— Vocês têm planos para o aniversário de casamento? — pergunto.

Estou tentando puxar papo, fingindo que minha cabeça está neste jantar. Mas ela está bem longe.

— Só treinar a confecção de bebês enquanto viajamos de carro — diz Chad, sorrindo para Aspen.

— Nada disso. Continuo tomando pílula — diz ela.

— Por isso que falei *treinar* — diz Chad. Ele me olha. — Passamos no Hutchinson no caminho para cá hoje. Já visitou o Museu das Minas de Sal?

Tomo um longo gole de cerveja e respondo que não.

— A gente transou na mina — diz Chad, lançando um sorrisinho para Aspen.

Olho para Layla. Ela está constrangida.

Aspen solta um grunhido e diz:

— Por favor, pare de falar da nossa vida sexual.

— Isso. Por favor — diz Layla.

Também quero implorar a ele que pare, mas, para ser sincero, mal estou participando da conversa. Quando eles chegaram, há algumas horas, Chad era tolerável, mas isso foi antes de tomar oito cervejas.

— Não vejo a hora de a fase da lua de mel acabar — murmura Aspen. — Você está me deixando exausta.

Chad dá uma risada, segura a mão dela e beija as costas. Aspen parece derreter um pouco com o gesto.

Layla ainda está segurando o garfo, constrangida por causa de Chad.

— Como está sendo a estada? — pergunta Aspen. — É meio estranho ver este lugar tão vazio.

— Está sendo legal — diz Layla, parecendo aliviada pela mudança de assunto. — A melhor parte é ter a piscina só para a gente, mas vou acabar cheia de bolhas de queimadura se não ficar dentro de casa.

— Que loucura isto aqui estar à venda. Não seria bacana ter uma pousada? — pergunta Aspen.

— Deve dar muito trabalho.

Eu me desanimo um pouco com a resposta de Layla e me pergunto se é isso o que realmente acha. Ela corta um pedacinho da pizza. É uma pizza caseira, que Aspen preparou. Layla costumava fazer, mas não cozinha desde a cirurgia. A borda está grossa, e tem tanto recheio que é difícil comê-la com as mãos. Chad é o único que não está usando garfo.

— Eu odiaria morar aqui — diz Chad. — Você sabe quanto tempo leva até a adega mais próxima? Muito. *E* a cerveja acabou.

Aspen segura a garrafa de vinho que está no centro da mesa e a empurra para ele.

— Tem algumas garrafas disso aqui ainda — sugere.

— Prefiro que vocês não tomem todo meu vinho. Tem um armário de bebidas em cima da pia — diz Layla.

Chad se anima. Queria que ela não tivesse dito isso. Ele ficou bêbado umas três cervejas atrás, mas se levanta e vai direto até o armário mesmo assim.

Aspen se serve mais vinho.

Estou encarando Layla, que acabou de enrijecer na cadeira. Às vezes isso acontece quando ela fica ansiosa.

Continuo concentrado nela, observando cada movimento e torcendo para que não seja o início de um ataque de pânico — mas a maneira como ela parece estar se segurando me preocupa.

Ela põe o garfo no prato e pega sua fatia de pizza com as mãos. Dá uma grande mordida. Depois outra. Segura a pizza na mão direita enquanto leva a taça de vinho à boca e toma um gole.

— Que *delícia* — diz, com a voz beirando um gemido, como se não comesse há dias.

Isso chama a atenção de todos. Ela enfia o resto da pizza na boca.

Aspen a olha da mesma maneira como Layla estava olhando Chad antes — um pouco repugnada. Layla se levanta da cadeira, estende o braço na direção da forma de pizza e pega outra fatia.

Ela volta a se sentar na cadeira e enfia na boca o maior pedaço de pizza que consegue. Mais uma vez, está comendo como se fosse uma questão de vida ou morte. Aspen, horrorizada, continua encarando enquanto a irmã empurra meia fatia de pizza para dentro da boca.

— Que nojo. Usa o garfo — diz Aspen.

Layla faz uma pausa, olha para Aspen e, em seguida, volta a atenção para mim. De repente, seus olhos parecem arrependidos. Envergonhados. Ela dá outra mordida rápida e imensa, depois vira a taça inteira de vinho.

Assim que Layla põe a taça na mesa, hesita. Em seguida, ergue a mão até a testa e geme, fechando os olhos com força.

— Meu Deus. Que dor de cabeça.

Ela massageia a testa, abaixa a mão, abre os olhos e... *grita*.

O barulho inesperado faz com que todos pulem na cadeira.

Faz *Aspen* gritar.

— O que foi? — diz Aspen, afastando-se da mesa. — É uma aranha? — Ela sobe na cadeira. — Cadê?

Layla balança a cabeça, mas não diz nada. Está encarando o prato de comida vazio. Ela se levanta e se afasta da mesa, com uma expressão de puro terror no rosto.

— Pegue água para ela — digo a Aspen enquanto me levanto.

Vou até Layla, que agora está encostada contra a parede, tremendo. Ela inspira e expira muito devagar, mas ainda não tirou os olhos da mesa.

Ponho a mão delicadamente em sua bochecha e atraio seu olhar para o meu.

— Layla, está tudo bem?

Ela assente, mas suas mãos tremem enquanto pegam o copo de água que Aspen trouxe. Ela toma tudo de uma vez só e quase deixa o copo cair ao devolvê-lo.

— Não estou me sentindo muito bem — diz, virando-se para a saída da cozinha.

Eu a acompanho até o andar de cima, e, assim que chega ao quarto, ela vai direto para a cômoda e mexe, atrapalhada, nos seus frascos de comprimidos. Suas mãos estão trêmulas, e ela derruba alguns comprimidos ao abrir a tampa.

Eu me agacho para pegá-los, depois tiro o frasco dela e ponho os comprimidos de volta. Ela se deita enquanto fecho a gaveta da cômoda.

Eu me sento ao lado dela, que está deitada em posição fetal, no meio do colchão. Puxo a coberta para cobri-la enquanto faço cafuné no seu cabelo delicadamente.

— O que aconteceu lá embaixo?

Ela balança a cabeça, fazendo pouco caso da pergunta.

— Nada. Só não estou me sentindo bem.

— Acha que comeu rápido demais? — sugiro.

Ela se vira e se cobre até o queixo.

— Eu *não comi* — diz.

Suas palavras saem bruscas, cheias de raiva e confusão. Sinto vontade de perguntar o que ela quis dizer, mas parte de mim já sabe.

Ela está perdendo a consciência às vezes. Será que são convulsões silenciosas? Ela teve uma no hospital. Mas foi só uma, então eles decidiram que não valia a pena receitar mais remédios. Acho melhor ligar para o neurologista dela amanhã.

Desligo o abajur ao lado da cama e a beijo.

— Daqui a pouco eu volto para ver como você está.

Ela assente e cobre a cabeça.

Tem dormido muito. Mais do que o normal. Juntando isso com as perdas de consciência e o comportamento estranho, acho mesmo que precisa consultar um neurologista.

Mas também sinto medo de que não tenha nada a ver com sua lesão na cabeça.

Fico sentado ao seu lado por alguns minutos, hesitando em descer. Parte de mim não quer deixá-la sozinha, mas preciso arrumar a cozinha.

Minha mente está acelerada enquanto desço as escadas.

Quando me junto a eles outra vez, Aspen está enchendo a lava-louças e Chad está com o rosto grudado na mesa e com um copo de alguma bebida alcoólica na mão. Não apagou totalmente, porque está murmurando algo ininteligível.

— Ela está bem? — pergunta Aspen.

Nem tento inventar uma desculpa, pois estou confuso e cheio de perguntas.

— Não sei. Ela disse que está com dor de cabeça.

— Ela vai ter enxaquecas pelo resto da vida, com certeza — diz Aspen. — É um efeito colateral de levar um tiro na cabeça, infelizmente.

Aspen sabe do que está falando, afinal, é enfermeira. Tenho certeza de que já viu recuperações muito piores do que a de Layla.

Ela põe o último prato na máquina.

— Preciso levar Chad lá para cima. Você me ajuda?

Balanço Chad até ele abrir os olhos, depois puxo seu braço e digo:

— Vamos para a cama, amigão.

Ele solta um grunhido.

— Não quero ir para a cama com você, Leeds.

Ele tenta me afastar, mas ponho seu braço ao redor dos meus ombros.

— Vou levar você para a cama da sua esposa.

Ele para de me empurrar, ergue a cabeça e olha ao redor até encontrar Aspen do seu outro lado.

— Estou bêbado demais para dar umazinha?

Aspen assente.

— Tá sim, lindo. Muito bêbado mesmo. Talvez amanhã.

Ele deixa a cabeça pender como se estivesse decepcionado consigo mesmo, mas o tiramos da cadeira e o colocamos de pé. Ele se lamenta o tempo inteiro enquanto o ajudamos a subir até o quarto. Depois que o colocamos na cama, Aspen me acompanha até a porta.

— Acho que a gente já vai estar na estrada quando vocês acordarem. Se eu não vir a Layla, fala para ela que foi divertido.

— Não foi tão divertido — digo, rindo.

Aspen dá de ombros.

— Pois é, estou tentando ser educada. Talvez a gente consiga passar aqui de novo, antes de vocês irem embora. Não é tão longe de Wichita.

Digo boa-noite, saio do quarto e vou ver como Layla está. Não sei se ela já dormiu, mas continua com a coberta por cima da cabeça. Deixo a porta do quarto aberta porque quero escutar caso ela me chame. Desço para o Grande Salão, pego o celular e me sento no sofá.

Assisto ao vídeo do jantar três vezes no aplicativo de segurança. Em cada uma, percebo pequenos detalhes que deixam o evento mais e mais estranho. Houve uma mudança no jeito de Layla. Algo na forma como parou de participar da conversa e passou a ignorar todos ao redor. A maneira como segurou a cabeça antes de gritar. Foi tudo estranho.

Mas nem sei mais o que é normal.

Talvez ela tenha perdido a consciência. Talvez tenha tido uma convulsão silenciosa. Mas seu comportamento foi extremamente atípico durante aqueles dois minutos. Como quando ela surtou depois de comer o macarrão.

Não consigo tirar da cabeça as três palavras que ela disse enquanto eu a cobria.

— *Eu não comi.*

Pego o notebook e vou para a cozinha. Abro o mesmo documento do Word em que estão as palavras *Desculpe ter assustado você* e o nome *Willow.*

Deixo minha incredulidade de lado por um momento e digito uma pergunta.

Era você?

Empurro o computador alguns centímetros para longe de mim e o observo com atenção. Quase de imediato, letras aparecem na tela.

Sim.

As três letras me atingem como se fossem murros no estômago, nas costas, na mandíbula.

Acho que finalmente aceitei que esta mansão veio com uma espécie de espírito, mas acreditar que ele pode assumir o corpo de Layla é uma informação completamente nova que ainda preciso assimilar.

Isto é real. Puta que pariu. É real, e não dá mais para negar.

Começo a pensar nos dias que passamos aqui. Na primeira noite, quando Layla ficou se encarando no escuro. No jantar em que comeu mais carboidratos em dois minutos do que nos últimos seis meses. Em como ela agiu *hoje à noite*.

Não era Layla em nenhum desses momentos.

E em quantos outros não era ela?

Meu coração começa a bater mais forte. Não necessariamente mais rápido — só mais forte e mais alto, o que me faz perceber a batida não apenas no meu peito. Sinto que deveria estar assustado, que minha frequência cardíaca deveria estar descontrolada, mas não estou com medo. Estou com raiva. Não gosto da maneira como a entidade — seja lá o que ou quem for — tem se aproveitado de Layla

Mas também estou com raiva de mim mesmo por precisar ver de novo. Preciso saber que Layla não está enlouquecendo. Preciso saber que *eu* não estou enlouquecendo.

Preciso de respostas para todas as perguntas que eu nem sabia que tinha.

Quero que você faça outra vez, digito. *Quero conseguir conversar de verdade com você.*

Fecho o notebook, sem dar a oportunidade a seja lá quem for de rejeitar meu pedido. Mas também não me mexo. Se for verdade, quero que a entidade prove sua existência de algum outro jeito. Quero ver a mudança ocorrendo em Layla com meus próprios olhos enquanto sei exatamente o que está acontecendo.

Não subo. Quero que seja lá quem for venha até mim, então continuo sentado na cozinha durante vários minutos. Meu coração bate cada vez mais forte enquanto espero.

Não ouço portas se abrirem, mas ouço passos começando a descer a escada. É uma descida lenta, com cada passo rangendo sob o peso de seja lá quem for que esteja se aproximando da cozinha.

Não olho para trás enquanto seja lá quem for entra na cozinha. Meu olhar continua fixo na mesa à minha frente.

Sinto o cheiro do perfume de Layla antes de vê-la, então sei que não é Aspen nem Chad. Um calafrio sobe pela minha espinha e se espalha pelos meus ombros e braços enquanto ela caminha ao meu redor. Ainda não a olho. É a primeira vez que sinto medo de verdade desde que isso começou, pois não sei o que esperar.

Será que é Layla? Será que ela desceu no momento estranhamente perfeito por coincidência?

Ou será que está dormindo em algum lugar lá dentro?

Finalmente faço contato visual quando ela puxa a cadeira para se sentar. É Layla.

Mas não é.

Há alguma coisa de diferente nela — está me encarando como se eu fosse tão estranho para ela quanto ela é para mim. Parece assustada. Ou talvez seja curiosidade, e não medo.

Ela ergue uma perna e põe o pé descalço na cadeira, abraçando o joelho. Apoia a cabeça nele e fica me encarando.

— Layla?

Minha voz é um sussurro, não porque eu esteja tentando falar baixo. É que tem um nó na minha garganta impedindo a passagem de ar.

Ela balança a cabeça.

— Willow?

Ela assente.

Eu me inclino sobre a mesa e expiro longamente pela boca, massageando a testa com a mão. *Que porra é essa?*

— Você não vai sair correndo? — pergunta ela.

É a voz de Layla, mas sai diferente. Parece brincalhona.

— Eu deveria?

— Não.

É muito estranho. Como posso estar olhando para Layla e, ao mesmo tempo, ver uma pessoa completamente diferente me encarando?

Enlouqueci de vez. Homens não costumam apresentar os primeiros sinais de esquizofrenia aos vinte e poucos anos? Talvez seja isso. Talvez eu seja apenas esquizofrênico. É mais fácil acreditar nisso do que no fato de que estou testemunhando um espírito possuir um corpo.

— Eu estou enlouquecendo?

Ela dá de ombros.

— Você já perguntou isso. Continuo sem saber a resposta. — Ela olha por cima do ombro, para a geladeira. — Posso tomar um pouco de suco?

Suco?

Ela quer suco?

Faço que sim e começo a afastar a cadeira para trás, mas ela ergue a mão.

— Eu pego.

Vai até o armário e pega um copo. Abre a geladeira e tira a garrafa de suco de laranja. Eu a observo, meio hipnotizado pela situação toda. Ela não se porta como Layla. Move-se de uma maneira quase extravagante, como se não houvesse um pingo de ansiedade a detendo.

Ela se encosta no balcão da cozinha e vira o copo de suco. Depois que termina, suspira, pressionando o copo contra a bochecha por um instante. Seus olhos estão fechados, como se ela estivesse saboreando o gosto do suco em sua língua.

— Que delícia.

Ela lava o copo e o guarda no armário.

— Você faz muito isso?

— Isso o quê? — Ela se senta de novo à mesa e põe a perna na cadeira outra vez. — Roubar a comida de vocês?

Faço que sim.

— Não. Para isso, eu preciso de um corpo. Não gosto de usar o corpo de Layla a não ser que eu precise. É um pouco estranho.

— Um pouco?

— O meu normal é diferente do seu.

— O que é o seu normal?

Ela olha para o teto, refletindo.

— O nada.

— Como assim?

— Meu normal é o nada. Eu só... existo. Mas eu *não* existo. Não sei, é difícil explicar.

— Você é um fantasma?

— Não sei.

— Faz quanto tempo que está aqui?

— Não sei. O tempo é uma coisa estranha. É como se ele não valesse para mim. — Ela passa o dedo num arranhão antigo na mesa. — Uma vez, fiquei oito dias encarando um relógio na parede, só para ver por quanto tempo eu conseguia olhar para ela.

— Você não dorme?

— Não. Não durmo, mas estou sempre cansada. Não como, mas estou sempre com fome. Não posso tomar nada, mas estou sempre com sede. Estou começando a achar que isso aqui é o inferno, porque não tem nada pior do que sentir fome eternamente.

Que surreal. Ela está no corpo de Layla, mas é muito diferente da Layla que passou o dia comigo.

— Tem outros como você?

Ela balança a cabeça.

— Nesta casa, não. Estou sozinha.

— Você pode ir embora?

Ela dá de ombros.

— Não sei. Tenho medo demais para tentar.

— Medo de quê?

Ela ergue o ombro.

— De outras coisas como eu, talvez?

Levanto uma sobrancelha.

— Um fantasma com medo de outros fantasmas?

— Não é tão absurdo. Humanos têm medo de outros humanos.

— Você tem medo de mim?

Mais uma vez, ela ergue o ombro.

— Não sei. Acho que não. Mas pode ser porque estou no corpo de Layla, então sinto um pouco do que ela sente. E ela se sente à vontade com você.

Bom saber.

— Como você se sentiu quando a gente chegou?

Ela abaixa a perna e se encosta na cadeira.

— Nervosa. Eu não queria vocês aqui. Foi por isso que fechei o notebook quando você estava mandando um e-mail para a corretora, querendo comprar a casa.

— Então foi você?

— Não costumo fazer essas coisas. Tento manter nossos mundos separados.

— Mas você não está fazendo isso agora.

— Porque você me pediu para conversar com você através de Layla. Eu não *quero* fazer isso.

— Mas fez. Duas vezes já. Talvez três. Não foi?

Willow solta um suspiro de frustração.

— É, mas só porque às vezes é uma tortura. Não consigo me controlar.

Ela se levanta e começa a vasculhar os armários. Encontra um pacote de batata frita e volta, mas desta vez se senta *na* mesa, pondo os pés na cadeira. Coloca uma batata na boca.

— Antes, eu não sabia que conseguia fazer isso — diz. — Só descobri na noite em que vocês chegaram. Outras pessoas já tinham vindo aqui, mas nunca tentei entrar nelas. Nem sabia que *era possível*. Mas eu estava faminta. — Ela come outra batata. — Você não faz ideia do que é sentir fome… e sede… e não poder comer nem beber. E já faz tempo demais que a mansão está fechada. Sinto falta do cheiro de comida. Meu prato preferido deve ser macarrão porque, quando vi Layla remexendo no dela, eu só queria provar um pouco. Então meio que aconteceu. Não era minha intenção.

— Você já fez isso quantas vezes?

— Só algumas — diz, limpando os dedos cheios de migalhas na camiseta de Layla. — Duas vezes durante o jantar, uma vez quando você estava dormindo no sofá e outra quando eu estava olhando para ela no espelho do quarto lá em cima. Tento ser discreta, mas você percebe toda vez.

— Você não é discreta. É óbvio quando você está dentro dela.

— Sou uma péssima atriz, fazer o quê?

— Qual é sua aparência quando você não está dentro de Layla?

Ela ri, mas é a risada *de Layla*. Sinto um aperto no coração. É estranho — outra pessoa rindo a risada de Layla. Faz muito tempo que não a escuto.

— Não tenho nenhuma aparência. Não tenho forma física. Não vejo nada quando olho no espelho. É diferente dos fantasmas dos filmes, com as roupas brancas esvoaçantes. Eu sou apenas... *o nada*. Sou pensamentos. Sentimentos. Mas eles não estão atrelados a nada tangível. É estranho, eu acho, mas é só o que eu sei.

Estou tentando pensar em mais perguntas, mas é difícil com tanta adrenalina correndo no meu sangue. Acho que a gente desvendou algum código ao descobrir que podemos nos comunicar assim. Ou vai ver quebramos alguma regra tácita.

Quero ficar empolgado com tudo isso, mas é difícil deixar de lado 25 anos de incredulidade.

— Layla... se isso for alguma pegadinha...

Ela balança a cabeça.

— *Não é*. Não sou Layla. Sou Willow.

É mais difícil acreditar na ideia de que Layla faria tudo isso para mentir para mim, sem nenhum motivo, do que na ideia de ela ser possuída por um espírito. Minha única saída é confiar nesta garota — ou pelo menos *fingir* que confio — enquanto tento obter mais respostas.

— Quantos anos você tem?

— Não sei. Não sei nem se tenho uma idade, se isso faz sentido. Já falei, o tempo meio que não existe para mim.

— Então você acha que sua vida não vai ter fim?

— Eu só não penso nisso. Não do mesmo jeito que os humanos. Quando não tem literalmente nada que eu possa ou queira fazer, nem comer ou tirar um cochilo, nem coisas maiores, como envelhecer e morrer... por que o tempo seria importante para mim?

Ela come várias batatas em silêncio, depois pega um refrigerante na geladeira e se senta na cadeira enquanto o toma. Sempre que bebe ou come, é como se curtisse a sensação em um milhão de papilas gustativas. Assim parece que eu nunca dei valor a nada do que comi ou bebi.

— Você se sente diferente estando no corpo dela?

Willow assente de imediato.

— Sim. É bem confuso. Tem lembranças que não são minhas, sentimentos que não são meus. Mas é exatamente essa a questão. Quando *não* estou no corpo de Layla, não sinto quase nada e não tenho nem sequer uma lembrança. Então eu meio que gosto de estar nela, apesar de me parecer errado, como se eu não devesse fazer isso.

— Você tem as lembranças dela?

Ela faz que sim.

— Tenho, mas não quero ser invasiva.

— Consegue se lembrar do que aconteceu entre Layla e eu?

Ela olha para a lata de refrigerante. Vejo suas bochechas corarem um pouco, de vergonha, e fico me perguntando quais lembranças causaram esse sentimento nela.

— Você conheceu Layla aqui.

Faço que sim, indicando que a lembrança é verdadeira.

Ela sorri.

— Ela ama você.

— Consegue sentir isso?

— Consigo. Ela ama muito você. Mas também está preocupada.

— Com o quê?

— Ela acha que você não a ama tanto quanto ela te ama.

Sinto meu rosto murchar um pouco com a confissão. Não quero que Layla se sinta assim. Não quero que se sinta menos amada do que é, nem ansiosa demais, nem assustada.

— Ela vai se lembrar dessa conversa? De que você a possuiu?

Ela balança a cabeça.

— Não. Ela não se lembrou de quando comi a comida dela. Acha que está com a memória ruim, só isso. — Willow estreita os olhos. — Alguma coisa ruim aconteceu com ela. E a abalou. Muito.

— É, aconteceu mesmo.

Uma porta se abre no segundo andar e chama minha atenção. Nós dois olhamos para a entrada da cozinha. *Merda*. Esqueci que Aspen e Chad ainda estavam aqui.

— Você pode sair do corpo dela? Deve ser a irmã de Layla.

Willow balança a cabeça, com um jeito inquieto.

— Não sei se é uma boa ideia. Layla vai surtar se eu sair do corpo dela agora. Vai acordar na cozinha sem lembrar de ter descido até aqui.

Aspen aparece na entrada.

— Achei que tinha escutado vocês dois. — Ela se aproxima de Layla... na verdade, *de Willow*... e pega o pacote de batatas, depois se senta ao lado dela. — Chad mijou na cama. Troquei os lençóis, mas tenho quase certeza de que o colchão vai precisar de uma limpada. — Ela olha para Willow. — A culpa é sua por ter mostrado a ele onde ficavam as bebidas.

Willow me encara de olhos arregalados, como se estivesse com medo de falar com Aspen.

Eu afasto minha cadeira para trás.

— Amanhã eu resolvo isso. Não tem problema. — Olho para Willow. — Vamos para a cama, Layla?

Ela assente e começa a se levantar, mas Aspen agarra sua mão e faz um biquinho.

— Não, fique aqui. A gente quase não se vê mais, e eu não estou conseguindo dormir.

Willow olha para mim, depois para Aspen, em seguida para mim de novo, e volta a se sentar, relutante. Não quero deixá-la aqui embaixo sozinha, então me sento também. Aspen parece aliviada por ter companhia, mas Willow parece estar com medo de falar — como se Aspen fosse perceber na hora que não está falando com Layla.

— Vocês acabaram com a pizza? — pergunta Aspen.

— Não, ainda tem.

Aspen vai até a geladeira para pegar a forma, e Willow apoia os cotovelos na mesa, segurando a testa. Sem fazer nenhum som, diz:

— O que eu faço?

Sinceramente, não sei. E é estranho que ela esteja *me* perguntando isso, como se eu tivesse alguma experiência com esse tipo de situação. Tento distraí-la com a única coisa que sei a seu respeito. Ela gosta de comida.

— Vai querer pizza?

Ela para um instante, depois assente com um sorrisinho.

— Quero sim, na verdade. Mais duas fatias. E outro refrigerante.

Os próximos minutos são surreais. Coloco as fatias no prato de Willow e depois Aspen se senta ao seu lado. Não para de falar enquanto Willow quase só come. Continuo puxando conversa com Aspen, inventando quase metade dos assuntos para que Willow não precise falar muito. Agora ela está um pouco mais relaxada do que quando Aspen entrou na cozinha. Mais concentrada na comida à sua frente.

Até que Aspen pergunta:

— Contou para Leeds o que aconteceu enquanto eu estava fazendo a pizza?

Desvio o olhar para Willow, que arregala os olhos.

— Meu Deus — diz Aspen. Ela começa a rir enquanto gesticula de Willow para mim. — Conte para ele, Layla. Foi engraçado demais.

Vejo o medo nos olhos de Willow — como se estivéssemos prestes a ser pegos no flagra. Sei que Willow disse que tem acesso às lembranças de Layla, mas não sei quão precisas elas são. E Willow não tem como saber o que aconteceu se não estava na cozinha enquanto as duas preparavam a pizza.

— Ela já me contou — digo. Não faço a mínima ideia do que Aspen está falando, mas não quero que o foco recaia sobre Willow. Eu me levanto. — É melhor a gente ir para a cama.

Willow assente e se afasta da mesa.

— É, estou bem cansada. E ainda estou com aquela maldita enxaqueca. — Ela se inclina e abraça Aspen. — Boa noite. Obrigada por ter vindo.

Aspen ergue a mão no ar.

— É sério? Eu só vi você duas vezes desde que me casei.

Estou puxando Willow pelo braço enquanto saímos da cozinha.

— Por que vocês não ficam até amanhã?

Aspen revira os olhos.

— Não dá. A gente tem que chegar ao Colorado amanhã à noite, e Chad vai me fazer dirigir quase o caminho inteiro até a ressaca dele passar. — Ela gesticula para a escada. — Podem ir dormir. Eu limpo minha bagunça.

Willow não perde tempo. Dá boa-noite outra vez e sobe a escada correndo. Vou atrás dela, mas quando chegamos ao quarto e eu fecho a porta, preciso me encostar e expirar várias vezes para acalmar os nervos.

Os últimos quinze minutos com Aspen me deixaram mais tenso do que o fato de ter um fantasma no corpo da minha namorada.

— Isso foi intenso — diz ela, andando de um lado para o outro. — Preciso ser mais cuidadosa.

— Eles vão embora pela manhã, e depois vou ficar sozinho com Layla de novo. Não precisa se preocupar com mais ninguém.

Ela para.

— Vocês... vão ficar?

Faço que sim.

— Vamos. Até quarta-feira que vem.

— Você não está com raiva de mim?

— Pelo quê?

Ela acena para o próprio corpo de cima a baixo.

— Disso. Por ter usado Layla.

Era para eu estar com raiva? Nem sei.

Meio que sinto pena de Willow, não raiva. Tudo isso está muito além da minha compreensão, então minhas reações ao que está acontecendo provavelmente não são nada adequadas.

— Não estou com raiva. Na verdade, eu gostaria de conversar com você outra vez se isso não for afetar Layla. Não quero que ela descubra que você existe ainda. Não sei se ela vai entender.

— E *você* entende?

Balanço a cabeça.

— Não mesmo. Parece que vou acordar amanhã e rir da loucura que foi esse sonho.

Willow olha para a cama e depois para mim.

— Não posso sair sem que ela durma primeiro. Não quero que ela se assuste.

Faço que sim.

— Tudo bem. Eu fico sentado na cadeira até você dormir.

— Tem certeza?

— Tenho. Mas quero conversar com você de novo. Pode ser amanhã à noite?

Ela assente, mas não diz mais nada. Apenas se deita e se cobre, depois fecha os olhos.

Eu a observo por meia hora. Em seguida, o corpo de Layla começa a relaxar, aos poucos.

Não vi nada que prove que Willow não está mais lá dentro, mas dá para notar. Houve uma mudança, muito sutil, e agora Layla parece estar dormindo com tranquilidade. Parece a mesma Layla que coloquei na cama mais cedo.

Dou uma olhada no quarto, sabendo que Willow provavelmente ainda está me vendo. E me escutando. Sussurro:

— Boa noite.

E depois me deito com Layla.

Fico uma hora pensando em todas as perguntas na minha cabeça e tentando adivinhar se Layla vai se lembrar de alguma coisa desta noite.

E o que isso significa para Willow? O que vai acontecer quando Layla e eu formos embora na próxima semana? Ela vai ficar completamente sozinha outra vez?

Pego no sono sentindo mais pena do que medo ou culpa.

A entrevista

Já faz muito mais de vinte minutos desde que deixei Layla no quarto. E ela me avisa gritando meu nome repetidas vezes.

O homem pausa o gravador.

— Ela parece estar com raiva.

Faço que sim.

— Falei que ia trazê-la para cá. Ela quer conhecer você.

— Layla quer?

— Isso. Pode ser?

— E você explicou por que eu estava aqui?

— Não contei muita coisa a ela ainda. Ela sabe que tem alguma coisa estranha no próprio comportamento. Falei que talvez você tivesse respostas.

O homem assente.

— Então pode trazê-la.

Eu me sirvo outra dose de bourbon antes de subir para desamarrá-la.

Quando entro no quarto, Layla está tentando alcançar o nó da corda, mas não consegue. Eu me certifiquei disso quando a amarrei, mas admiro sua determinação.

Ela escuta a porta fechar e vira o rosto para mim.

— Vinte minutos? Já faz *uma hora*.

— Desculpe.

Começo a desamarrá-la e percebo que ela estava puxando as cordas com tanta força que seus curativos se desfizeram. Agora seus pulsos estão ainda mais machucados. Não sei o que mais eu poderia usar para prendê-la sem machucá-la. Não tenho algemas, e não confio nela o bastante para sair da casa e ir comprar.

— Precisa me prometer que não vai fazer nenhuma idiotice. Escondi todas as facas.

— Escondeu os garfos? Eles machucam também.

Nem respondo. Depois que é desamarrada, diz:

— Preciso fazer xixi primeiro.

Layla vai ao banheiro, então a acompanho e fico de olho.

Ela não está com tanto medo quanto antes. Agora, parece zangada. Seus movimentos estão cheios de irritação enquanto ela abre a torneira para lavar as mãos.

— E aí, quem é o cara? — pergunta, saindo do banheiro atrás de mim.

— Eu o encontrei na internet.

Ela espera enquanto abro a porta do quarto.

— Tá falando sério?

— O que eu devia ter feito, Layla? Ter chamado a polícia e pedido a ajuda deles?

— Trouxe um charlatão da internet para resolver isso?

Ponho a mão na sua lombar e a guio para fora do quarto.

— Estou dando o meu melhor, me agarrando a qualquer oportunidade. É só o que posso fazer.

Ela desce a escada batendo os pés, e eu continuo com as mãos em suas costas — não por medo de que ela caia, mas por achar que pode tentar sair correndo. Instalei mais umas duas fechaduras nas portas que dão para a rua, para que Layla não tivesse tempo de abrir e escapar. Na verdade, é só por isso que a estou deixando descer comigo.

Ela entra na cozinha e hesita ao vê-lo. Olha para o homem, para mim, para o homem novamente.

— Você é um detetive?

— Mais ou menos — diz ele, estendendo a mão para Layla. — Eu me chamo Richard.

— Randall — corrijo-o.

Ele olha para a própria camisa.

— Ah, é. Randall. Meu nome é Randall.

Esta foi uma péssima ideia.

— Você não sabe nem seu próprio nome?

— É Randall Richard — diz ele, disfarçando a mentira.

Layla vira a cabeça lentamente para mim. Ergue a sobrancelha e depois olha para ele outra vez.

— Você é médico?

— Um pouco.

Layla ri, desanimada.

— *Mais ou menos* detetive. *Um pouco* médico. Ou você *é* ou *não é*.

— Eu era médico. Agora sou detetive.

— Claro — diz Layla inexpressivamente.

O homem se senta à mesa outra vez, gesticulando para a cadeira à sua frente.

Layla diz:

— Prefiro ficar de pé. — Sua atenção se volta para mim. — Deu uma conferida no histórico deste cara antes de chamá-lo?

Não minto, apenas nego com a cabeça.

Layla ri.

— Que maravilha. — Ela anda em direção à saída da cozinha. — É mesmo uma maravilha. — Ela para, depois me encara, e é a primeira vez que o faz com ódio nos olhos. — Vou dar *o fora* daqui. E se você tentar me deter desta vez, vou gritar até alguém me ouvir ou até eu morrer. O que vier primeiro. Estou me lixando.

— Não fui eu que impedi você de ir embora da última vez, Layla.

Fico onde estou enquanto ela passa por mim, mas a vejo atravessar a entrada da casa e ir em direção à porta da frente. Ela abre a fechadura de cima antes de parar por um instante e se afastar da porta.

Ela se vira para mim, e percebo que não é Layla quem está me olhando agora. É Willow.

— Ela está bem chateada — diz Willow, com os olhos cheios de preocupação. — Acho que você precisa amarrá-la de novo.

Faço que sim, subo a escada com Willow e entramos no quarto. Ela se senta na cama e percebo uma lágrima escorrer pela sua bochecha enquanto ergue as mãos para mim.

— Não se sinta mal — digo, embora saiba que nós dois nos sentimos.

— É inevitável. Odeio o que a gente está fazendo com ela. Layla acha que está enlouquecendo e que você é uma pessoa má.

Ponho a bandagem de novo nas suas mãos antes de amarrá-las com a corda, esperando que Willow fique dentro de Layla tempo suficiente para que ela adormeça.

— Você estava lá embaixo com a gente esse tempo todo? — pergunto.

Willow assente.

— Estava, mas ele ainda não deu nenhum conselho, nenhuma explicação.

— Eu sei, mas está chegando lá. Não tenho muito mais para contar, e quando acabar, ele vai saber exatamente como te ajudar. É por isso que a gente precisa segurar Layla aqui até o fim. Acho que vamos precisar dela.

Willow está chorando um pouco mais agora. Suas lágrimas são diferentes das de Layla. Layla chora de raiva e medo. Willow chora por estar com pena de Layla.

Meu Deus, que confusão é essa em que a gente se meteu?

Pego um lenço na mesa de cabeceira e enxugo as lágrimas em suas bochechas. Ergo seu rosto.

— A gente vai dar um jeito, prometo. Pode tentar fazer Layla dormir?

Ela assente Eu me inclino e beijo o topo de sua cabeça. Em seguida, volto para o térreo.

Quando entro na cozinha, estou me sentindo culpado, mas também um pouco mais esperançoso do que ando ultimamente. Este homem viu Layla. Viu o que Willow é capaz de fazer. Nada disso pareceu transtorná-lo, então sinto um certo otimismo. Se ele não ficou transtornado, é porque já viu coisas assim. E se já viu coisas assim, talvez realmente possa nos ajudar.

— Willow está obrigando você a fazer isso? — pergunta o homem enquanto me sento.

Não sei como responder. Ela não quer que a gente vá embora e já deixou isso claro. Mas eu também não insisti tanto.

— Não sei. Acho que estamos juntos nisto, infelizmente.

— Por que nenhum de vocês deixa Layla ir embora?

Fico calado porque a resposta faria com que eu me sentisse um monstro.

O homem se curva para a frente, inclinando a cabeça de lado.

— Está apaixonado por ela?

— É óbvio. Ela só está amarrada porque quero ficar de olho nela, e não vou poder fazer isso se ela for embora.

— Não estou falando de Layla.

Olho para a mesa quando percebo o que ele está insinuando. Sinto o calor no meu peito se espalhar para o pescoço, para as bochechas.

— Não, não é isso.

— Não é isso o quê?

— Não é... sei lá. Eu me importo com Willow. Mas amo Layla.

— Mas agora criou uma relação com Willow. A ponto de colocar Layla em risco para poder ajudá-la.

— Não acho que ela esteja correndo algum risco.

— Obrigando Layla a ficar aqui, você certamente não a está mantendo fora de perigo.

— Mas não estou fazendo isso porque não me preocupo com ela. — Estou ficando nervoso com esse tipo de pergunta. — Olha só, não importa por que decidi manter Layla aqui. Ela viu muita coisa, e só isso já é motivo o suficiente. — Gesticulo para ele. — Pergunte outra coisa.

Ele revira os olhos um pouco.

— Tá bom. Com que frequência você e Willow usam o corpo de Layla sem que ela saiba?

— Não tanto quanto a gente usava no início.

— E o quanto isso acontecia no início?

— Muito.

11

A maneira como uma pessoa acorda de manhã revela muito sobre a fase da vida em que ela se encontra. Antes de conhecer Layla, eu achava difícil sair da cama. Ativava o modo soneca do alarme umas cinco vezes se precisava ir a algum lugar. Senão, dormia até meu corpo doer, depois rolava para fora da cama feito um peso morto e ia arrastando os pés em direção ao banheiro. Minha vida não me entusiasmava muito.

Quando conheci Layla, não via a hora de acordar. Meus olhos se abriam e eu a procurava de imediato. Se o alarme estava programado, eu o silenciava assim que tocava para não a acordar, pois eu mesmo queria fazer isso. Eu beijava sua bochecha ou subia os dedos pelo seu braço até ela sorrir. Queria vê-la antes que ela me visse, e também queria que ela me visse assim que abrisse os olhos.

Hoje, acordo de uma maneira parecida, mas ao mesmo tempo bem diferente — minha pele formiga de ansiedade antes mesmo de eu ficar totalmente alerta. Meus olhos se escancaram e procuro Layla de imediato, mas não por querer acordá-la. Quero o oposto. Quero sair da cama sem que ela perceba para poder me esconder no banheiro e reassistir à gravação da noite anterior.

Tranco a porta do banheiro, ligo o chuveiro para abafar o som do celular e depois me encosto no balcão. Volto a gravação para o momento em que Willow entrou na cozinha e se sentou à mesa. Assisto de novo a toda a nossa conversa, só para garantir que aconteceu mesmo e que não foi tudo um sonho.

Não foi um sonho.

Fecho o aplicativo e fico encarando o espelho do banheiro. Que loucura pensar que, dois dias atrás, acordei confiante na minha visão de mundo. Mas, hoje, aquela confiança desapareceu e foi substituída pela curiosidade, pelo fascínio e por uma nova e intensa necessidade de desvendar tudo que desconheço neste universo.

Saber que a vida é mais do que o que podemos ver faz tudo ao meu redor parecer insignificante. Minha carreira parece insignificante. Meu amor por Layla parece menos importante para a linha do tempo da minha vida do que era dois dias atrás.

Agora que sei que existe muito mais além do que eu me permiti imaginar, a maioria das coisas que um dia me estressaram parecem extremamente irrelevantes.

Minha *própria* existência parece menos importante, a meu ver.

Nas últimas 24 horas, minhas prioridades mudaram, mas, mesmo assim, não faço ideia de qual seja a primeira agora. Faz muito tempo que é Layla, mas até mesmo tudo pelo que nós passamos me parece menos traumático diante da possibilidade de que não só existem outras pessoas numa situação pior, mas também outros planos de existência.

Sempre conto tudo para Layla, mas ainda não sei se quero tocar nesse assunto. No entanto, parte de mim acha que saber a verdade a ajudaria. Se ela tivesse certeza de que há outros planos de existência além do nosso, talvez o que aconteceu com a gente parecesse menos relevante para ela. Talvez, de algum jeito distorcido, isso seja tão intrigante para ela quanto está sendo para mim, e ajude-a com tudo que tem enfrentado.

Tenho certeza de que isso me livrou do vazio que andava sentindo ultimamente. Não sei o que me preencheu, talvez seja apenas curiosidade e as milhões de perguntas, mas faz tempo que não acordo tão entusiasmado.

Estou pronto para falar com Willow outra vez.

Olho ao meu redor no banheiro, pensando se ela não estaria aqui agora. Será que fica observando a gente o tempo inteiro? O que faz durante a noite toda, se não dorme? O que está fazendo neste momento?

Tenho tantas coisas para perguntar a ela que nem quero perder tempo tomando banho. Desligo o chuveiro e saio do banheiro. Layla continua dormindo de bruços.

Deixo-a na cama e desço para a cozinha. Começo a preparar o café e dou uma olhada ao redor, perguntando-me se ela não estaria aqui. Precisamos achar uma maneira de nos comunicar quando ela não estiver usando o corpo de Layla.

— Você está aqui?

Pergunto baixinho porque acho que nunca vou achar normal falar com o nada.

Não obtenho nenhum tipo de resposta, então repito:

— Willow? Você está aqui?

Eu me viro quando a água da torneira começa a pingar. Observo as gotas se transformarem num fluxo constante e, depois, num jato pesado.

Em seguida, a torneira se fecha completamente.

Sei que deveria estar sentindo o medo atravessar meu corpo, mas a única coisa que sinto é impaciência. Quero continuar a conversa de onde a gente parou ontem à noite. Dou uma olhada na cozinha, perguntando-me como poderíamos fazer isso. Estou com o celular nas mãos. Posso usá-lo. E Willow, o meu notebook.

Pego o computador e me sento à mesa da cozinha.

— Não sei se você entende alguma coisa de tecnologia — digo em voz alta. — Mas, como sabe digitar, podemos usar o aplicativo de mensagens. — Abro-o e aponto para a tela, presumindo que ela está me ouvindo se continua na cozinha. — Vou usar o celular e você pode usar o notebook.

Deslizo-o para a esquerda e depois apoio os cotovelos na mesa, com o celular nas mãos. Fico encarando as teclas do notebook enquanto elas começam a descer, velozes, numa rápida sucessão de letras. Ela digita rápido. Talvez seja uma pista do que fazia na vida passada.

Uma mensagem aparece no meu celular. *Sou muito boa com tecnologia.*

Não consigo segurar um sorriso ao ler.

Isso é surreal. Muito maior do que tudo que imaginei que aconteceria ao longo da minha vida. A ideia de me casar, ter filhos e construir uma carreira musical... agora parece que só serve para ocupar espaço. E se eu tiver uma espécie de sexto sentido? E se meu propósito for usá-lo para algum objetivo específico? E se meu destino for me tornar alguma outra coisa, e não um músico?

As teclas do notebook estão sendo pressionadas de novo. Ela está digitando mais uma mensagem.

Eu sei coisas — tipo, cozinhar. Usar um computador. Usar um celular. Mas não faço ideia de como sei essas coisas.

Não uso o celular para responder. Apenas falo em voz alta, uma vez que Layla ainda está dormindo lá em cima.

— Será que isso não é um sinal de que você morreu recentemente? Se sua morte tivesse acontecido décadas atrás, você falaria e agiria de outro jeito.

Você tem tanta certeza de que eu já fui viva. E se a minha existência tiver sido só aqui?

— Talvez, aí você teria adquirido conhecimento com o passar do tempo. Você disse que vê televisão de vez em quando, né?

Vejo.

— Dá para a gente tentar construir uma linha do tempo.

É tão importante assim para você saber se eu já estive viva?

— Não é importante para você?

Não sei. Não muito, eu acho. Por que importaria?

— Se você soubesse como era sua vida, talvez pudesse entender por que está presa aqui.

Não me sinto necessariamente presa.

— Mas você é feliz?

Não. Já te falei como é aqui. Você e Layla aparecerem foi a coisa mais empolgante que já me aconteceu.

— E se eu estiver aqui para te ajudar? Você pelo menos quer ajuda para entender isso?

Que egocentrismo da sua parte achar que sou eu que preciso de ajuda. E se for o contrário? E se sou eu que estou aqui para te ajudar?

Encaro o comentário por um instante, deixando-o se misturar a todos os meus outros pensamentos.

— Nunca pensei nisso. — Eu me inclino para a frente, encostando os dedos no queixo. — Talvez você tenha razão, talvez nós dois estejamos no lugar certo. Mas, nesse caso, por que você atravessaria para *este* mundo? É você que sente falta das coisas que eu ainda tenho. Comida. Água. Sono. Você nunca está satisfeita aí. Tudo que é tangível está neste plano, e parece que você sente falta dessas coisas. Acho que isso quer dizer que você já deve ter tido acesso a elas no passado.

Meu notebook desliza vários centímetros sobre a mesa até parar bem na minha frente. O movimento repentino faz com que eu me contraia.

— Por que me deixou dormir até tão tarde? — pergunta Layla.

Meu olhar se ergue rapidamente, e ela está parada na entrada da cozinha, espreguiçando os braços acima da cabeça. Boceja enquanto anda em direção à cafeteira.

— Não está tão tarde — digo, fechando lentamente a tela do notebook.

Layla serve café numa caneca.

— São onze horas da manhã.

— O horário mais mortal do dia — digo, brincando.

Ela me olha com curiosidade.

— *Quê?*

Está segurando a caneca com as duas mãos enquanto toma um gole. Eu me aproximo e dou um beijo em sua testa.

— Onze da manhã, o horário mais mortal do dia — digo, repetindo um dos muitos fatos que ela me contou.

Layla semicerra os olhos, confusa.

— Que estranho. Achei que o horário mais mortal seria à noite.

Sinto o peso da culpa sobre meus ombros. Acho normais tantas coisas que Layla ainda está recuperando aos poucos — as conversas que tivemos, as memórias que criamos, todos os momentos perfeitos que passamos juntos. É como se alguém tivesse pegado uma tesoura artística, recortado da mente dela alguns fragmentos de sua vida e os deixado em pedacinhos sobre a mesa.

Parece que, às vezes, não reconheço a gravidade de suas lesões. Passei os últimos seis meses pisando em ovos, tentando não salientar o óbvio, sem querer que ela sentisse a extensão do quanto perdeu. Mas e se satisfazer à vontade de Layla de evitar falar sobre aquela noite só tiver piorado tudo?

Uma lesão cerebral deve ser similar a uma lesão física. No segundo caso, a pessoa se exercita e se esforça para recuperar a força que perdeu. Fiz três meses de fisioterapia devido à lesão no meu ombro, mas lidamos com a lesão de Layla exatamente ao contrário.

Não exercitamos seu cérebro... ele foi deixado em repouso absoluto.

Ignoramos os danos e demos um tempo para suas feridas na esperança de que se curassem sozinhas. Mas não deu certo. Fisicamente, sim. Mentalmente, já não sei.

— Você estava ao telefone agora há pouco? — pergunta ela.

— Não. Por quê?

— Achei que tivesse ouvido você falando com alguém quando estava descendo.

— Eu estava — respondo rapidamente. — Estava falando sozinho, não ao telefone.

Ela acredita na minha explicação, vai até a geladeira e a abre. Fica encarando as prateleiras, mas não pega nada antes de fechar a porta.

— Quer que eu prepare seu café da manhã? — pergunto.

Ela geme.

— Ganhei um quilo nesta semana. Não vou mais tomar café da manhã.

— Estamos de férias. Você precisa ganhar pelo menos mais uns quatro quilos para fazer a viagem valer a pena.

Ela sorri.

— Que meigo. Mas quatro quilos extras seriam o fim dos dias de nudez na piscina. Eu não conseguiria mais olhar para mim mesma.

Eu me aproximo e a puxo para mim. Não gosto de ouvi-la falar desse jeito. Não gosto de saber que uma coisa tão simples quanto ganhar um pouquinho de peso nas férias a estressa assim. Tento lembrar se, ao longo do nosso relacionamento, eu disse algo que pudesse insinuar que me importo mais com seu corpo do que com seu bem-estar. Sempre digo a ela o quanto a acho sexy, mas digo isso de uma maneira positiva. Talvez, enfatizar a atração que sinto pela sua aparência tenha feito com que ela desse mais importância a isso do que deveria.

Coloco minhas mãos no seu rosto.

— Eu te amo, Layla. Esse amor não varia em função de um número na balança.

Ela sorri, mas o sorriso não chega aos seus olhos.

— Eu sei. Mas quero ser saudável.

— Pular refeições não é saudável.

— Nem comer bolachas e bolinhos recheados, mas nesta cozinha só tem porcaria.

— Estamos de *férias*. É isso que as pessoas fazem durante as férias. Elas comem porcaria enquanto ficam deitadas na maior preguiça e dormem até tarde. — Beijo-a. — Você precisa entrar no clima de férias antes que as férias acabem.

Ela põe os braços ao redor da minha cintura e pressiona a testa no meu ombro.

— Tem razão. Preciso relaxar e curtir a próxima semana. — Ela se afasta. — Sabe o que eu nunca rejeito? Comida mexicana. Especialmente tacos.

— Eu adoro tacos.

— E margaritas. Tem algum lugar por aqui onde a gente possa comer tacos e beber margaritas?

Sou tomado pela hesitação quando ela sugere que a gente saia da casa. Quero mesmo levá-la para dar uma volta, e gosto de ver que ela pareceu animada com a ideia de comer tacos, mas também tenho 50 mil perguntas para Willow. Não vou poder fazê-las se a gente sair, e eu ficar dirigindo e me preocupando com Layla.

— Tem certeza de que quer sair? São uns cem quilômetros até o restaurante mais próximo.

Layla assente enfaticamente.

— Tenho. Preciso sair daqui. — Ela fica na ponta dos pés e me beija. — Vou tomar um banho.

Layla sai da cozinha, e eu vou direto para o notebook. Abro-o.

— Você ainda está aqui? — pergunto, esperando obter algum tipo de resposta.

Fico encarando o computador, mas nada acontece. Espero, paciente, até escutar o chuveiro no segundo andar. Repito a pergunta.

— Willow? Você ainda está aqui?

Os segundos são lentos e se passam sem nenhuma ação. Então, as teclas começam a descer, e eu suspiro aliviado enquanto ela digita.

Desculpe. Estou aqui agora. Saí quando Layla desceu. É estranho ficar observando vocês dois sem permissão, então não faço isso.

— Para onde você vai quando sai daqui?

Eu estava no Grande Salão.

— Costuma ir para o segundo andar?

Às vezes. Mas não quando vocês estão lá.

Não é totalmente verdade.

— Você estava no quarto na noite em que possuiu o corpo de Layla e saiu da cama para olhá-lo no espelho.

Achei que vocês estavam dormindo. Tento não espiar quando vocês estão juntos. Parece errado. Mas tenho meus pontos fracos... como quando sinto o cheiro do que vocês estão comendo.

— Mas você espia a gente quando estamos sozinhos?

Espiar é uma palavra muito forte. Sou curiosa. Solitária. Então, sim, de vez em quando observo vocês vivendo suas vidas. Não tem mais nada para fazer aqui.

— O que você vai fazer quando a gente for embora na semana que vem?

Vou ficar emburrada. Talvez eu tente bater meu recorde de encarar o relógio por oito dias seguidos.

Não rio da piada autodepreciativa. Pensar nela totalmente sozinha me dá pena. É estranho sentir pena de um fantasma. De um espírito. De seja lá o que for.

Fico me perguntando o que aconteceu na minha infância para que eu sinta tanta culpa, mesmo quando não sou responsável pelo que deu errado. Carrego o peso das dores de Layla. E agora estou carregando o peso das dores de Willow.

Talvez eu *devesse mesmo* comprar a casa. Sei que Layla não iria querer morar aqui, mas a gente poderia vir passar as férias. Assim, Willow não ficaria sempre sozinha.

— A gente vai sair daqui a pouco, mas volta à noite.

Aonde vocês vão?

Pelo jeito, ela realmente não estava aqui durante minha conversa com Layla. Acho engraçado que um fantasma tenha princípios como os humanos têm. Ela não quer ser invasiva, mesmo sabendo que a gente não perceberia sua presença.

— Layla quer comer tacos. E tenho certeza de que ela vai querer fazer compras enquanto a gente estiver na cidade. Vamos passar a tarde fora.

Hmm, tacos são uma delícia.

— Quer que eu traga alguns para você?

Que gentileza, mas acho que você esqueceu de que não consigo comer.

— Você poderia comer hoje à noite, depois que Layla dormir.

Há um momento de imobilidade antes que ela volte a digitar.

Você não acha ruim que eu use o corpo de Layla novamente?

Eu deveria achar, mas não parece fazer nenhum mal a Layla. Ela até acabaria ingerindo umas calorias bem necessárias.

— Não. Tacos são importantes. Quer de carne ou de frango?

Pode fazer uma surpresa.

Fecho o notebook e vou para o quarto, subindo dois degraus de cada vez. Estou animado para passar o dia com Layla. Mas acho que estou mais animado ainda para conversar com Willow à noite.

É claro que tem algum nível de enganação rolando — sei muito bem disso. Mas é difícil estabelecer um limite quando os limites nem sequer estão no mesmo mundo.

12

Havia mais opções no Nebraska do que em algum lugar a uma hora de distância de Lebanon, Kansas, então saímos do estado e fomos até uma cidade chamada Hastings.

Eu estava morrendo de fome quando chegamos, mas Layla quis fazer compras primeiro, então passamos em algumas lojas antes de ir para o restaurante. Foi uma decisão inteligente, porque ela tomou quatro margaritas e comeu somente um taco, assim, lá pelo fim do jantar, já mal conseguia ficar em pé sozinha.

Ela não estava tão bêbada a ponto de não perguntar por que pedi tacos para viagem. Falei que foi porque ela não tinha comido o suficiente no jantar, então queria levar alguma coisa caso ela ficasse com fome mais tarde.

Quando disse isso, ela sorriu e se inclinou sobre a mesa para me beijar, mas derrubou uma das taças de margarita, que se estilhaçou no chão. Ela ficou tão envergonhada que se desculpou com o restaurante inteiro enquanto os funcionários limpavam a sujeira. Pediu desculpa até para a taça quebrada. Foi quando percebi que ela havia bebido demais.

A volta levou apenas uma hora, mas Layla precisou parar duas vezes para fazer xixi por causa das margaritas. Fiquei puxando conversa na tentativa de mantê-la acordada. Ainda era início da noite quando voltamos para Lebanon, então não queria que ela pegasse no sono e depois ficasse acordada até tarde.

Senti uma pontada de culpa por me empolgar ao pensar que ela dormiria quando chegasse em casa e Willow assumiria seu corpo.

Mas não culpado o bastante para deixar de fazer de tudo para que ela continuasse conversando.

Chegamos em casa durante o crepúsculo. Layla quis se sentar do lado de fora e assistir, então é o que estamos fazendo — estamos sentados na grama, ao lado da nogueira-pecã, observando o sol ser engolido pelo horizonte.

É um processo dolorosamente lento.

Fico conferindo a hora no celular como se tivesse que ir a algum lugar. Não tenho, mas nunca quis tanto que Layla fosse dormir. Apesar disso, ela ainda está bêbada, rindo de nada e de tudo.

Tenho tantas perguntas para Willow e tudo que quero é entrar em casa, mas Layla tem outros planos.

Ela põe a mão no meu peito e me faz deitar enquanto o último raio de sol desaparece. Ela se inclina sobre mim, levando a mão até o botão da minha calça jeans enquanto aproxima a boca da minha. O gosto azedo do limão continua em sua língua.

Retribuo o beijo porque é o que eu deveria querer. Deveria desejá-la, e querer sua língua na minha boca e minhas mãos no seu corpo. Deveria querer penetrá-la. Mas não é o que quero neste momento. Só o que estou sentindo é uma impaciência avassaladora.

Não sei mais como separar meus desejos. Vim aqui para que Layla e eu pudéssemos recomeçar, mas sinto que, quanto mais tempo ficarmos, mais nossos mundos vão acabar se afastando. Estou ficando fascinado demais pelo mundo em que não estamos, e isso vai afetar nossa relação. Ainda não sei como, mas sei que o que estou fazendo é errado. Deixar Willow usar o corpo de Layla é uma forma terrível de traição. No entanto, é uma forma de traição que eu me pego justificando toda vez que começo a contestá-la.

As mãos de Layla deslizam entre minha calça e minha barriga. Noto que ela se desanima ao pegar em mim e perceber que não estou tão a fim quanto ela.

— Está tudo bem? — pergunta.

Normalmente, isso não acontece. Quando ela me deseja, tudo o que precisa fazer para que eu fique duro é me beijar. Mas agora não é o bastante. Minha mente está muito longe, e dá para perceber nos seus olhos que Layla acha que isso é um reflexo do que sinto por ela. Não é. Estou apenas com a mente agitada.

Levo a mão até sua bochecha.

— Está, sim — digo, passando o dedão em sua boca. — É que tem uma pedra ou algo assim nas minhas costas. — Eu a viro para que eu fique por cima. — Quem sabe a gente não termina isso mais tarde. Na cama.

Ela sorri.

— Ou *agora* na cama. — Ela me tira de cima dela e se levanta. Cambaleia quando fica de pé, então me ergo para ajudá-la a se equilibrar. Ela leva a mão à testa. — Caramba. Estou muito bêbada.

Ajudo-a a entrar na casa, esperando que ela esteja embriagada demais para querer continuar isso lá em cima.

Mas ela não esquece.

Layla começa a me beijar assim que entramos na casa. Põe as mãos na minha calça e me puxa para o Grande Salão.

— Vamos transar no sofá — diz.

Paro, perguntando-me onde está Willow agora. É estranho saber que ela pode ver isso.

Não quero transar com Layla no Grande Salão. Não quero transar com Layla em nenhum lugar neste momento. É constrangedor saber que tem mais alguém na casa com a gente. Ela é barulhenta durante o sexo quando acha que estamos a sós. E, tecnicamente, nós estamos a sós, mas não estamos.

Mesmo assim, nossas férias não acabaram e não posso evitar transar até o fim da viagem. Ela vai perceber que tem algo estranho acontecendo e levar para o lado pessoal. E a última coisa que quero é que ela comece a se sentir como se sentiu no banheiro do avião, por minha causa.

— Vamos lá para cima — digo, puxando-a para longe da porta do Grande Salão, em direção à escada.

Ela faz um biquinho, mas me deixa pegar sua mão e segura o corrimão até chegarmos ao segundo andar. Eu a seguro porque não quero que caia.

Quando chegamos ao quarto, fecho a porta, confiante de que Willow permaneceu lá embaixo.

Layla tira a calça jeans e a chuta em direção à cama. Levanta a blusa, mas fica presa e quase cai. Eu a ajudo a tirá-la. Ela está gargalhando quando jogo a roupa no chão.

É então que Layla captura toda minha atenção. Está de bom humor. *Gargalhando.* Bêbada e despreocupada. Ultimamente, é muito raro vê-la tão solta assim. Conto em uma das mãos as vezes que escutei sua risada desde a cirurgia.

Gosto disso. *Estava com saudade* disso.

Talvez a mansão e as férias estejam mesmo nos ajudando.

Dessa vez eu a beijo, e fico aliviado porque todo o *desejo* ressurge dentro de mim. Obrigo-me a tirar Willow da cabeça e me concentro em Layla o máximo possível. Ela tira minha camisa com dificuldade, e ainda estamos de pé ao lado da cama quando abro seu sutiã. Ela pressiona o corpo contra o meu, e nos beijamos até eu senti-la se desequilibrar, pendendo para a direita.

Ela arfa enquanto a viro de costas e a inclino sobre o colchão. Depois, ouço uma risadinha, e, *meu Deus, como eu amo esse som*. Nem tiro sua calcinha. Simplesmente a afasto para o lado e me enfio dentro dela, como se tivesse medo de que a sensação suma caso eu não me apresse.

Layla geme, e alto, mas não quero que faça barulho esta noite. Levo o braço até sua frente e cubro sua boca enquanto a penetro. Todos os gemidos são abafados pela palma da minha mão.

Não dou nem um pio quando gozo.

E depois, ao fazê-la se deitar de costas e ficar entre suas pernas, beijo-a o tempo todo enquanto a toco.

Talvez Willow esteja no fundo de minha mente mesmo, mas não posso fazer nada. E, por algum motivo, não quero que ela escute isso agora.

Quando terminamos, caio em cima de Layla, ofegante. Suas unhas estão descendo pelas minhas costas, mas meus olhos estão fechados, e meu rosto, pressionado contra o colchão.

Eu devia estar me sentindo saciado, mas ainda estou todo impaciente.

Quero descer e conversar com Willow.

Penso nisto... penso que trouxe Layla até aqui para poder lhe dar atenção, mas agora meu foco está começando a embaçar.

Layla tem o direito de saber o que está acontecendo nesta casa. Ela não sabe da presença de Willow, nem que Willow usa seu corpo à noite. Nem que tenho uma parcela de culpa pela situação.

Mas não faço nada sobre isso.

Layla empurra meu peito até que eu fique de costas, e vai até o banheiro para se limpar. Fico deitado, encarando o teto e me perguntando o quanto vai demorar até ela ir dormir. Não está muito tarde. Normalmente, quatro margaritas seriam o bastante para ela querer se deitar cedo, mas hoje Layla dormiu até as onze horas da manhã.

Escuto o chuveiro abrindo no banheiro e solto um grunhido. Ela sempre dá uma acordada quando está bêbada e toma uma ducha. É como se ganhasse uma carga extra de energia. Provavelmente, vai sair do banheiro e pedir para maratonar uma série inteira da Netflix. Agora, pode levar horas para ela pegar no sono.

Abotoo a calça e vou até a cômoda. Confiro seus frascos de remédio, lendo os nomes para ver qual ela costuma tomar para dormir.

Abro a tampa do Ambien, ponho um na mão e guardo o frasco na cômoda.

Desço e encho uma taça de vinho para Layla. Misturar vinho com margaritas vai deixá-la mais sonolenta. E o sonífero vai ajudar. Ela o toma toda noite mesmo, então só estou acelerando o processo.

Uso a parte de trás de uma colher para esmagar o comprimido no balcão. Junto o pó e o misturo na taça até que se dissolva por completo.

Eu me viro para sair da cozinha, mas não vou longe.

A taça é derrubada da minha mão e se estilhaça no chão da cozinha, a vários metros de mim.

Olho para minha mão vazia, e depois para as gotas de vinho tinto manchando o armário branco à medida que escorrem até o chão.

Há vinho por toda parte. Continuo parado, completamente chocado. Imediatamente arrependido. A taça foi derrubada da minha mão com força o suficiente para cair do outro lado da cozinha, e só tem uma explicação para isso.

Willow viu o que eu estava fazendo e obviamente se chateou.

Por fim, percebo a gravidade do que eu estava prestes a fazer. Olho para o teto e levo as mãos ao rosto.

O que eu tinha na cabeça?

Saio da cozinha e volto para o quarto, envergonhado por Willow ter visto aquilo. Envergonhado por sequer ter considerado diluir o remédio de Layla na bebida para que ela dormisse mais rápido.

Minha vontade de falar com Willow se dissipa de imediato e é substituída por uma tonelada de vergonha. Abro a porta do quarto no instante em que Layla sai do banheiro enrolada na toalha. Ela aponta para o chão, perto dos meus pés.

— Joga sua camiseta para mim.

Ela pega a camiseta e a veste pela cabeça, deixando a toalha cair. A bainha vai até a altura de suas coxas, e me dou conta de que minhas roupas ficam gigantes em Layla. Ela é pequena e deve estar abaixo do peso agora que mal come. Mesmo assim, eu estava prestes a fazê-la tomar uma dose de sonífero sem que ela percebesse, misturando-o com mais bebida alcoólica do que ela já havia ingerido. Isso, sem saber como as duas coisas juntas a afetariam, especialmente se ela tomasse mais um comprimido do sonífero depois, como sempre faz.

Eu não sou assim.

Envolvo Layla em meus braços, puxando-a para perto e me desculpando silenciosamente por algo que jamais vou admitir que estive a ponto de fazer. Fecho os olhos e pressiono meu rosto em seus cachos molhados.

— Amo você.

— Também amo você — diz ela, com as palavras abafadas pela minha pele.

Abraço-a por bastante tempo, por vários minutos, como se isso fosse me livrar da culpa.

Mas não me livra. Só piora.

Layla boceja no meu peito e se afasta.

— Que cansaço. Acho que bebi demais. Vou dormir — diz.

— Eu também.

Ela fica com minha camiseta e se enfia debaixo da coberta. Tiro o jeans e visto uma calça de moletom. Normalmente durmo de cueca boxer, mas não sei se Willow vai aparecer esta noite. Quero estar preparado caso aconteça.

* * *

Eu não estava cansado quando me deitei com ela, e apesar de já ter se passado uma hora desde que nos recolhemos, ainda não me sinto cansado. Nem sequer fecho os olhos. Fico observando Layla dormir, esperando Willow assumir o controle, mas isso não aconteceu até agora.

Acho que está chateada comigo, ou talvez tenha de esperar até Layla entrar num sono mais profundo. Sei lá. Não sei quais são as regras. Não sei se *existem* regras.

Quero explicar o que fiz para Willow, mas não vai ser possível se ela não entrar em Layla. Também não dá para fazer isso no quarto, porque preciso do meu notebook para me comunicar com ela.

Saio discretamente da cama, sem acordar Layla, e desço para a cozinha.

Paro na entrada, chocado com o que vejo. Na verdade, com o que *não* vejo.

Não tem nenhum vestígio do que houve mais cedo. O vinho derramado foi limpo. Os cacos de vidro sumiram. É como se nunca tivesse acontecido.

Vou até a lixeira e levanto a tampa. Bem em cima, vejo os cacos que estavam espalhados pelo chão inteiro uma hora atrás.

Willow limpou tudo enquanto eu estava no quarto com Layla.

Eu me sento à mesa da cozinha, mas não abro o notebook. Primeiro, abro o aplicativo de segurança no celular. Volto a gravação e vejo a taça de vinho ser derrubada da minha mão pelo nada. Avanço-a e, aproximadamente dez minutos depois que subi, o vídeo mostra a tampa da lixeira deslizar.

Observo fascinado enquanto a cozinha é limpa aos poucos pelo nada. As manchas de vinho somem. Os cacos de vidro se deslocam do chão para a lixeira. Depois de um tempo, a tampa da lixeira volta ao seu lugar, e todos os vestígios da taça quebrada desapareceram.

Fecho o aplicativo e ponho o celular na mesa, virado para baixo.

Tentei parar de entender o mundo ao meu redor um dia depois que chegamos aqui. A esta altura, nem assistir ao vídeo de um fantasma limpando a cozinha me perturba. Pelo menos não neste ambiente.

Não sei o que isso diz a meu respeito.

Também não sei o que o fato de que quase fiz Layla tomar seu remédio escondido diz a meu respeito.

Talvez esta mansão esteja mexendo com minha cabeça. Abalando meus valores morais.

Nem sei por onde começar a conversa com Willow. Nem *como* começar. Será que devo me desculpar? Não quero que ela ache que sou o tipo de cara que doparia a própria namorada, mas... era exatamente isso que eu estava prestes a fazer antes de ela me impedir.

Será que ela me impediu porque não gostou do que eu estava fazendo ou porque não queria que ficasse difícil demais acordar o corpo de Layla?

Não sei se as ações de Willow foram egoístas ou altruístas, mas não estou na posição de julgar ninguém, considerando que as minhas foram completamente egoístas.

Escuto a porta do quarto se abrir.

Minha coluna enrijece, e saio da cadeira na mesma hora. Não sei se é Layla ou Willow que está descendo a escada, mas me sentirei igualmente envergonhado com qualquer uma delas, não importa de quem sejam os olhos que vou encarar.

De repente, não sei como agir de modo natural ou o que fazer com as mãos. Seguro o balcão atrás de mim e me encosto nele, encarando a entrada da cozinha.

Ela passa pelo canto. Na mesma hora, percebo que é Willow. Ela vestiu um short de Layla e continuou com minha camiseta. Dá para saber que é Willow pela maneira como está me olhando — como se eu tivesse muito o que explicar.

— Desculpe — digo de imediato.

Ela ergue a mão, puxa uma cadeira e se senta.

— Ainda não. Ela está muito bêbada, preciso me sentar um segundinho. — Ela põe a cabeça entre as mãos. — Pode me dar um copo d'água?

Dou a volta e pego um copo no armário. Encho-o de água e gelo, entrego-o para ela e depois me sento à mesa. Ela vira o copo e o põe à sua frente na mesa.

Fica em silêncio, encarando o copo por um momento, segurando-o com ambas as mãos.

— O que era?

— O que era o quê? — pergunto, sem entender.

Ela arrasta os olhos até meu rosto.

— Que tipo de comprimido você colocou no vinho dela?

Sinto um espasmo na mandíbula. Eu me recosto na cadeira, cruzando os braços em cima do peito.

— Ambien. Um sonífero. Eu não... nunca fiz isso antes. Queria muito que ela dormisse logo, só isso.

— Por quê? Para poder falar comigo?

Faço que sim.

— Que perigo, Leeds. Ela estava bêbada. E se tivesse tomado outro comprimido além do que você ia dar?

Eu me inclino para a frente, passando a mão no cabelo. Agarro minha nuca e expiro pela boca.

— Eu sei. Nem estava pensando. Foi como se eu estivesse agindo por impulso.

— Se a vontade de falar comigo faz você agir assim, por impulso, não sei se é uma boa ideia a gente continuar conversando.

Sinto um aperto no peito ao pensar que isso pode acabar. Tenho tantas outras perguntas.

— Eu nunca faria nada para machucar Layla de propósito. Não vai se repetir.

Os olhos de Willow procuram verdade nos meus. Ela deve ter aceitado seja lá o que tenha visto, pois assente e responde:

— Ótimo. — Depois se inclina para a frente, pressionando a palma na barriga enquanto seu estômago ronca. — Ela nunca come nada, não? *Caramba*. Está sempre morrendo de fome.

Eu me levanto ao me lembrar dos tacos.

— Trouxe tacos para você. — Pego a embalagem na geladeira. Pedi que separassem os temperos e a carne da tortilha para que ficasse mais fácil de montar e aquecer. — Ela só comeu um taco durante o jantar, mas deve ter sido porque tomou quatro margaritas. — Esquento a comida enquanto Willow continua sentada à mesa. — O que você quer beber?

— Pode ser água mesmo. Acho que o corpo dela não aguenta nada mais forte do que isso agora.

Encho seu copo de água outra vez e monto os tacos. Quando os coloco na sua frente, seus olhos praticamente brilham. Ela pega um e dá uma mordida.

— Puta merda — diz, com a boca cheia. — Que delícia. — É engraçado perceber o quanto as pequenas diferenças entre as duas, como a maneira de comer, são tão óbvias, embora seja o mesmo corpo. — Layla perguntou por que você pediu tacos para viagem?

— Falei só que era porque ela não tinha comido o suficiente. — Inclino a cabeça para o lado enquanto penso melhor na pergunta de Willow. — Você tem acesso às lembranças de Layla quando está dentro dela, né? Não consegue se lembrar do nosso jantar, mesmo sem ter estado lá com a gente?

Willow pega o guardanapo e limpa a boca. Toma um gole de água.

— Eu com certeza conseguiria, mas precisaria me esforçar demais. Os pensamentos dela são muito... bagunçados. Tento ficar longe da cabeça de Layla quando estou dentro dela.

— Como você faz isso?

Willow se inclina um pouco para a frente, abaixando a voz como se alguém pudesse nos escutar.

— É como ler um livro. Sabe quando você lê uma página inteira, mas depois percebe que não entendeu nada porque estava com a cabeça num lugar totalmente diferente? Estar na mente dela é assim. Se eu quiser, posso me concentrar mais e captar todas as informações. Mas prefiro só me distrair. — Ela pega o copo e toma o resto da água. — Às vezes, não é divertido estar dentro da cabeça de Layla.

— Como assim?

Willow dá de ombros.

— Não estou falando por mal. Todo mundo tem pensamentos que nunca diz em voz alta. É estranho poder ver esses pensamentos, então prefiro não olhar para eles. Penso em outras coisas quando estou dentro dela.

Quero pedir para ela me contar alguns desses pensamentos indizíveis de Layla, mas não faço isso. Sinto que hoje já passei muito dos limites com a história do sonífero. Sem falar do limite que estou ignorando neste momento, permitindo que Willow use o corpo de Layla para comer tacos. Tacos podem servir de desculpa para muitas decisões ruins, mas não sei se justificam uma possessão.

— A gente pode ir nadar? — pergunta Willow.

Sou pego de surpresa pela pergunta.

— Quer ir lá para fora? Achei que você não saía da casa.

— Nunca disse isso. Disse que eu não saía da propriedade. A ideia me deixa nervosa, mas faz muito, muito tempo que estou com vontade de nadar.

Não sei o que eu esperava desta noite, mas com certeza não era que Willow quisesse nadar. Apesar disso, a água é aquecida, então por que não?

— Claro. Vamos nadar — digo, divertindo-me com a mudança de planos. Ela comeu dois tacos e deixou um no prato, mas o afasta como se estivesse satisfeita. Pego o restante e jogo no lixo. — Layla tem alguns biquínis lá em cima.

Ponho o prato no balcão e Willow me acompanha até o quarto.

Abro a terceira gaveta da cômoda e pego uma sunga para mim. Layla trouxe dois biquínis, e, por mais que a gente tenha nadado, ela não usou nenhum deles.

— Qual dos dois você prefere? O preto ou o vermelho?

— Tanto faz — diz Willow.

Entrego-lhe o preto. É menos revelador que o vermelho. Não que isso importe — não há nada nela que eu não tenha visto antes, ou tocado.

Na verdade, importa. Ela não é Layla, então acho que não devo olhar para seu corpo da mesma maneira que olho quando Willow não o está possuindo.

Willow se troca no banheiro enquanto eu me troco no quarto. Quando sai, está segurando duas toalhas. Meus olhos inevitavelmente percorrem seu corpo — é difícil não ficar fascinado pelo fato de que ela se apropria do corpo, embora ele não seja seu. Os passos são mais largos, os ombros ficam mais afastados ao andar. Até a maneira como ela posiciona a cabeça é diferente.

Quando nossos olhos se encontram, limpo a garganta de imediato e desvio a vista.

— Pronta?

Saio do quarto, desço a escada e vou para fora sem voltar a fazer contato visual com ela.

Mergulho na parte funda assim que chego à piscina, precisando da água refrescante para restaurar o foco. Fico submerso por um momento, tempo suficiente para ver os pés de Willow entrarem na água.

Suas pernas se balançam na parte funda. Saio da água, e ela está sentada perto do lugar onde eu estava quando falei com Layla pela primeira vez. Na época em que eu achava que a parte mais difícil da minha vida era tocar baixo numa banda meio famosa que eu não suportava.

Desde então, tanta coisa aconteceu. A pessoa que sou mudou de várias maneiras. *É o que acontece quando você é obrigado a matar alguém.*

Tento não pensar muito nisso. Fiz o que precisava ser feito, mas, por mais justificável que fosse a situação, isso não apaga a culpa que sinto.

Mergulho de novo, odiando perceber que meus pensamentos voltaram àquela noite. Não quero pensar naquilo. Não quero pensar em nada agora. Só quero que Willow curta a sensação de estar na água pela primeira vez.

Pego impulso no fundo da piscina e emerjo na superfície. Ela ainda está sentada no mesmo lugar, encarando a água ao redor de suas panturrilhas.

— Vai entrar? — pergunto.

Ela me olha e assente.

— Vou, mas estou com um pouco de medo. E se eu não souber nadar?

— Só tem um jeito de descobrir. — Nado para perto dela e estendo a mão. — Segure aqui. Eu te ajudo.

Ela hesita antes de pegar minha mão. Entra devagar na água e afunda até a altura do queixo antes de soltar um gritinho e segurar meu ombro com a mão livre. Começa a mover os pés para tentar se manter na superfície, mas está com medo demais para me soltar.

Apesar disso, sorri, então sei que não está realmente com medo. É apenas algo novo para ela. Willow solta meu ombro e começa a mover o braço, mas continua segurando minha mão.

— Vai dar conta?

Ela assente, engolindo sem querer um pouco de água enquanto mal mantém a cabeça para fora. Cospe e responde:

— Acho que sim. — Ela está ofegante de uma maneira entusiasmada. É como assistir a uma criança tentando nadar pela primeira vez. Solto sua mão, mas fico por perto. Ao se dar conta de que não afunda de imediato, ela arregala os olhos de empolgação. — Consegui! Estou nadando!

Seu orgulho me faz rir. Willow estende os braços na frente do corpo e divide a água. Talvez nadar seja um instinto natural até mesmo para fantasmas. Ela pega impulso na parede e vai nadando de cachorrinho até o meio da piscina, depois se vira e nada de volta. Já pegou o jeito, prova de que já fez isso antes.

— É como andar de bicicleta — digo.

Ela ri.

— Não faço ideia. Também nunca andei de bicicleta.

— Deve ter andado, sim. Só não se lembra de quando estava viva.

Minhas palavras fazem seu sorriso desaparecer.

Ela fica parada no mesmo lugar, movendo braços e pernas para permanecer na superfície.

— Você acha mesmo que eu morri?

Ela me pergunta com curiosidade, não como se estivesse ofendida.

— Se as teorias sobre fantasmas forem verdade, acho que você teve uma vida antes disso. Só não lembra.

Willow me observa por um instante antes de nadar de volta para a beira da piscina e se segurar na borda.

— Acha que sou o estereótipo de fantasma? Daqueles que ficam presos entre a morte e a vida após a morte?

— Não consigo pensar em outro motivo para você estar aqui. O que *você* acha? — pergunto.

— Não sei. Nunca pensei nisso até você aparecer e começar a tentar me entender.

— Acharia melhor se eu nunca tivesse aparecido?

Ela não responde.

Em vez disso, desvia o olhar, se encosta na borda de concreto e inclina a cabeça para trás até encarar as estrelas.

— Tenho um pouco de medo de descobrir por que estou aqui. É por isso que nunca saí da propriedade para procurar respostas ou outros como eu. Porque e se você tiver razão? E se eu estiver presa entre a vida e a morte? — Seus olhos buscam os meus outra vez, mas quando fazemos contato visual ela parece assustada. — E se eu achar as respostas e depois isso chegar ao fim?

— *Isso* o quê?

— Isso. *Eu*. E se eu encontrar um jeito de sair desta existência só para descobrir que não tem nada depois dela? E se eu simplesmente... sumir? Para sempre?

— Ia ficar triste? Você fala como se sua existência fosse terrível.

Ela me encara por vários segundos demorados.

— Antes, era mesmo.

Ela mergulha assim que diz isso.

A resposta foi mais pesada do que eu imaginava.

Quando ela reaparece, está mais perto de mim. Olha meu ombro, curiosa, estendendo o braço para tocá-lo. Passa o dedo na cicatriz que ganhei seis meses atrás.

— Foi aqui que você levou o tiro?

— Foi.

É estranho — ela tocando minha cicatriz. Layla nunca a tocou, nem uma única vez. Quando fazemos amor, ela passa as mãos intencionalmente perto dela, em volta dela, mas jamais a toca. Sempre me pergunto se Layla faz isso porque a cicatriz traz à tona lembranças ruins ou se é somente medo de me machucar.

— Quem atirou em você?

— Sable. A mesma menina que atirou em Layla. — Ergo sua mão e a ponho sobre a cicatriz na cabeça de Layla. — Está sentindo isso?

Willow toca a cicatriz com a ponta dos dedos, tateando. Depois, põe a mão no meu ombro outra vez e passa o dedo na minha.

— A sua parece curada. A dela, não.

— Layla mexe muito nela.

— Por quê?

— Não sei. É você que está dentro da cabeça dela. Me conta você.

Ela me encara por vários segundos, acho que é porque está investigando as lembranças de Layla. Quero perguntar de que ela se lembra, mas não quero usar Willow para me intrometer na mente de Layla sem sua permissão. O que estamos fazendo com seu corpo já é errado o bastante.

Willow nada de volta e se apoia na borda. Coloca o queixo nos braços e olha para o pátio. Nado para perto dela e faço a mesma coisa. Encaro-a, mas ela não me olha. Não sei o que viu dentro da cabeça de Layla — nem se viu alguma coisa —, mas seu silêncio me deixa um pouco inquieto.

Ela apoia a bochecha no braço e olha para mim.

— Layla se apaixonou por você nesta piscina.

— Mesmo?

Willow assente, mas não há nenhum sorriso ou olhar terno acompanhando a lembrança. Ela apenas sussurra:

— Mesmo.

E depois vira o rosto. Apoia a outra bochecha no braço e olha para o lado oposto. Nado ao redor dela, querendo ver a expressão em seu rosto. Quando fazemos contato visual, ela está com lágrimas nos olhos.

— O que foi?

Ela ri, envergonhada, e enxuga os olhos.

— É confuso, só isso. Sinto o que ela sente quando estou dentro dela. Acho que ela está triste agora

— Como você sabe que as lágrimas não são suas?

Willow me olha com uma expressão impassível.

— Acho que não sei.

Ela mergulha e, quando volta à superfície, enxuga as lágrimas que não param de cair, junto com a água.

Estou dividido.

Willow está dentro do corpo de Layla, mas se é Layla que está triste agora, quero consolá-la. Quero puxá-la para perto e beijá-la para amenizar sua dor.

Mas não é Layla, então querer consolá-la e saber que não posso faz com que eu me sinta impotente. Parece uma certa frustração, e não gosto de me sentir assim. Tudo está começando a ficar confuso.

— É melhor a gente voltar lá para dentro. Preciso lavar e secar o biquíni dela antes de dormir para ela não notar que foi usado.

Willow concorda, mesmo parecendo que ainda quer ficar na piscina. Ela nada até a borda e sai da água. Pega uma toalha e se enrola de costas para mim. Depois, anda em direção à casa, sem conferir se estou indo atrás dela. Continuo no meio da piscina, observando a porta se fechar e ela desaparecer.

Dou um suspiro longo e mergulho até o fundo da piscina, prendendo a respiração até não aguentar mais.

* * *

Quando volto para o quarto, Willow está com minha camiseta, mas sem o short. Ao fechar a porta do quarto, fixo os olhos nas suas coxas por um instante.

— Guardei o short na gaveta onde estava — diz Willow. — Não quero que ela fique se perguntando por que acordou com uma roupa que não estava usando quando foi dormir.

— Tudo bem. Cadê o biquíni?

Ela gesticula para a porta do banheiro.

— Pendurei na porta do boxe.

Vou até o banheiro, mas paro antes de entrar. Não sei se Willow já está pronta para sair do corpo de Layla.

— Quer ver TV enquanto tomo uma ducha?

Ela assente, então pego o controle e ligo a televisão do quarto. Jogo-o na cama e entro no banheiro.

Tomo um banho demorado — não porque quero evitar Willow, mas porque preciso de tempo para espairecer. Tudo isso parece errado, mas como interagir com um fantasma do jeito certo? Não é como se existisse um manual ou alguém para me dizer se o que estou fazendo é moralmente condenável.

Para quem eu poderia perguntar isso? Um psiquiatra diria que sou esquizofrênico. Um médico me mandaria para o psiquiatra. Minha mãe falaria que o estresse de tudo que aconteceu está subindo à minha cabeça e imploraria para eu voltar para Seattle.

Layla provavelmente terminaria comigo se soubesse o que está acontecendo enquanto dorme. Quem não terminaria? Se ela me dissesse que estava deixando um espírito de outro plano ocupar meu corpo para preencher uma lacuna de sua vida, eu a internaria em algum canto e sairia correndo na direção oposta.

Não tem ninguém com quem eu possa conversar.

Mas isso também significa que não tem ninguém para me dizer que o que estou fazendo é errado.

Já passou da meia-noite, e não estou a fim de esperar a máquina de lavar completar um ciclo inteiro só por causa de um biquíni, então o lavo à mão na pia e depois desço para colocá-lo na secadora da área de serviço. Enquanto estou no primeiro andar, ponho um pacote de pipoca no micro-ondas.

Willow está sentada na cama, com metade do corpo coberto, quando chego com a pipoca e outro copo de água. Ela fica toda animada ao ver a pipoca. Endireita a postura e pega a tigela antes mesmo que eu me sente na cama.

— O que está vendo? — pergunto.

Ela enfia três pipocas na boca.

— *Ghost: do outro lado da vida.* — Ergo a sobrancelha, o que a faz rir. — Eu sei. Sou um fantasma vendo um filme de fantasma. Que ironia.

— Nunca vi.

Ela arregala os olhos.

— Como é que você nunca viu esse filme?

Dou de ombros e pego um punhado de pipoca.

— Foi lançado antes de eu nascer. — Depois do comentário, me pergunto se isso não seria uma pista. Se ela já assistiu a esse filme antes, faz quanto tempo que está nesta casa, vendo TV quando não tem ninguém por perto? — Quantos anos você acha que tem?

— Já disse que não sei. Por quê?

— Você parece jovem. O jeito de falar, a familiaridade com o computador... mas depois age como se fosse um absurdo eu não ter visto um filme que foi lançado trinta anos atrás.

Willow ri.

— Não acho que isso seja uma pista. Esse filme é tipo um rito de passagem. Quase todo mundo que está vivo já assistiu. Todo mundo menos você. Cacete, até eu que nem sei se existo já assisti.

— Pare de dizer isso.

— O quê?

— Que você não existe. Já disse isso umas três vezes desde que a gente se conheceu.

— É menos pior do que você me chamar de *morta*.

Ela enfia mais pipoca na boca e se encosta, voltando a prestar atenção no filme. Vejo um pouquinho com ela, mas a ironia da situação é demais para mim.

— Isso é muito estranho — digo.

— O filme? Ou ver um filme de fantasma com um fantasma?

— Tudo.

Ela ergue a sobrancelha.

— Sabe o que seria mais estranho ainda?

— O quê?

— Se aparecesse outro fantasma — diz ela, com um sorrisinho. — Aí seria um fantasma vendo um fantasma assistir a um filme de fantasma enquanto está no corpo de uma pessoa.

Observo-a por um instante, depois pego umas pipocas e jogo no rosto dela.

— Você é tão esquisita.

Sua camiseta inteira e seu cabelo estão com pipocas. Ela pega uma e come. Eu me encosto e olho para a TV, porque olhar para Willow está começando a mexer comigo. Normalmente, quando Layla diz algo que acho engraçado, eu rio e depois a beijo.

Há momentos em que, quando Willow está no corpo de Layla, esqueço que não estou com minha namorada.

Não posso ter as mesmas reações que teria com Layla, mas às vezes sinto uma vontade instintiva de pegar sua mão, ou beijá-la. Depois lembro que não é por Willow que estou apaixonado, o que é confuso.

Talvez eu não devesse me meter em situações assim. Em situações familiares, como me sentar numa cama no nosso quarto. Tudo parece perigosamente embaçado.

Deixo Willow terminar de assistir ao filme, mas desço para conferir a secadora. O biquíni está quase seco, então programo mais cinco minutos e vou até a cozinha. Sento-me à mesa e abro o notebook, depois acesso o fórum de paranormalidade. Estou curioso para saber se alguém falou mais alguma coisa que possa explicar por que Willow está aqui.

Não cheguei a postar que realmente consegui conversar com o fantasma. E com certeza não contei que me comunico com ele por meio do corpo de Layla. Essas duas coisas parecem absurdas demais, até para um fórum de paranormalidade.

Há uma notificação no canto direito superior da tela. Abro as mensagens privadas do fórum e vejo uma mensagem não lida de um membro chamado DesvendeLtda. Clico nela.

Conseguiu se comunicar com o fantasma?

Não respondo. Não sei se alguém acreditaria em mim a esta altura. Apago-a e minha caixa de entrada fica vazia de novo, mas depois ouço um barulhinho e aparece outra mensagem no canto esquerdo da tela. É do mesmo usuário.

Estou esperando alguma novidade. Sua postagem me deixou intrigado.

A mensagem acaba de ser enviada no bate-papo. Levo o mouse até o X para minimizar a aba, mas não chego a fazer isso. Sou anônimo no fórum, então que mal faria conversar com esse cara? Digito:

Digamos apenas que não duvido mais de nada.

Envio a mensagem e imediatamente vejo que ele está digitando alguma coisa. Fico encarando a caixa de bate-papo até a próxima mensagem aparecer.

Então vocês se comunicaram?

Sim.

Você ainda está na casa? Ou foi embora?

Ainda estou aqui.

Decidiu ficar por algum motivo? A maioria das pessoas já teria ido embora se estivessem na mesma situação.

Ela não parece perigosa.

Espero que não. Eles não costumam ser.

Fico encarando a frase por um instante. Esta pessoa não hesitou nem uma vez enquanto conversava comigo. E se ela, seja lá quem for, tiver tido uma experiência como a minha? Digito uma pergunta:

Ela não se lembra de nada da própria vida. Não sei como ajudá-la. Na verdade, nem sei se ela quer ajuda.

Os fantasmas não conseguem guardar lembranças específicas, só sentimentos, então é normal que ela não se lembre de nada. Mas o fato de não desejar respostas pode indicar que ela é um espírito relativamente novo. Depois de um tempo é que não saber de nada começa a pesar. Em geral, quanto mais eles vagam, mais se sentem prontos para sair dessa situação. Não é um lugar divertido para se estar.

Releio a mensagem, querendo acreditar que esta pessoa sabe do que está falando, mas é a internet. É bem provável que, do outro lado da tela, ela esteja rindo da minha ingenuidade.

Eu gostaria de ajudar seu fantasma a encontrar respostas. É o que eu faço.

Começo a digitar uma resposta, mas meus dedos param em cima do teclado. Como esta pessoa poderia me ajudar sem que eu tivesse que passar informações pessoais, como o endereço da casa ou meu contato? Não posso contar quem sou para um desconhecido. Aprendi da pior maneira possível que a privacidade é algo precioso e frágil.

Meu corpo inteiro estremece quando a secadora apita. Fecho o notebook rapidamente, pego o biquíni de Layla e subo outra vez.

Willow está encarando a TV enquanto os créditos sobem na tela, seus olhos estão cheios de lágrimas. Ela nem desvia a vista quando fecho a porta do quarto. Guardo o biquíni de Layla na cômoda e depois tiro a tigela vazia de Willow. Seu olhar finalmente desgruda da tela e me acompanha enquanto ponho a tigela na mesa de cabeceira.

— O fim é terrível — murmura. — Sempre esqueço o quanto o fim é péssimo.

— Como termina?

— Ele se resolve e vai para o céu — diz ela, fazendo biquinho.

Dou uma risada, sem entender por que é um final ruim.

— Se o céu existe, um fantasma não ia querer ir pra lá?

Ela gesticula, zangada, para a televisão.

— Mas e a Molly? Agora ela está totalmente sozinha. Vai precisar viver o resto da vida sabendo que o marido está gandaiando na eternidade enquanto ela ainda precisa trabalhar, pagar as contas e... *viver*.

Ela diz *viver* como se fosse algo terrível. Eu me sento na cama.

— Deixe eu ver se entendi. Você ficou triste pela humana? Não pelo fantasma?

— É *óbvio* que estou triste pela humana. Cacete, *que final, hein*, o fantasma virou mais fantasma ainda — diz ela com sarcasmo. — Grande coisa, a gente sabia que ele estava morto desde o começo do filme. Mas e *ela*? Ela conseguiu comprovar que ele estava morto e depois conseguiu comprovar *mais ainda* que ele estava morto. Era para isso ser romântico? Ela teve que sofrer o luto *duas vezes*! É o pior filme que já vi.

— Achei que você já tinha visto.

— Já, mas não enquanto estava num corpo que forma lágrimas e com um coração que pode se partir. Não senti essas coisas quando vi das outras vezes. Que *saco*. — Ela se deita e abraça o travesseiro de Layla. — Não gosto desses sentimentos todos.

Aponto o controle para a TV e a desligo. O quarto fica escuro. Coloco o controle na mesa de cabeceira, me deito na cama e me cubro. Willow se vira para mim, pondo as mãos embaixo da bochecha.

— Patrick Swayze morreu, né? Na vida real?

— Morreu.

— Acha que ele é um fantasma de verdade agora? Acha que ele poderia ser como eu?

— Talvez. Mas você nunca saiu daqui, então como vai saber o que tem lá fora? Ou *quem* está lá fora?

Ela sorri.

— Eu sairia daqui pelo Patrick Swayze.

— Talvez você precise fazer isso mesmo. Sair. Viajar. Ver se existem outros iguais a você.

— Mas parece que é aqui que eu deveria ficar.

— Por quê?

Ela dá de ombros.

— Sempre achei isso. Com certeza tem algum motivo para eu estar aqui, nesta casa aleatória no meio do nada.

— Vai ver você morava aqui. Ou morreu aqui.

Ela pensa por um instante.

— Mas não tenho a sensação de que meu lar era aqui. Bem, vai saber se eu teria essa sensação em algum lugar, né?

— E se tivesse um jeito de você descobrir de onde veio? E quem você é? Você toparia?

Ela franze a testa.

— Como assim? Tipo contratar um detetive?

— Tipo isso. Acho que conheço um cara.

Ela ri.

— Você *conhece* um cara? — Ela revira os olhos como se fosse um absurdo. Mas, para ser sincero, nada mais me parece improvável. Willow cobre a boca e boceja. — Layla está muito cansada. Vai acordar de ressaca amanhã.

— Vejo você amanhã à noite? Queria conversar mais sobre como posso te ajudar a encontrar respostas.

Willow ajeita o travesseiro embaixo da cabeça.

— Não quero ajuda, Leeds. Toda vez que você fala disso, parece mais o dr. Kevorkian.

Dou uma risada, confuso.

— Quê?

— Como você se sentiria se eu dissesse que você devia deixar para trás *sua* existência? Parece um incentivo ao suicídio.

Caramba.

Eu me deito de costas, unindo as mãos em cima do peito.

— Não tinha pensado do seu ponto de vista. Foi mal ficar falando disso.

— Tudo bem. Não estou dizendo que nunca vou querer respostas. Só não sei se tenho coragem de dar este passo agora. Por enquanto, quero só aproveitar a última semana que posso passar um tempo com você.

Não olho para ela, mas sinto que está me encarando. *Ela gosta de passar um tempo comigo.* Não é algo inadequado de se dizer, mas que sinto no meu peito por causa dessas palavras está beirando o inadequado.

Não respondo. Estes momentos de silêncio entre a gente são quando me sinto mais culpado.

É no silêncio que todos os erros acontecem.

Eu me viro e fecho os olhos.

— Boa noite, Willow.

A entrevista

O homem pausa o gravador.

Inclino a cabeça para trás, apreensivo com o rumo que a conversa está tomando. Quero ser sincero, mas a verdade que está prestes a vir à tona não passa uma boa imagem de mim.

Hoje, nada mais do que eu disser vai passar uma boa imagem de mim.

— Posso usar o banheiro? — pergunta ele.

Aponto para o corredor.

— Terceira porta à direita.

Ele se levanta e sai do cômodo. Eu até verificaria como Layla está, mas finalmente fez silêncio lá em cima. Espero que continue assim por um tempo. Abro o notebook para ver se Willow está no Grande Salão com a gente.

— Você está aqui? — pergunto.

Deslizo o notebook para o assento ao meu lado e ela imediatamente digita uma resposta.

Estou.

— O que acha?

Não fiquei aqui durante a conversa inteira porque queria que Layla dormisse, então não sei o que você disse para ele nem o que ele sugeriu.

— Contei quase tudo, mas até agora só o que ele fez foi ouvir.

Quase tudo? O que você não contou?

Giro a cabeça e depois a abaixo até a altura dos meus ombros.

— Não contei a ele tudo que aconteceu na noite em que eu e Layla levamos os tiros.

Leeds...

— Eu sei. Vou contar. É que...

O homem reaparece, então fecho a boca sem terminar a frase. Ele me olha atentamente enquanto se senta à mesa.

— Estava falando com Willow?

Faço que sim.

— Como?

— Pelo notebook. Falo com ela em voz alta, e ela responde pelo computador.

O homem me encara, pensativo.

— Fascinante — diz.

Viro o notebook para ele.

— Quer ver ela fazendo isso?

Ele balança a cabeça.

— Não precisa. Acredito em você. — Ele se inclina para a frente e aperta o botão de gravar. — Então, o que aconteceu na manhã seguinte?

13

Acordo sentindo cheiro de ovos. Eu me viro, mas Layla não está na cama. Tem uma pipoca perto do seu travesseiro, então a pego rapidamente, vou para o banheiro e a jogo na lixeira.

Depois de escovar os dentes, desço sem saber muito o que esperar. Layla não costuma mais cozinhar, porém tem *alguém* cozinhando.

Entro na cozinha, e ela ainda está com a camiseta que Willow estava vestindo quando fomos para a cama ontem à noite, mas ainda não tenho certeza de que não é Willow que estou vendo.

É a primeira vez que não sei especificar quem é. Será que Willow acordou como Layla?

Fico a observando, em silêncio, da entrada da cozinha. *Será que Willow fingiria que é Layla para me enganar?*

Imediatamente, sinto-me mal por sequer ter pensado isso. Willow protege Layla. Derrubou a taça de vinho da minha mão ontem à noite. Duvido que fosse me enganar agora que sei de sua existência.

Assim que ela tira os olhos do fogão e faz contato visual comigo, sei que é Layla. Sua voz está pesada de sono quando murmura:

— Bom dia.

Suas pálpebras estão um pouco caídas. Ela parece cansada, de ressaca.

Caminho em sua direção e beijo sua bochecha.

— Bom dia.

Olho a frigideira, e Layla está empurrando ovos mexidos com um garfo.

— Quer? Eu li que ovo é bom para ressaca.

— Não, não precisa.

Preparo uma xícara de café para mim e me encosto no balcão, observando Layla. Será que ela tem alguma lembrança de ontem à noite?

— Que horas acordou? — pergunto.

— Às cinco da manhã. Não consegui voltar a dormir. Estou com uma ressaca daquelas. — Ela se vira. — Quer saber de uma coisa estranha?

— O quê?

— Tinha um pedaço de pipoca preso no meu dente quando acordei.

Minha coluna enrijece ao ouvir o comentário. Viro de costas para ela e coloco creme no meu café.

— Pois é, a gente viu um filme na cama ontem à noite. Você estava superbêbada.

Layla ri, mas é uma risada dolorosa. Está tocando a testa quando me viro de volta. Depois franze o rosto e diz:

— Caramba. Não me lembro de nada disso.

Ela põe os ovos em cima de uma torrada e se senta à mesa para comer. Não consigo parar de encarar seus olhos. As pupilas estão escuras e grandes — como se duas bolas de gude pretas tivessem coberto a íris verde.

Layla pega uma garfada da torrada com ovos e fica batendo o garfo na mesa enquanto mastiga. Balança o joelho para cima e para baixo, como se sua ressaca estranhamente incluísse uma grande carga de energia nervosa reprimida.

— Quantas xícaras de café você tomou hoje?

Ela engole e limpa a boca com o guardanapo.

— Quatro. Achei que ajudaria com a ressaca.

Isso explica seu comportamento. Estava começando a achar que pudesse ser Willow de novo, mas não é. Ela está comendo do jeito que Layla come. Pequenas porções, sempre com um garfo. Willow já teria devorado o prato inteiro.

— Acho que você devia dar uma relaxada hoje. Passar o dia na piscina de novo — sugiro.

Ela gesticula em direção à janela da cozinha.

— Não dá, vai cair uma tempestade.

Vou até a janela e afasto a cortina para o lado. O céu parece ter sido tomado por ondas azul-escuras. Abro o aplicativo do clima no celular, a previsão é de chuva para os próximos dois dias. Olho para Layla outra vez. Ela comeu somente metade da torrada com ovos, mas já afastou o prato e está mexendo no celular.

— Então quer fazer o que hoje?

— Você precisa muito atualizar as redes sociais — diz ela. — Não postamos nada desde a foto no avião. Posso tirar algumas fotos sensuais de você na chuva. Daria uma ótima capa de CD.

A ideia me parece mais um pesadelo. Layla percebe pelo meu rosto que não estou no clima de posar para fotos.

— Sei que você não quer pensar no trabalho, mas esta mansão é imensa. Tem vários planos de fundo legais para fotos. Me dê só duas horas com a câmera, depois eu te deixo em paz até quarta-feira.

— Por que quarta-feira?

— Porque é quando a gente vai embora.

Ela fala com delicadeza, mas suas palavras soam densas e involuntariamente ríspidas para mim. Vamos deixar Willow sozinha aqui numa questão de dias. Não quero ir embora sem que ela esteja pronta para buscar respostas, porque, por algum motivo, eu preciso de respostas. Acho que não vou conseguir voltar ao mundo real sem entender tudo que aconteceu nesta casa.

Eu me sento na frente de Layla.

— O que acha de ficar mais um tempinho aqui?

Seus ombros murcham um pouco.

— Sério?

— Sério. Estou conseguindo escrever muita coisa. Acho que consigo terminar o álbum se ficar mais um pouquinho.

— Não escutei o piano nenhuma vez.

— Não precisei. Estou escrevendo as letras — minto.

Ela suspira e põe o celular na mesa.

— Não quero ser chata, mas isso aqui é um tédio, Leeds. Estou pirando. Ando cansada de não ter nada para fazer. Me sinto esgotada todos os dias. É como se eu só dormisse.

Sei que a exaustão é culpa minha, mas não desisto.

— E se a gente fizer um acordo?

Ela ergue uma sobrancelha.

— Depende do acordo.

— Vou ficar três horas posando para você e tirando quantas fotos você quiser, do jeito que quiser. E você me dá mais três dias para trabalhar no álbum.

Ela parece seduzida pelo acordo.

— Você posaria até na chuva?

Faço que sim.

Layla abre um sorriso, mesmo no meio de uma ressaca.

— Fechado. — Ela se inclina e me beija. — Você não vai se arrepender.

Está enganada. Já me arrependi. Eu me arrependi de quase todas as decisões que tomei à custa dela desde que chegamos aqui. Mas... não fiz nada para me impedir.

* * *

Talvez Layla tenha dormido umas quatro horas de ontem para hoje. Juntando esse tempo à sessão de fotos de três horas, à ressaca e ao pouco que comeu, não faço ideia de como ela aguentou até as oito da noite antes de subir e apagar.

Agora são quase dez horas, mas nem sinal de Willow. Perguntei se ela estava aqui, mas não obtive resposta. Nem com o notebook.

Passei a última hora compondo letras novas. Se é para mentir e dizer a Layla que preciso ficar por causa das minhas músicas, preciso pelo menos criar as tais músicas.

Há mais ou menos duas semanas, comecei a compor uma que se chama "Não há vagas", e, esta noite, passei a maior parte do tempo mexendo nos versos dela.

Faz quatro horas que a tempestade começou. Agora, a previsão é de três dias de chuva, o que me preocupa. Layla parece ficar contente quando passa o dia na piscina, mas não sei como vai ficar seu humor depois de três dias presa dentro de casa.

— O que está fazendo?

Salto da cadeira com tanta violência que ela recua meio metro. Ponho a mão no peito e expiro pela boca ao ver Willow parada na entrada. Por conta dos trovões, não a escutei descendo, então minha reação ao seu aparecimento inesperado a faz rir.

— Parece até que viu um fantasma — diz Willow com uma piscadela, e depois vai direto para a geladeira. — É sério, Leeds. Sua namorada tem algum distúrbio alimentar. Estou preocupada com ela.

Willow pega o prato com o que sobrou do jantar que preparei mais cedo. Batata assada recheada e salada caesar. Layla só comeu a salada, então guardei a batata para Willow.

Fecho o documento e desligo o notebook. Willow põe o prato no micro-ondas e se vira para mim.

— O que foi aquilo hoje? Aquelas fotos atipicamente vaidosas?

À tarde, enquanto Layla estava me obrigando a posar, passei o tempo inteiro me perguntando onde Willow estaria. Se ela estava vendo ou não. Fiquei na esperança de que não tivesse visto.

— Nada.

Não quero falar do acordo que fiz com Layla, e muito menos do fato vergonhoso de minhas músicas terem o dobro de streams sempre que ela posta uma foto minha sem camisa.

— Você é modelo ou algo assim?

Willow fala com um tom de voz brincalhão, mas ainda não estou a fim de conversar sobre isso. Quase prefiro que ela examine os pensamentos de Layla só para que eu não precise me explicar.

— Tem uma coisa chamada... rede social.

— Eu sei o que é uma rede social — diz ela.

— É claro que sabe. Enfim, Layla está tentando monetizar minha conta.

— Então você é um *influencer*?

Eu me recosto, perplexo.

— Como você sabe o que é isso?

— Eu vejo TV. Eu sei de muita coisa. Você é famoso?

— Não.

— Mas quer ser?

O micro-ondas apita. Willow pega o prato e vem para a mesa.

— Layla está torcendo para minha carreira musical decolar, então faço o que ela pede. Assim ela se concentra em alguma coisa.

— E se ela estiver certa? E se você ficar famoso?

— É disso que tenho medo.

Ela mexe o talher no ar depois de comer uma garfada.

— É assim que você está pagando a estada aqui? Com o dinheiro que ganha nas redes sociais?

— Não. Só lancei três músicas. Mas tenho dinheiro. Uma herança.

Fico esperando Willow comentar alguma coisa, mas ela só me olha com curiosidade por um instante.

— Você está fingindo que não liga ou não quer mesmo que a carreira musical dê certo?

— Não sei. Adoro compor e quero que as pessoas escutem minhas músicas, mas não sei se levo jeito para tudo que essa carreira envolve.

— A aparência você tem.

— Definitivamente não quero ficar famoso por causa da minha aparência.

— Mas e se você não for tão talentoso quanto imagina? E se só tiver seguidores porque é gato?

Rio da sua franqueza.

— Você acha que sou gato?

Ela revira os olhos.

— Nunca se viu no espelho? — Ela gesticula para meu celular. — Quero ouvir uma música sua. Põe aquela que você tocou para Layla no piano na noite em que vocês se conheceram. Acho que se chama "Eu parei".

— Pensei que você não acessava as lembranças dela.

— Eu tento. Mas essa é difícil de ignorar. É o centro das atenções da mente dela.

É bom saber que Layla gosta dessa lembrança. Também é uma das minhas preferidas.

Abro o aplicativo de música e ponho "Eu parei" para Willow. Mas depois abro o notebook e me concentro nele, tentando ignorar o fato de que ela está escutando minha música.

Odeio escutar minhas próprias músicas. Tento me ocupar com e-mails enquanto ela presta atenção em cada uma das três canções. Depois que todas acabam, ela empurra o celular de volta para mim, por cima da mesa.

— Sua voz é assombrosa — diz.

— Para um fantasma, a palavra "assombrosa" é boa ou ruim?

Ela dá um sorrisinho.

— Acho que as duas coisas.

Willow está de bom humor. Ela quase sempre está de bom humor, mesmo quando fica chateada comigo porque quase dopei minha namorada ou porque fico insistindo para ela descobrir o motivo de estar aqui. Sinto uma mudança drástica de Layla, que me parece tão pesada, para Willow, que é como uma rajada de vento.

— Consegue sentir a ansiedade de Layla quando está dentro dela? — pergunto.

— Não agora. Deve ser porque ela não está acordada, então não tem nenhum motivo para ficar ansiosa no momento.

— Mas dá para sentir o amor dela, a tristeza. Você me disse isso uma vez.

Willow faz que sim.

— Talvez o que ela sente por você seja mais forte do que a ansiedade. Ela realmente tem sentimentos muito intensos por você.

É bom saber.

— Ela acha que vou pedi-la em casamento?

— Você vai?

— Provavelmente.

Willow toma um pouco da água. Engole. Fica encarando o prato por um instante, pensativa, e percebo que está tentando vasculhar os pensamentos de Layla.

— Ela *espera* que você a peça em casamento, mas acho que não imagina que isso vá acontecer logo.

— Que tipo de anel ela quer?

— E faz diferença? Você já comprou. Deixou guardado dentro de um sapato lá no quarto, feito um bobo. — *Ela sabe sobre o anel de noivado?* — As meninas têm faro para essas coisas, parecem cães de caça. Layla vai acabar encontrando se você não esconder num lugar melhor.

— Então você viu o anel? Acha que ela vai gostar?

Willow sorri.

— Tenho a sensação de que ela vai gostar de qualquer anel, mesmo se for de plástico. Ela ama você mais do que...

Sua voz esvaece antes de terminar a frase.

— Mais do que o quê?

Willow balança a cabeça e, de repente, seus olhos ficam mais sérios.

— Deixa para lá. Eu não devia te contar o que ela pensa. Parece errado.

Willow termina de comer, mas fico me perguntando por que o jeito dela mudou de uma hora para outra. *O que será que ela ia dizer?*

Ela limpa a mesa e vai até a entrada da cozinha. Depois me olha por cima do ombro.

— Vem tocar uma música para mim, Leeds.

Hesito, porque não sei se quero. Gosto da lembrança de tocar uma música para Layla no Grande Salão. Não sei se quero recriá-la com outra pessoa. Parece uma traição.

Willow já entrou no Grande Salão e está me esperando. Hesito por mais alguns segundos, mas acabo saindo da cozinha e atravessando o corredor.

Paro na entrada do cômodo porque Willow está abaixando a tampa do piano. Em seguida, ela sobe nele e se espalha, deitada de barriga para baixo, estendendo os braços. Ela vê que a estou observando, perplexo. Sorri com delicadeza e diz:

— Quero sentir o som. Não dá para sentir coisas sem ter um corpo. É gostoso.

Por mais que queira preservar a lembrança que tenho com Layla aqui, eu me sentiria muito mal se não tocasse uma música para Willow. Ela não interage com ninguém além de mim e deve se sentir sozinha.

Com relutância, eu me sento no banco do piano.

— Quer que eu toque o quê?

— Aquela que você estava compondo no notebook mais cedo.

— Achei que você não estava lá quando eu estava no notebook. Tentei falar com você.

Ela ergue a bochecha do piano.

— Não queria que você parasse de escrever, então fingi que não estava.

Bem que eu tinha achado isso mesmo. Não sei como. Às vezes, parece que consigo sentir quando ela está no mesmo lugar que eu, mas não tenho certeza se é porque sei que ela está dentro da mansão ou se é porque ela tem realmente uma presença.

Willow volta a encostar a bochecha na madeira envernizada, esperando pacientemente.

Olho para as teclas do piano e tento me lembrar do início da música.

— Ainda não terminei de compor.

— Então toque o que já tem.

Começo a apertar as teclas e, quando a olho de novo, ela está de olhos fechados.

— Esta música se chama "Não há vagas" — digo baixinho.

Depois canto para ela.

Cheguei rico, mas me sentia pobre
Não bati, mas eles abriram a porta
Jogaram pedras nos meus olhos
e machucaram minhas costas
Sem trono, você era rainha, e eu, o rei
Nosso castelo não era um lar, eu sei
Os corredores ecoavam "amo você"
As paredes absorviam o que a gente tinha para dizer
Fiz o check-in para que a gente não pudesse partir
Achei que o tempo nos faria sentir
Que se a gente voltasse ao começo
Não precisaria chegar ao fim
Talvez minhas mãos não estejam vermelhas
Mas meu coração sente o sangue escorrer
Se minha alma tivesse um letreiro em neon
Ele diria "Não há vagas"
Se minha alma tivesse um letreiro em neon
Ele diria "Não há vagas"

Quando termino de tocar os versos que compus, ergo a vista. Willow ainda está de olhos fechados.

Ela continua deitada no piano, como se não quisesse que a sensação passasse. Parece triste… meio pesarosa. Fico me perguntando se vai sentir falta disso quando Layla e eu formos embora. Vai ficar aqui sozinha, sem ninguém com quem conversar à noite, sem ninguém para tocar uma música para ela, sem ninguém com quem se entreter e passar o tempo enquanto ela apenas vaga por aí, no nada.

Willow finalmente abre os olhos, mas não se mexe.

Sinto um aperto no peito quando nos olhamos, pois, mais uma vez, só o que quero é consolá-la. Não porque estou confundindo essa vontade com algum resquício do que sinto por Layla, mas porque quero consolar *ela*.

Willow.

— Sinto muito por você ser tão sozinha — sussurro.

Ela sorri, mas é um sorriso muito triste.

— Foi você que compôs a música. Não sou mais sozinha do que você.

Aos poucos, um silêncio toma conta do salão, nos aproximando e amarrando num nó apertado.

Mas não digo nada para quebrá-lo. Eu o absorvo. Absorvo Willow. Nenhuma outra pessoa vai fazer isso, o que me deixa triste por ela.

— Layla está muito apaixonada por você — diz Willow.

Não sei por que ela diz isso. Será que às vezes sente a vontade que Layla tem de me tocar e me beijar, assim como sinto vontade de beijar e tocar Layla? Será que, quando ela está dentro de Layla, é tudo tão confuso para ela quanto é para mim?

— O corpo dela está bem cansado hoje. É melhor eu deixá-la dormir. — Willow se senta no piano. — Vai vir para a cama?

Eu quero.

E é exatamente por isso que não devo ir.

Engulo a seco o *sim* preso na minha garganta e olho para as teclas do piano. Ponho os dedos sobre elas.

— Pode ir na frente.

Ela me encara por um momento, mas não a olho. Começo a tocar a música outra vez e, quando o faço, ela sai do salão. Depois que Willow sobe e escuto a porta do quarto se fechar, paro a música. Encosto a cabeça no piano.

O que eu estou fazendo?

E por que não quero parar?

14

Acordei decidido a dedicar toda minha atenção a Layla hoje, talvez por sentimento de culpa. Não foi uma tarefa difícil. Ela passou boa parte do dia ao meu lado, porque, com o mau tempo, não tivemos muitas opções.

É quase meia-noite e ela ainda não dormiu.

Talvez seja por conta da tempestade. Layla não gosta da ideia de presenciar uma delas enquanto está na região do país onde mais ocorrem tornados. Mas estou de olho no tempo e não há alertas de tornados... só de muitos raios e muita chuva. E de trovões que a deixam tensa toda vez que fazem a casa tremer.

Normalmente acho este tipo de clima relaxante, mas desta vez está me deixando irritado, porque, por causa disso, Layla ainda está acordada.

Ela está deitada comigo, com os pés no meu colo, no sofá do Grande Salão, vendo postagens na sua rede social. Estou tentando terminar de ler o livro que comecei seis meses atrás — aquele sobre o apresentador de TV que alegava ser um espião —, mas meus olhos estão só passando rapidamente pela tela. Não estou assimilando nenhuma palavra porque Willow não sai da minha cabeça. Layla topou passar mais alguns dias aqui, mas vamos precisar ir embora em algum momento.

Willow vai ficar sozinha.

E não é como se eu pudesse visitá-la quando eu quiser — a mansão fica no meio do nada. É preciso pegar um avião, alugar um carro, dirigir por horas. É um dia inteiro de viagem.

Se quiser ajudá-la a encontrar respostas um dia, vou ter que fazer uma oferta de compra para a casa. Mesmo que Layla não queira morar aqui, eu odiaria que outra pessoa a comprasse. Eu poderia contratar alguém para administrar a propriedade e transformá-la outra vez em uma pousada, assim Willow não se sentiria muito solitária. Vários desconhecidos passariam por aqui. Talvez ela curtisse mais isso do que ficar sozinha numa casa vazia.

E se eu fosse o proprietário, teria uma desculpa para voltar de vez em quando e visitar Willow sem que Layla desconfiasse de nada.

Isso é traição emocional?

Willow é um fantasma. Não dá para ela se meter entre Layla e eu.

Mas acho que, de certa maneira, foi o que aconteceu.

Agora, Willow e eu nos sentimos à vontade um com o outro... tanto que estou começando a preferir a companhia dela à de Layla. Não me orgulho disso. Layla é muito importante para mim, mas a ideia de que esta vida não é a única relevante me deixa fascinado — e até mesmo *obcecado*. Seria de esperar que, depois de tudo, eu fosse achar que esta vida importa mais ainda, mas tenho me afastado deste mundo. Estou sendo atraído para o de Willow, ou talvez ela esteja sendo atraída para o meu. Seja como for, pertencemos a mundos diferentes, mas agora que encontramos uma maneira simples de combiná-los, perdi o interesse em tudo ao meu redor.

Não é culpa de Layla. Ela não fez nada de errado. É a vítima da história toda — foi a vítima seis meses atrás e está sendo a vítima agora, apesar de não saber. A única coisa que fez de errado foi se apaixonar por mim.

Achei que a viagem faria bem a ela, e talvez tivesse dado certo se eu não tivesse descoberto a existência de Willow. Desde então, só o que fiz foi permitir que meu fascínio por seja lá quem Willow seja criasse uma lacuna ainda maior entre mim e todos os outros aspectos da minha vida.

No entanto, Layla parece não notar nada. Talvez ache que tudo continua bem entre a gente. Mas é só porque não se lembra dos detalhes e de como as coisas eram ótimas entre nós antes que eu virasse, essencialmente, seu cuidador.

Eu não teria fugido se tivesse a chance. Mas, independentemente do amor por trás do cuidado que tenho com Layla, ou das boas intenções, a recuperação cobra um preço não apenas da pessoa que está se recuperando, mas de todos ao seu redor.

— O que você está lendo? — pergunta Layla.

Olho para ela, que está com o celular encostado no peito. Sua cabeça está inclinada, e o cabelo, espalhado sobre o travesseiro. Ela está praticamente sem roupa — vestindo apenas uma blusinha transparente de seda que nem chega a cobrir o umbigo, e uma calcinha do mesmo tom de creme. Deixo o celular no braço do sofá e ponho a mão ao redor do seu tornozelo. Devagar, arrasto-a até seu joelho.

— Ainda tentando terminar aquele livro.

— Que livro?

— Aquele sobre o apresentador de TV que acha que é um assassino.

Ela balança um pouco a cabeça.

— Não sei qual é.

Começo a dizer "*eu já te falei dele...*", mas lembro que foi uma das nossas últimas conversas antes que ela fosse baleada. Layla não se lembra de nada daquele dia nem da semana seguinte. Não tem nenhuma lembrança do que falamos desde que acordamos até o momento em que foi atingida. Às vezes, preencho as lacunas para ela, mas não estou a fim de falar sobre isso agora. Ficaria mal se mencionasse algo que pudesse desencadear uma crise de ansiedade.

— É só um livro aleatório — digo.

Eu me ajeito no sofá para me deitar ao seu lado. Layla se aconchega em mim e beija meu pescoço. Sinto o cheiro do seu xampu. É um aroma tropical — mangas e bananas — que me faz pensar em qualquer outro lugar, menos em Lebanon, Kansas. E sei que Layla preferia estar em qualquer outro lugar.

O que ela acharia se eu comprasse esta casa?

Será mesmo que eu deveria comprá-la?

Ou será que devemos fazer as malas e ir embora antes que eu passe tanto dos limites que não dê mais para voltar atrás?

* * *

— Leeds.

A voz de Layla é um sussurro distante, pairando no ar enquanto eu me pergunto se quero abandonar meu sono e segui-la.

— Leeds, acorde.

Ela está com a mão na minha bochecha. Estamos grudados, ainda no sofá. Não é nenhuma surpresa que a gente tenha dormido, considerando todas as noites que passei acordado com Willow. Tenho dormido tão pouco quanto Layla.

Ponho a mão por dentro da parte de trás da sua blusa e minha palma sobe pela sua pele. Quando faço isso, ela aperta meu peito com tanta força que se lança para fora do sofá e cai no chão. Seu movimento repentino, seguido pelo estrondo, me faz arregalar os olhos. Eu me apoio no sofá e a procuro. Ela está deitada de costas, me olhando.

É Willow, e não Layla.

— Foi mal — digo, ajudando-a a se levantar. — Achei que fosse Layla.

Quando fica de pé, olha para si mesma — para o que Layla vestiu mais cedo. Ou não vestiu.

Minha voz sai áspera ao sugerir:

— É melhor você trocar de roupa.

Limpo a garganta e vou para a cozinha enquanto ela sobe a escada correndo.

Faço um café para nós dois, porque Willow sente a exaustão de Layla quando está dentro dela. E, sem dúvida, me sinto exausto também. Está tarde, e eu não devia tomar café. Não devia arranjar uma desculpa para ficar acordado e conversar com alguém que não seja Layla. Mas quando Willow desce a escada e entra na cozinha, fico aliviado por vê-la e imediatamente esqueço o quanto isto é errado.

Ela vestiu uma camiseta e uma calça de pijama de Layla. Willow ergue a cabeça em direção ao café.

— Boa ideia.

Depois que o café fica pronto, sirvo-o em duas canecas e empurro uma para Willow. Ela está de pé ao meu lado, em frente à bancada. Nossos ombros se encostam enquanto ponho creme na minha caneca e ela coloca açúcar na sua.

— Sabia que na cultura árabe antiga uma mulher só podia se divorciar do marido se ele não gostasse do café dela? — pergunta.

Eu me encosto na bancada.

— É verdade?

Ela assente, encostando-se na bancada, ao meu lado, virada para mim. Toma um gole devagar e diz:

— Li em um daqueles livros do Grande Salão.

— Quantos você já leu?

— Todos.

— E que outros fatos aleatórios descobriu?

Ela põe a caneca na bancada e se senta nela.

— O café mais caro do mundo é produzido na Indonésia. É caro porque os grãos são comidos e digeridos por um gato antes de serem usados para preparar o café.

Eu não estava esperando um fato desses. Olho para minha caneca e faço uma careta.

— Eles fazem o quê? Catam os grãos digeridos no meio da merda do gato?

Ela assente.

— E as pessoas pagam *mais caro* por um café feito de merda de gato?

Willow dá um sorrisinho.

— Gente rica é estranha. Talvez um dia seja você que fique tomando café de merda de gato no seu megaiate.

— Nossa, tomara que não.

Ela pressiona as mãos na bancada ao lado do corpo e se inclina um pouco para trás, balançando as pernas.

— Como sua mãe é?

A pergunta me pega de surpresa.

— Minha mãe?

Ela assente.

— Já escutei você conversando com ela ao telefone algumas vezes.

Em vários momentos, ao longo do dia, eu me pergunto onde Willow fica quando não está no corpo de Layla. Será que fica me seguindo? Ou passa o dia inteiro no Grande Salão? Será que segue Layla de vez em quando?

— Ela é uma boa pessoa. Dei sorte.

Willow expira devagar e olha para os pés balançando. Depois para de mexê-los.

— Eu queria saber como minha mãe era.

É a primeira vez que ela admite que talvez tenha tido uma vida antes da que está vivendo agora. Eu me pergunto se ela não está mudando de ideia. Se não quer tentar investigar sobre o próprio passado.

— Estou pensando em fazer uma oferta para comprar a casa.

Willow se anima.

— *Esta* casa? Vai mesmo comprar?

Faço que sim.

— Layla quer morar aqui?

— Acho que não. Mas posso dizer para ela que é um investimento. Assim eu teria um motivo para te visitar.

— Por que ela não gosta daqui? Quando vi as lembranças que ela tem da propriedade, pareceram todas boas.

— Muita coisa aconteceu desde que a gente se conheceu. Acho que não é porque Layla não gosta desta casa em particular, é mais porque ela não teve a oportunidade de se acomodar de verdade em nenhum lugar desde que recebeu alta do hospital. Acho que ela só vai se sentir em casa quando escolhermos uma juntos, e duvido que vá querer morar num lugar tão isolado como esse.

— Ela morava em Chicago antes, né? Você acha que ela quer voltar pra lá?

Encaro Willow, perguntando-me se ela já não sabe o que Layla quer e está só me dando uma pista.

— Não sei. Me diz você.

Willow balança a cabeça.

— Não quero mais ficar vasculhando a mente de Layla. Já falei, os pensamentos dela são caóticos.

— Como assim "caóticos"?

— Não sei — diz, dando de ombros. — Você disse que ela perdeu boa parte da memória, mas, quando estou dentro da cabeça de Layla, tem lembranças demais para eu assimilar. É como se uma se sobrepusesse à outra, fica difícil analisar todas de verdade. Mas, para ser sincera, os pensamentos não são meus para eu ficar analisando, então só ignoro.

— Você deve estar fazendo a coisa certa.

Ela ri, desanimada.

— Acho que já faz um tempo que a gente não sabe muito bem o limite entre certo e errado.

Depois que ela diz isso, ficamos em silêncio por um momento. É difícil, pois nós dois sabemos que o que estamos fazendo é errado, mas acho que um torce para que o outro não coloque um ponto-final em tudo. Está na cara que gostamos de passar um tempo juntos, caso contrário não faríamos isso todas as noites.

Willow me olha pensativa.

— O que aconteceu na noite em que atiraram em vocês?

Endireito a postura e me apoio na outra perna.

— Não pode ver aí na cabeça dela? Não gosto de conversar sobre isso.

Willow fica quieta por um momento.

— Poder, eu posso... mas queria escutar sua versão.

Não gosto de tocar nesse assunto. Depois que relatei todos os detalhes para a polícia, jurei a mim mesmo que nunca mais falaria disso a não ser que Layla me pedisse.

Willow está esperando que eu diga alguma coisa. Abro a boca para responder bem na hora que um trovão rasga o céu e um raio atinge algum lugar aqui perto. Willow se contrai e as luzes se apagam.

As lâmpadas da cozinha nem piscaram, desligaram de uma vez só, junto com todos os aparelhos eletrônicos da casa.

O som do trovão continua ressoando pela mansão quando Willow diz:

— Leeds?

Parece assustada.

Encontro-a no escuro, mas ela não está mais sentada na bancada, e sim de pé no meio da cozinha. Passo a mão em seus braços para tranquilizá-la.

— Está tudo bem. A gente ficou sem energia, mas deve voltar daqui a pouco.

Willow se afasta e diz:

— O que está acontecendo? — Suas palavras saem rápidas e trêmulas. — Onde a gente está?

Mais raios iluminam a cozinha, e encaro Willow entre os clarões. Seus olhos estão apavorados. Imediatamente percebo que não estou mais olhando para Willow.

— Layla?

— O que está acontecendo, porra? — diz, falando mais alto enquanto recua. Ela agarra a bancada e olha ao redor, agitada. — Por que estou na cozinha?

Na mesma hora, seguro Layla e a puxo para perto. Pressiono a mão na parte de trás de sua cabeça.

— Está tudo bem — digo, tentando pensar numa desculpa que explique por que ela está no meio da cozinha sem ter nenhuma lembrança de como viemos parar aqui. — A energia caiu e a gente acordou.

— Por que não me lembro disso? Como é que a gente está na co...

Ela para de falar e suspira.

Sinto-a relaxar, e assim que percebo uma sensação diferente nos meus braços, sei que Willow a assumiu outra vez. Ela se afasta do meu peito.

— Desculpe. Me assustei com o raio e devo ter saído do corpo dela sem querer. — Uma nova preocupação aparece em seus olhos. Willow leva o dedão à boca e começa a mordê-lo. — Ela vai se lembrar disso amanhã. Vai lembrar que acordou na cozinha.

Ver Willow preocupada me deixa tão chateado quanto ver Layla preocupada.

— Ei — digo, esfregando sua mão. — Está tudo bem. Vou falar que foi um pesadelo, ou que ela estava meio adormecida.

Willow assente, mas ainda consigo ver o nervosismo em sua expressão.

— Tudo bem. — Ela cobre o rosto com as mãos. — Meu Deus, eu sinto muito mesmo.

— Está tudo bem, Willow.

Ela assente outra vez, mas percebo que não está tranquila.

Nem eu.

A entrevista

— Layla se lembrou no dia seguinte?

Faço que sim.

— Lembrou. Foi a primeira coisa que ela perguntou quando acordou. Falei que ela estava meio que dormindo, mas a energia acabou, então a fiz descer até a cozinha comigo. Disse que ela só acordou de verdade quando o raio caiu.

— E ela acreditou?

— Acreditou. Foi fácil de convencê-la. Qualquer pessoa acreditaria que estava meio desnorteada ou sonâmbula em vez de se perguntar automaticamente se estava ou não possuída por um fantasma.

Ele concorda com a cabeça.

— Willow continuou usando o corpo dela? Mesmo depois desse deslize?

Faço que sim, mas sutilmente. Não é algo de que me orgulho. Não existe uma desculpa boa o bastante para o que fizemos, por mais que tivéssemos motivos legítimos.

— Layla chegou a suspeitar de alguma coisa?

— Ela ficou preocupada por sempre se sentir cansada. Com Willow usando o corpo dela à noite, Layla não estava dormindo tanto quanto achava. Acordava confusa, sem entender por que tinha dormido até tarde, mesmo tendo ido para a cama tão cedo. Começou a achar que tinha alguma coisa a ver com a lesão na cabeça.

— E você não explicou que não tinha?

Inspiro e depois expiro devagar antes de responder à pergunta.

— Não. Concordei e marquei uma consulta com um neurologista.

— O que ele disse?

— A consulta é só na próxima semana.

— Você vai levá-la?

Balanço a cabeça.

— Não. Agora não dá. Ela nunca vai me perdoar pelo que fiz com ela nos últimos dias. — Eu me inclino para a frente e pressiono as mãos na testa. — Deixei a situação sair do controle, e não sei mais como voltar atrás.

— Por que simplesmente não pediu para Willow parar quando percebeu que as possessões estavam começando a afetar Layla?

— Eu não queria que ela parasse.

— Porque estava tentando ajudar Willow?

Queria que a resposta fosse sim, mas balanço a cabeça.

— Acho que a gente meio que caiu na rotina. Foram dias assim. Layla dormia à noite e Willow assumia. A gente via filme, eu cozinhava para ela, ela lia um livro no sofá enquanto eu compunha. Sem motivo mesmo. A gente simplesmente não estava usando o tempo juntos para procurar respostas. A gente curtia a companhia um do outro, só isso.

O homem assente.

— E o que Willow acha do papel que está tendo nessa história?

— Ela está se sentindo péssima. Nós dois estamos

— E mesmo assim continuam fazendo isso?

Estou ficando frustrado com as perguntas dele.

— Acha razoável supor que isso continuou porque você começou a sentir alguma coisa por Willow?

Não consigo nem responder que sim em voz alta. Apenas concordo com a cabeça.

15

Devemos voltar para o Tennessee daqui a dois dias. Layla anda animada com isso.

Já eu, não.

Estou sentado no banco do piano, passando os dedos pelas teclas. Fiquei o dia todo me lamentando por dentro, como uma criança que está sendo obrigada a jogar fora o brinquedo preferido.

Não falei muito com Willow desde ontem. Ficamos acordados até tarde assistindo a mais um filme. Notei um tema recorrente nas últimas noites: vemos filmes sobre fantasmas, vida após a morte ou qualquer coisa paranormal. Depois que o filme acaba, ela me faz perguntas, como se estivesse tentando descobrir em que versão deste mundo quer acreditar. Ontem, assistimos a *Amor além da vida*. Ela chorou.

Willow não fez uma única pergunta quando acabou. Apenas se deitou de lado e me olhou com tristeza. Perguntei qual era o problema, e ela disse:

— Não quero voltar.

— Voltar para onde? — perguntei.

— Para o nada. Gosto de ficar dentro de Layla. Gosto de ficar com você. Está ficando cada vez mais difícil sair do corpo dela.

Eu não sabia o que dizer porque sentia a mesma coisa, então só peguei sua mão e a segurei até nós dois adormecermos.

Está ficando difícil vê-la sair do corpo de Layla à noite, sabendo que vai voltar para sua existência tão ínfima dentro deste casarão solitário. E quanto mais se aproxima o dia da minha partida com Layla, mais desanimados eu e Willow ficamos durante nosso tempo juntos.

Estou pressionando uma nota grave no piano — apertando-a várias vezes com o dedo — quando uma das notas mais agudas toca sozinha. Olho ao redor na mesma hora, mas Layla continua lá em cima.

Willow deve estar tentando chamar minha atenção.

Vou para a cozinha e abro o notebook, ela começa a digitar imediatamente.

Trago más notícias.

— O que foi?

Layla acabou de encontrar o anel.

Assim que leio, meus olhos disparam para o quarto no segundo andar.

— Ela está mexendo nas minhas coisas?

Está.

— O que ela fez quando encontrou o anel?

Ficou boquiaberta. Depois guardou e mandou uma mensagem para Aspen, contando.

— Merda — digo, soltando um suspiro carregado.

Não estava preparado para isso. Não depois de passar as últimas duas semanas e meia usando Layla da maneira como a usei. Pedi-la em casamento agora seria imoral.

Sento-me à mesa e coloco a cabeça entre as mãos. Willow volta a digitar alguma coisa no documento.

Ela não sabe quando vai ser o pedido, então ainda tem um elemento surpresa. Não fique chateado.

— Não é isso. É que não me sinto preparado, mas agora ela não vai mais tirar isso da cabeça.

Se não está preparado, por que trouxe o anel com você?

— Eu trouxe porque a viagem... — Eu me encosto na cadeira. — A viagem era para a gente ficar mais próximo um do outro. Só que agora me sinto mais distante dela do que quando chegamos.

É culpa minha?

— Não. Acho que o que a gente está fazendo não ajudou muito, mas não é culpa sua.

Eu não sabia que era por isso que vocês tinham vindo. Agora estou me sentindo culpada por ter me metido na história. Posso parar. Se quiser passar os últimos dois dias com Layla... posso desaparecer, e você nem vai perceber que estou aqui.

Sinto um aperto no peito ao pensar nisso. Não quero passar os últimos dois dias na mansão sem Willow.

— Na verdade, eu tenho é medo de que você faça isso, Willow. Não é o que eu quero de jeito nenhum.

Fecho o notebook porque não quero continuar a conversa. Pelo menos, não pelo computador. Preciso falar com Layla, avaliar seu humor. Talvez ela tenha surtado com o anel. Talvez também não se sinta preparada. Talvez esse seja o pontapé inicial de um papo que a gente precisa ter há um bom tempo.

Subo e escuto o chuveiro aberto. Entro no banheiro e Layla está escovando os dentes. Ela sempre faz isso. Abre o chuveiro para a água ir esquentando enquanto fica na frente da pia por dez minutos realizando seu ritual noturno de escovar os dentes, lavar o rosto e tirar pelos da sobrancelha. No final, quase não sobra água quente o suficiente para uma ducha completa.

Layla dá um sorrisinho assim que entro no banheiro. Cospe a espuma na pia e enxagua a boca. Depois, se aproxima e me abraça, pressionando a boca na minha. Percebo uma diferença enorme entre o jeito dela agora e a versão cansada que tem se arrastado por aí durante o dia. Ela com certeza está empolgada com o pedido de casamento. É como se a ideia a tivesse revigorado.

— O que você está fazendo? — diz, com a voz perturbadoramente animada.

— Trabalhando.

Ela põe as mãos no meu peito.

— Devia dar uma pausa e tomar uma ducha comigo.

Espio por cima do ombro como se tivesse que ir para algum lugar.

— Eu tomei banho de manhã.

Quando a encaro, ela revira os olhos e abaixa as mãos até minha calça de moletom.

— Então tá, *eu* tomo meu banho. — Seus lábios roçam minha mandíbula enquanto ela põe a mão dentro da minha calça. — Depois que eu terminar uma coisinha.

Antes que eu possa interrompê-la, ela me empurra contra a porta do banheiro e se ajoelha. Faz três dias que não transamos. Não sei se consigo pensar numa desculpa boa o bastante para rejeitar um boquete sem magoá-la.

Agora ela está eufórica, achando que a viagem vai terminar com um pedido de casamento. Que vamos passar o resto da vida juntos. Que seremos eu e Layla contra o mundo.

E talvez seja isso mesmo. Nem sei dizer. Mas não dá para discutir o assunto neste momento, pois ela está me colocando na boca apesar de eu nem estar duro ainda. Olho para ela e, mesmo não estando excitado por causa do caos na minha cabeça, é inevitável não pensar em Willow.

Às vezes, quando olho para Layla, eu *queria* que fosse Willow. No café da manhã, de vez em quando, bate uma vontade de conversar com Willow, com seu jeito animado, e não com Layla reclamando da dor de cabeça. Durante o dia, quando estou falando com Willow pelo computador, quero que ela assuma o corpo de Layla para que a gente possa ficar cara a cara.

E agora... enquanto Layla me lambe todo, eu meio que queria que fosse Willow no lugar dela.

Fico duro ao pensar nisso.

É fácil fingir que Layla é Willow porque o rosto de Layla é o único que consigo associar a ela. Ponho a mão no cabelo de Layla e a observo por um instante, perguntando-me o que eu estaria sentindo se fosse Willow no corpo de Layla neste momento. Será que ela usaria a língua assim? Será que emitiria os mesmos sons?

Layla põe os lábios ao meu redor e me enfia em sua boca até onde consegue. Minha cabeça cai para trás, contra a porta. Solto um gemido, pressionando a parte de trás de sua cabeça, sem querer que ela pare.

Uma das suas mãos está subindo e descendo, acompanhando sua boca. A outra está acariciando minha barriga. Agarro-a, aperto-a, pressiono-a no meu peito enquanto penso em Willow.

Imagino como seria beijar Willow. Eu sentiria o mesmo que ao beijar Layla?

Transar com Willow seria diferente de transar com Layla?

Ela curvaria as costas para trás como Layla faz quando a penetro?

— *Porra.* — Solto a mão de Layla e seguro sua cabeça com as duas mãos. — Estou quase lá — digo, alertando-a.

Ela sempre para quando eu digo isso e termina com a mão.

Layla se afasta, ofegante, e sussurra:

— Pode terminar na minha boca desta vez.

Há um certo brilho em seus olhos — um entusiasmo — enquanto ela me põe na boca de novo e sei que é a sua maneira de me agradecer o pedido de casamento que ainda não aconteceu. Se eu não estivesse prestes a explodir, provavelmente pararia, porque sei o que ela está pensando.

Está tudo errado. Layla acha que está dando prazer ao seu futuro noivo enquanto eu finjo que ela é o fantasma pelo qual tenho me apaixonado aos poucos.

É o orgasmo mais estranho que já tive.

Nem sequer aproveito.

Minhas pernas tremem enquanto ela mantém a boca em mim, engolindo até o fim cada gota de enganação que tenho lhe dado. Não dou um pio. Apenas fecho os olhos e espero que acabe.

Quando finalmente me solta, nem consigo olhar para ela.

Só consigo pensar nas palavras que me disse na noite em que nos conhecemos, depois que falei que aquela tinha sido a melhor transa da minha vida: "*A gente sempre acha isso na hora. Mas depois aparece uma pessoa nova e a gente esquece o quanto achava que tinha sido bom, então o ciclo recomeça.*"

Será que Layla não passou disso para mim? Uma parte de um ciclo infinito de relacionamentos?

Eu tinha certeza de que ela era a mulher da minha vida. Certeza absoluta.

Agora tudo que sinto é remorso, porque só percebi que já parti para outra dez segundos atrás.

E a outra é Willow.

É com Willow que quero conversar quando acordo. É Willow que quero ver antes de fechar os olhos. É com Willow que quero passar todo meu tempo durante o dia.

Agora, prefiro Willow a Layla em quase todos os aspectos, e a ficha está caindo com peso, choque e vergonha.

Escuto a água correndo na pia do banheiro. Abro os olhos e Layla está escovando os dentes de novo. Ela bochecha a água e depois cospe. Passa as costas da mão na boca e sorri orgulhosa.

— Eu te deixei sem palavras, foi? — diz, rindo.

Não faço ideia do que dizer. Não seria apropriado falar "*me desculpe*".

— Foi intenso.

Não é mentira. Intenso não é necessariamente algo bom, e não quero mais mentir para Layla. Fico me sentindo mal.

Ela se aproxima, relaxada, e coloca minha calça no lugar. Inclina-se e beija minha bochecha com delicadeza, deixando a boca na minha pele ao dizer:

— Pode voltar ao trabalho. Amanhã à noite você me recompensa.

Ela se afasta, tira a camiseta com um sorrisinho e finalmente entra no boxe.

O chuveiro estava aberto durante todo o tempo.

Vou para o quarto e encaro nossa cama. A mesma cama em que eu estava quando comecei a me apaixonar por Layla.

Foi leve me apaixonar por ela, parecia uma brisa soprando pelos meus ossos.

Mas me desapaixonar é pesado pra caralho, como se meus pulmões fossem feitos de ferro.

Vou até a cama e me deixo cair nela. Não quero descer de novo. Não consigo lidar com Willow esta noite. Não quero nem mesmo lidar com Layla.

Só quero dormir.

16

— Por que você acha que eu consigo tocar nas coisas?

Sua voz me arranca das garras de um sono profundo. Abro os olhos, e Willow está deitada de lado, virada para mim. Não sei que horas são, mas está escuro lá fora.

Esfrego os olhos com a base do polegar.

— Como assim? — digo, com a voz ainda pesada de sono.

— Consigo mover as coisas quando não estou no corpo de Layla. Consigo tocar nelas. Mas você não consegue me ver e nem eu mesma consigo me ver, então não sou feita de matéria. Não faz sentido.

— Talvez você seja feita de energia e de algum jeito consiga canalizar essa energia para algo tão denso quanto a matéria.

Ela suspira e se deita de costas. Fica encarando a viga de madeira acima da cama.

— Mas acho que, se fosse isso, eu não seria tão forte quanto sou.

— Como assim?

— Consigo mover coisas pesadas também, fiz isso uma vez. Mudei de lugar todos os móveis do Grande Salão no meio da noite.

— Porque estava entediada?

— Não. Porque odeio Wallace Billings e queria assustá-lo.

Agora ela prendeu minha atenção. Eu me apoio no cotovelo.

— Quem é Wallace Billings?

Ela me olha com um sorrisinho malicioso no rosto.

— É o proprietário. Foi por minha causa que ele colocou a mansão à venda alguns meses atrás.

Willow parece orgulhosa de seja lá o que tenha feito. Seus olhos estão brilhando, e eu meio que acho isso fascinante. Andava me perguntando por que puseram a mansão à venda.

Ela se senta, enrolando-se com o lençol para se cobrir.

— Você sabe que eu não consigo lembrar quanto tempo faz que estou aqui, né?

Faço que sim.

— Bem, pelas conversas que escutei, sei que Wallace herdou a mansão logo antes de eu aparecer. Era da mãe dele, que morreu, mas ele não sabia o que fazer com a propriedade, não sabia se devia deixá-la aberta, vendê-la ou se mudar para cá. Depois de um tempo, ele começou a considerar de verdade vir morar aqui com a família. E eu sei que é terrível, mas eu não o suportava. Wallace era um grande idiota com os outros. Com a esposa, com os filhos, com todo mundo com quem falava ao telefone. Eu não conseguia me imaginar dividindo este lugar com ele por seja lá quanto tempo eu fosse ficar aqui.

— O que você fez? Assombrou-o?

— Não — diz, balançando a cabeça. Mas depois olha para cima e para a direita. — Espera aí. Acho que o que eu fiz *pode, sim,* ser definido como "assombração". É que nunca me identifiquei como um fantasma, então, do meu ponto de vista, eu estava só tirando uma com a cara dele.

— O que você fez?

Ela encosta o queixo de leve no peito e me olha um tanto envergonhada.

— Não é para julgar.

— Não vou julgar.

Ela relaxa um pouco.

— No começo, foram só umas coisinhas. Eu batia as portas, desligava as luzes. O tipo de coisa que vocês acham que os fantasmas fazem. Era divertido vê-lo tentando encontrar uma explicação para tudo. Mas quanto mais eu testemunhava aquele comportamento idiota, maior era a peça que eu pregava. Uma noite, depois de decidir que não queria que ele passasse mais nenhum dia aqui, mudei todos os móveis de lugar no Grande Salão. Arrastei o sofá para a frente da estante de livros oposta a ele, e o piano, para o outro lado do salão. Coloquei até os livros em outras prateleiras.

— Como ele reagiu quando viu tudo fora do lugar no dia seguinte?

Willow pressiona os lábios com firmeza. Move a cabeça de um lado para o outro com uma expressão encabulada no rosto.

— Hum… esse é o problema. Eu movi tudo enquanto ele ainda estava no salão.

Tento imaginar o que o cara não deve ter sentido ao ver um piano gigante ir parar do outro lado do cômodo por conta própria.

— Ele colocou a casa à venda no dia seguinte e não voltou mais aqui.

— Puta merda — digo, rindo. — Isso explica a pressa para vender.

Ela se deita no travesseiro novamente, sorrindo orgulhosa. O sorriso é contagiante. Eu me deito no meu próprio travesseiro, sorrindo com ela.

O momento me faz pensar nas coisas que aconteceram quando cheguei na mansão. Willow impedindo que a cozinha pegasse fogo por minha causa. Limpando o vinho que derramou. Não tem nada de assombração nisso.

Viro a cabeça até ficar de frente para ela.

— Por que não tentou me assombrar quando cheguei?

Willow para de sorrir, me encarando suavemente.

— Porque você não é um babaca. E porque fiquei com pena.

— Ficou com pena de mim? Por quê?

Ela dá de ombros.

— Você parecia triste, só isso.

Eu parecia triste?

Será que estou triste?

Desvio o olhar e encaro o teto.

— Você sempre foi triste? — pergunta ela.

— Não sei o que você quer dizer com triste. Me dá um exemplo.

— É mais quando Layla sai do cômodo. Você fica encarando a porta por um tempão com um olhar distante. Às vezes parece triste até quando está com ela. Sei lá. É só uma impressão. Talvez eu esteja errada.

Eu não devia estar balançando a cabeça, mas estou.

— Não está, não.

Ela se senta de novo, cobrindo os seios com o cobertor. Inclino a cabeça no travesseiro e a olho.

— Não gosta de ficar com ela? — pergunta.

— Eu gostava. Mas agora é... complicado — digo baixinho porque assim, por algum motivo, parece menos uma confissão. — Muita coisa mudou entre a gente desde aquela noite. Desde os tiros. A gente não é mais o mesmo casal que era no começo.

Ela passou por muita coisa fisicamente, emocionalmente, mentalmente. É óbvio que eu nunca a deixaria na mão, mas...

Não sei como completar a frase. Nunca admiti isso em voz alta.

— Mas o quê? — pergunta Willow.

Expiro.

— Às vezes eu me pergunto: se eu conhecesse Layla hoje, como ela é agora, será que me apaixonaria tão facilmente como da outra vez? Não sei. Parte de mim acha que eu não seria capaz de me apaixonar de verdade por esta versão dela. E quando eu penso nessas coisas... fico me sentindo um merda. Porque é por *minha* causa que ela está assim. É por *minha* causa que ela anda tão triste. Porque eu não consegui protegê-la.

Willow me olha com uma expressão compreensiva. Parece quase arrependida — como se não tivesse sido sua intenção mexer num vespeiro. Inspira suavemente e expira no quarto silencioso.

— Talvez as coisas entre vocês um dia voltem a ser exatamente como eram antes. Se serve de consolo, você não parece tão triste agora. Não do jeito que estava quando chegou.

Olho atentamente para ela.

— Isso não tem nada a ver com Layla. Tem a ver com você — admito.

Willow reage apenas com os olhos, que pestanejam um pouco como se ela não estivesse esperando ouvir isso.

Eu não devia ter dito. Assim que as palavras saem da minha boca, sinto culpa. Mas falei, e falei porque é a verdade. Fico mais ansioso por estes momentos com Willow do que pelo tempo que passo com Layla.

E o que isso diz sobre mim?

Sento-me e passo as mãos no rosto, depois no cabelo. Estou segurando a nuca quando mudo completamente de assunto.

— Está com fome? Quer que eu faça algo para você comer?

Willow me encara, imóvel, como se ainda estivesse assimilando minhas palavras. Mas depois assente e sai graciosamente da cama, deixando o lençol atrás de si. Confiante, ela anda até o armário e pega uma camiseta de Layla. Nota que estou olhando enquanto a veste. Não consigo nem tirar os olhos dela desta vez.

— Nada que você já não tenha visto — diz, tranquilamente.

Ela sai do quarto e escuto seus passos esvaecerem escada abaixo.

Espero alguns minutos antes de descer. Percebo, envergonhado, que ver Willow nua me afetou mais do que ver Layla com meu pau na boca. E isso não faz sentido nenhum, porra. É o mesmo corpo nos dois casos.

* * *

Fiz queijo quente. Layla jantou apenas uma salada, e Willow disse que sua barriga estava doendo de tanta fome, então preparei dois sanduíches.

É um alívio que Willow ande assumindo o corpo de Layla de vez em quando, mesmo que fosse só pela sua alimentação. Não que queijo quente seja muito nutritivo, mas é melhor do que um déficit de calorias, e Layla certamente não comeria um por vontade própria.

Já faz um tempo que me preocupo com sua obsessão pela dieta, mas isso não chegou a ser uma prioridade porque, nos últimos seis meses, tenho me concentrado em muitas outras coisas relacionadas a Layla. Achei que o problema da alimentação se resolveria sozinho.

Não se resolveu, mas, pelo menos, com a ajuda de Willow, a preocupação diminui.

Ela está no segundo sanduíche, e não dissemos nada desde que lhe entreguei o prato de comida. Estou no notebook, encarando o anúncio da casa. Ainda me sinto dividido sobre o que fazer.

Não quero deixar Willow sozinha, mas sei que Layla quer ir embora. Eu até convidaria Willow para nos acompanhar, mas não é uma opção. Não posso permitir que ela continue usando o corpo de Layla. Era para ser só algo temporário — uma maneira de a gente se comunicar. Mas agora está afetando Layla negativamente.

Está me afetando negativamente.

A única solução que me vem à cabeça é comprar a casa. Se eu fizer isso, Layla e eu poderemos vir de vez em quando. Willow continuaria podendo assumir o corpo de Layla algumas vezes ao ano, quando viéssemos para cá. E no meio-tempo, a gente tentaria encontrar respostas para Willow. Quando ela estiver preparada, é óbvio.

Mando um e-mail para a corretora e faço uma oferta dez mil dólares mais alta do que o preço solicitado, mas informo que gostaria de continuar ocupando o imóvel durante o fechamento da venda.

Não sei o que Layla vai achar de ficar na mansão por mais tempo ainda, mas sua preocupação não parece influenciar minha decisão. Ela já foi tomada, e estou pronto para lidar com as repercussões.

Depois de enviar o e-mail para a corretora, confiro as mensagens não lidas na caixa de entrada. Uma delas é de um endereço que não reconheço.

Leeds,

Faz um tempo que você não aparece no fórum. Peço desculpa se você não se sentir à vontade com o fato de eu entrar em contato por aqui, mas levo jeito para separar o joio do trigo. Acredito em você, e espero que você também possa acreditar em mim.

Posso ajudar seu fantasma.

Não há assinatura no corpo da mensagem, mas reconheço o título no endereço de e-mail. DesvendeLtda.

Como ele me achou? Eu nem uso meu nome verdadeiro no fórum.

Imediatamente, entro no fórum para conferir meu perfil, perguntando-me se ele não teria pegado, de algum jeito, as informações da minha conta no Facebook. Todas as configurações são privadas, mas, antes que eu saia do site, uma mensagem aparece.

Recebeu meu e-mail?

Olho para Willow do outro lado da mesa, mas ela ainda está comendo, sem prestar atenção em mim. Mudo de posição na cadeira e clico para responder.

Recebi. Como conseguiu meu e-mail?

Nunca use o celular para se comunicar com alguém se quiser manter o anonimato. Mas, de qualquer maneira, não estou interessado em você nem por quem você é, então não precisa se preocupar. Estou interessado no seu fantasma. Descobriu alguma coisa sobre ela?

Não.

Ainda está na pousada?

Eu me recosto na cadeira e encaro a mensagem, irritado. *Ele sabe onde estamos?* Meu coração começa a bater descontroladamente no peito. Na última vez que alguém descobriu onde a gente estava, as coisas não terminaram bem. Na mesma hora, eu me afasto da mesa e vou até a porta da frente para conferir se está trancada.

Verifico duas vezes o sistema de alarme para garantir que está funcionando. Confiro as outras portas também, assim como cada uma das janelas da casa. Demoro um pouco porque a mansão é gigante e tem muitas janelas, então, quando volto para a cozinha, não fico surpreso ao ver que Willow terminou de comer.

Mas fico *bem* surpreso ao ver que está olhando para meu notebook. Ela aponta para a tela e me encara como se eu a tivesse traído.

— O que é isso?

Não dá para perceber se está chateada. Balanço a cabeça e tento fechar o notebook, mas ela o abre de novo, à força.

— Quem é ele? — pergunta.

— Não sei.

— Como ele sabe sobre mim?

— É só alguém que conheci num fórum. Achei que fosse anônimo, mas ele descobriu um jeito de entrar em contato comigo.

Willow cerra a mandíbula. Levanta-se e fica andando de um lado para o outro na cozinha.

— É por isso que você parecia ansioso enquanto eu estava comendo?

— Não estou ansioso.

— Está, sim. Você conferiu todas as janelas e portas porque esse cara sabe onde a gente está, seja lá quem ele seja.

— Não se preocupe. Agora eu sou cuidadoso até demais. Está tudo trancado.

Os ombros de Willow estão tensos. Esta é apenas a segunda vez que a vejo estressada enquanto está no corpo de Layla. Ela para de andar e diz:

— Por que você está conversando com ele? Quer que eu saia da casa?

— Não. Estou conversando com ele porque achei que eu estava pirando quando tudo isso começou.

— E por que continua conversando com ele?

— Porque ele continua falando comigo. Não estou escondendo nada, Willow. Ele tem certeza de que pode te ajudar, mas não aceitei o convite porque não é o que você quer agora.

Ela expira rapidamente pela boca, frustrada. Em seguida, vai até o freezer, abre-o e tira um pote de dois litros de sorvete. Pega uma colher e a crava no sorvete, depois enfia na boca uma boa porção.

— Nós dois sabemos o que as respostas significam para um fantasma — diz, entre as colheradas de sorvete de menta com pedaços de chocolate. — Significa que meu tempo aqui vai acabar. Se esse cara tiver razão, independentemente do que me prende a este mundo, eu vou me desprender e não vou estar mais aqui. Você viu todos aqueles filmes. Patrick Swayze precisou morrer duas vezes. *Duas vezes!*

— São só filmes, Willow. Escritos por pessoas em Hollywood que são pagas para usar a imaginação. A gente não sabe o que realmente acontece depois.

Ela balança a colher na minha direção enquanto anda de um lado para o outro, com o pote de sorvete encostado no peito.

— Talvez não, mas é um consenso. É o tema de todas as histórias sobre fantasmas. Todo fantasma é um fantasma porque algo deu errado. Ou eles eram malignos na vida passada, ou têm coisas mal resolvidas, ou precisam ser perdoados. Ou *perdoar*. — Ela se joga em uma cadeira em frente à mesa. Toda sua energia está concentrada na sua testa franzida. — E se eu não gostar do que descobrir? E se eu não gostar do que vem depois?

Com a colher invertida, ela toma mais sorvete e depois a deixa pendurada na boca enquanto se inclina para a frente, unindo as mãos atrás da cabeça e apoiando os cotovelos na mesa.

A colher está balançando na sua boca.

Nunca foi minha intenção chateá-la.

Antes da minha chegada com Layla, Willow não tinha essas preocupações. Ela nem sequer se considerava um fantasma e simplesmente existia no plano em que está, seja lá qual for. Estava contente até eu aparecer. Desde que entrou neste plano aqui, nada de bom aconteceu.

Isso só fez Layla se estressar com a exaustão.

Fez eu virar um mentiroso.

Fez Willow sentir um medo que não existia antes.

— Willow — digo baixinho. Ela me olha e tira a colher da boca. — Você acha que o que a gente está fazendo é errado? Usar Layla assim?

— *É óbvio* que é errado. Só porque a gente pode fazer isso, não significa que a gente deva fazer isso.

Por mais que eu queira que Willow esteja errada, sei que ela tem razão. Sempre soube, mas meu lado egoísta tem permitido essa situação porque digo para mim mesmo que estou ajudando Willow.

Mas, antes de eu aparecer, Willow nem sequer queria ajuda. Ela possuiu Layla só porque queria experimentar uma comida. E tudo teria ficado bem, mas eu me envolvi demais. Fiquei morbidamente fascinado, a ponto de colocar Layla em risco. E talvez até Willow.

Pode não existir um manual sobre como lidar com fantasmas, mas ninguém precisa de regras escritas para saber a diferença entre certo e errado.

Willow coloca o sorvete de volta no freezer.

— Você parece cansado — diz, inexpressiva.

— Estou mesmo.

— Pode ir dormir — sugere, gesticulando para a escada. — Vou ver um filme.

Não quero que ela veja um filme. Não sei se quero que ela continue usando o corpo de Layla.

— Layla está cansada também. Ela precisa dormir.

Willow fica tensa ao ouvir minhas palavras. Vê pela minha expressão resoluta que cheguei ao limite do que considero imoral. Fica apenas me encarando, triste e em silêncio.

— Quer que eu saia dela? — sussurra.

Faço que sim, depois me viro e vou em direção às escadas porque não quero ver a expressão em seu rosto.

Ela não está muito atrás de mim. Entra no quarto um minuto depois, com o olhar baixo. Não me olha enquanto vai até o lado de Layla da cama. Ela ainda está com a camiseta que tirou do armário mais cedo.

— Layla estava sem roupa quando foi dormir.

Willow puxa a camiseta pela cabeça e vai até o armário para pendurá-la. Ela não se dá ao trabalho de se cobrir enquanto volta para a cama, mas não estou olhando seu corpo. Estou olhando o luar refletido em seu rosto e as lágrimas nas extremidades dos seus olhos.

Ela se deita e se cobre até o pescoço. Está de costas para mim, mas consigo escutá-la chorando.

Odeio saber que a magoei. Não quero que ela fique assim, mas não sei mais como lidar com essa situação. Ela é um fantasma que não quer ajuda. Eu sou um cara que não quer deixá-la. Estamos nos comunicando usando uma garota que não temos o direito de usar.

Parece o fim de um namoro, e nem somos íntimos um do outro.

Sua respiração irrompe de maneira curta e superficial, como se ela estivesse se esforçando ao máximo para conter as lágrimas. Sinto uma vontade esmagadora de consolá-la, especialmente porque fui eu que a fiz se sentir assim. Ponho a cabeça no seu travesseiro e encontro-a debaixo da coberta, depois coloco o braço sobre sua barriga.

Ela segura meu braço com a mão e o esfrega, compreensiva. É sua maneira de demonstrar que entende minha decisão. Mas isso não deixa as coisas mais fáceis.

Quando Layla está triste, quase sempre fica melhor depois que toma qualquer tipo de remédio para dor ou incômodo.

Mas a tristeza de Willow é inalcançável, mesmo com ela aqui do meu lado. Não sou capaz de amenizar a solidão que ela sente em seu mundo. Não posso dizer que vai ficar tudo bem, porque não sei se vai. É uma jornada inédita para nós dois.

— Quero que você responda aquele cara amanhã. Pergunte se ele realmente acha que pode me ajudar — diz ela.

Fecho os olhos, aliviado por saber que ela finalmente está disposta a fazer alguma coisa a respeito disso. A ideia de ela viver para sempre sem nenhum propósito é deprimente. Beijo a parte de trás da sua cabeça.

— Tá bom — sussurro.

— Não quer mais que eu use Layla?

Não respondo de imediato porque não é uma questão de sim ou não. É óbvio que quero que ela use Layla, pois gosto do nosso tempo juntos. Mas também quero que ela pare, porque já fomos longe demais com isso.

Ela entende meu silêncio como uma confirmação de que não quero mais que faça isso.

Enterro meu rosto no seu cabelo, ainda sem dizer nada. A esta altura, tudo que eu fale vai parecer um item a mais na lista de maneiras como traí Layla. Por exemplo, o fato de eu ter feito uma oferta para comprar a casa. Não contei nem para Willow. Agora não sei mais se ela quer que eu a compre.

— Fiz uma oferta para comprar a casa.

Willow se vira. Seu seio roça meu braço, e tento ignorar, mas nunca estivemos numa posição tão íntima. É difícil fazer isso quando meu rosto está a cinco centímetros do seu e ela está me encarando com os olhos brilhando de esperança, cheios de lágrimas.

— Fez?

Faço que sim e tiro a mão da sua cintura. Levo-a para a testa de Willow e afasto uma mecha de cabelo que caiu sobre seus olhos.

— Fiz. Eu não ficaria aqui o tempo inteiro, mas posso voltar para visitar. Quero te ajudar.

— E Layla?

Dou de ombros, porque não sei o que vai acontecer com Layla. Não sei se ela vai querer voltar aqui em algum momento. Não sei qual será nossa situação quando formos embora. As coisas com ela me parecem diferentes agora que Willow apareceu.

Mas também sei que voltar para a mansão sem usar o corpo de Layla seria uma verdadeira tortura. É óbvio que a gente conseguiria se comunicar, mas teríamos de conversar sem olharmos um para o outro, o que me parece mais um suplício.

O quarto está quieto. Tão quieto que consigo escutar o coração de Willow batendo no peito. Ela me fita com uma mistura de expectativa e tristeza. Estou olhando para ela da mesma maneira.

Nem comprar esta casa me deixaria tranquilo. Quando não estivesse aqui, eu continuaria pensando nela o dia todo.

Ainda fingiria que Layla é Willow sempre que a beijasse.

Meus olhos se voltam para os lábios de Willow, e me lembro de como meu coração estava batendo loucamente quando beijei Layla pela primeira vez. A diferença é que neste momento é um *plic* ainda menor e um BUM ainda maior.

Nunca pensei que sentiria por alguém mais do que senti naquela noite. Mas agora... estou sentindo tudo que consigo sentir neste mundo e tudo que conseguiria sentir no mundo de Willow.

Passo as costas da mão na sua mandíbula, inclinando mais seu rosto em direção ao meu. Ela continua de olhos abertos enquanto abaixo a cabeça devagar e encosto minha boca na sua. Ambos hesitamos quando nossos lábios deslizam uns nos outros com um movimento mínimo. É como se nós dois estivéssemos com medo do que isso pode significar para nosso futuro.

Será que passar do limite fisicamente com este beijo vai aumentar o desejo que sinto por ela? Será que vai me deixar com vontade de nunca mais ir embora? Será que vai enfraquecer minha determinação a ponto de eu deixar que Willow assuma o corpo de Layla sempre que quiser?

Neste momento, para ser sincero, não estou nem aí.

Neste momento, só consigo me importar com minha vontade egoísta e insaciável de beijar Willow. Não ligaria para nada mesmo que este beijo revoltasse a *humanidade inteira*.

Passo as mãos no seu cabelo e deslizo minha língua para dentro da sua boca, sem delicadeza. Beijo-a com uma necessidade que nem sabia que estava enterrada em mim.

Ela geme na minha boca, o que me enche de mais urgência ainda. Não sei por que a beijo como se alguém pudesse roubar este momento de nós.

Willow responde da mesma maneira, passando os dedos no meu cabelo e inclinando o corpo para mais perto do meu. Pressiona os seios contra meu peito, e sinto um magnetismo incrível percorrer meu corpo. Quero ficar em cima dela, dentro dela. Quero que minha boca cubra cada centímetro do seu corpo. Quero escutar todos os sons que ela é capaz de emitir, e quero que minhas mãos e minha língua sejam responsáveis por esses sons.

Até agora, o beijo durou apenas alguns segundos, mas foi o bastante para uma dor se acumular dentro de mim e torná-lo doloroso.

E triste.

Nunca senti tantas emoções durante um único beijo. Mesmo assim, sinto todas as sensações que meu corpo e minha mente são capazes de sentir até que a que eu menos quero me consome mais.

Sinto dor por toda parte, mas a maior é no meu peito. Dói tanto que preciso me afastar dela e inspirar porque parece que meu coração está sendo estrangulado.

Deito-me de costas e tento recobrar o fôlego, mas não há ar o bastante no mundo para amenizar a sensação.

Encontro a mão de Willow e a seguro, mas isso é tudo o que posso fazer. Não posso beijá-la outra vez. Não posso passar por isso de novo, sabendo que não é possível ficar com ela para o resto da vida.

Eu não devia ter feito isso. Agora, não quero ir embora. A única coisa que me importa neste momento é garantir que Willow não fique mais nenhum dia sozinha nesta casa.

Sinto uma necessidade imensa de descobrir por que Willow está presa ao seu mundo, pois preciso desesperadamente que ela se prenda ao meu.

Inclino a cabeça para olhá-la, e, quando o faço, me arrependo. A situação só piorou, porque agora ela está me olhando com o coração partido. Ela se aproxima e encaixa a cabeça no canto do meu pescoço, aconchegando-se em mim.

— Sempre que preciso sair do corpo de Layla, parece um castigo. Toda noite, toda vez. É uma tortura.

Eu a abraço, querendo poder consertar tudo para ela. Mas não posso.

E acabo de piorar muito as coisas.

17

A cama está vazia quando acordo. Toco no travesseiro de Layla e passo a mão nele, como se Willow ainda estivesse deitada. *Talvez esteja.*

Eu me sento para ver a hora, mas não consigo achar meu celular. Olho no chão, na cama. Não está aqui.

Será que Layla o pegou?

Desço rapidamente para tentar encontrá-la. Meu medo vai a dois passos na minha frente enquanto me pergunto por que Layla pegou meu celular e o que pode estar vendo nele. Uma conversa com Willow, o aplicativo do sistema de segurança. Entro correndo na cozinha, mas não a vejo. Procuro no Grande Salão, nos quartos do térreo. Abro a porta dos fundos, mas ela não está na área da piscina.

Corro até a porta da frente e a escancaro.

Layla está sentada nos degraus da varanda, encarando o jardim, com um cigarro na mão.

— O que está fazendo?

Ela não se vira para me olhar. Eu me pergunto o que descobriu. Há tantas coisas — as câmeras, as conversas no meu notebook, o beijo de ontem à noite.

Ando hesitante até os degraus enquanto observo Layla dar uma lenta tragada no cigarro.

— Não sabia que você fumava — digo.

Ela sopra a fumaça.

— Não fumo. Mas deixo uns cigarros escondidos na bolsa para quando estou estressada.

Ela me lança um olhar por cima do ombro. Não sei o que causou a expressão de traição em seu rosto, mas ela com certeza descobriu alguma coisa.

Mantenho a voz calma e digo:

— O que foi, Layla?

Ela desvia o olhar outra vez e sua voz é inexpressiva quando pergunta:

— Por que não me contou que ia comprar a mansão?

Inclino a cabeça para trás e expiro silenciosamente, aliviado. Achei que ela tivesse visto as gravações do sistema de segurança. Eu não seria capaz de explicar aquilo.

Mas já esperava que ela fosse ficar zangada com minha decisão.

E não vejo problema no fato de ela saber. Eu planejava contar hoje, de qualquer jeito.

— Como descobriu?

— A corretora acabou de passar aqui. — Layla pressiona o cigarro no degrau de madeira ao lado, o que me parece um insulto. — O contrato está na bancada da cozinha. Ela quer que você mande de volta até o fim do dia.

Nunca a vi com tanta raiva. Suas frases estão tensas, ela nem mesmo olha para mim.

— Layla. Era para ser uma surpresa.

— Pro inferno que era.

Ela se levanta, passa por mim, entra na casa e sobe a escada.

Vou atrás, um pouco confuso pela intensidade de sua raiva. Não achava que ela fosse se entusiasmar, mas não esperava que fosse ficar tão furiosa.

— Layla — digo ao chegar ao topo da escada. Assim que digo seu nome, a porta do quarto se fecha na minha cara. Eu a abro e assisto enquanto Layla puxa a mala vazia de baixo da cama. Ela a joga na cama, abre-a e vai até a cômoda. — Por que está tão chateada?

Ela pega tudo que tem na gaveta e enfia dentro da mala.

— Não quero morar no meio do *nada*. Nós somos um casal. Você devia conversar comigo sobre essas coisas, mas fez tudo pelas minhas costas.

Ela vai até o armário e pega várias de suas blusas.

— Eu não estava escondendo. Era para ser uma surpresa. A gente se apaixonou aqui. Achei que este lugar era importante para nós dois.

Seu rosto se contorce numa mistura de confusão e raiva.

— Minha irmã se casou aqui. Esta propriedade é mais importante para ela do que para mim. E eu nem *gosto* do Kansas. Já falei isso de todas as maneiras possíveis sem ser grossa. — Ela enfia as blusas na mala, ainda com os cabides. — Qual é seu objetivo, Leeds? Me obrigar a morar num lugar onde não quero morar, ou estava esperando que eu fosse te deixar e voltar para Chicago?

Ela continua fazendo a mala, e não sei se consigo convencê-la a não ir embora. Mas ela não pode ir. Não depois de ontem à noite. Não depois do beijo com Willow. Preciso convencê-la a ficar, mesmo que só por mais um dia. Preciso de uma oportunidade para ver Willow outra vez. Ainda que seja apenas para me despedir pessoalmente.

Não vou poder fazer isso se Layla for embora.

Vou até o armário e enfio a mão no meu tênis. Tiro freneticamente o anel de noivado de dentro dele.

— Eu tinha um plano, Layla — digo, aproximando-me dela.

Ela está encarando o anel na minha mão.

— Eu ia te pedir em casamento hoje à noite, e então contaria sobre a casa. Estava tudo planejado. Não era para você descobrir desse jeito.

Layla parou de arrumar a mala. Está encarando a caixinha. Seus olhos se erguem para encontrar os meus, mas continuam cheios de raiva.

— Eu já vi o anel. Você percebeu que deixou a nota fiscal dentro da caixa, né?

Não sei qual é a importância disso. Eu teria tirado a nota da caixa antes do pedido.

— Por que isso importa?

— Você comprou o anel enquanto eu estava no hospital, Leeds. *Seis meses* atrás. Significa que você passou os últimos seis meses se perguntando se quer mesmo ficar comigo. — Ela se vira e fecha o zíper da mala. — Se não quer ir embora, tudo bem. Pode ficar e assinar o contrato da sua casa. Mas não gosto daqui e não quero ficar. Vou levar o carro.

Caralho.

Caralho.

Se ela for embora, não vou ver Willow outra vez.

Atravesso o quarto correndo, passando por ela. Bloqueio a porta e me ajoelho diante de Layla. Ela para.

— Não era assim que eu queria que fosse — digo. — Mas eu sei que quero me casar com você desde a noite em que te conheci. Comprei o anel seis meses atrás sabendo que a gente voltaria aqui depois que você se recuperasse. Queria te pedir para ser minha esposa, mas queria fazer isso aqui. Onde a gente se conheceu. Eu te amo e quero passar o resto da vida com você, Layla. Não vá embora, por favor.

Ela não se mexe. Está encarando o anel, menos tensa do que estava um minuto atrás. Menos zangada.

— *Por favor* — imploro.

Ela hesita, com a expressão ainda cheia de dúvida. Depois solta a mala.

— É muito confuso. Quero acreditar em você. Por que não acredito em você?

Quero responder "*porque não deveria mesmo*". Em vez disso, eu me levanto e pego sua mão. Olho-a intensamente, esperando transparecer sinceridade. Porque estou prestes a falar algo sincero.

— Soube que queria me casar com você desde a noite em que te conheci. Nunca me senti tão ligado a ninguém. — Mas o que digo depois é uma mentira. — Quero passar o resto da vida com você, Layla. Por favor. Case comigo.

Ela acreditou. Dá para ver pela sua expressão. Toda a raiva se transformou em alívio.

— Então não está duvidando da gente?

Estou. Há seis meses.

— Não, nem por um segundo.

Uma lágrima cai do seu olho direito, depois ela balança a cabeça, arrependida.

— Eu arruinei tudo, Leeds. Desculpe. Fiquei com raiva e arruinei tudo.

Tiro o anel da caixinha. Ponho-o no seu dedo trêmulo. Agora, ela está chorando para valer.

— Não foi culpa sua. Eu devia ter planejado melhor.

Ela balança a cabeça e joga os braços ao redor do meu pescoço.

— Não, foi perfeito. — Layla me beija e depois se afasta para olhar o anel. — E sim. Sim, sim, sim. Quero me casar com você.

Não era o pedido de casamento que eu tinha imaginado.

Longe disso.

Tento manter uma expressão constante no rosto, mas quanto mais o sorriso de Layla aumenta, menor eu me sinto.

Ela me beija outra vez, com gosto de cigarro, e preciso me obrigar a continuar com o beijo.

Fiz algumas coisas terríveis no último ano, mas esta é a pior de todas. Acabei de pedir em casamento uma garota que nem sei mais se amo.

— Preciso ligar para Aspen — diz Layla.

Ela sai do quarto e desce a escada.

Eu fico parado no quarto, balançando a cabeça. *O que foi que eu fiz?*

Escuto algo atrás de mim — um barulho vindo da cômoda. A gaveta de baixo se abre sozinha lentamente.

Vou até a cômoda e olho dentro da gaveta. Meu notebook e meu celular estão guardados nela. Pego o celular e ponho a senha. Abro o aplicativo que Willow e eu usamos para conversar na maioria das vezes. Há uma mensagem não lida que diz: *Tive que esconder seu celular e seu notebook depois que a corretora foi embora. Layla parecia muito zangada e eu não queria que ela xeretasse suas coisas.*

A mensagem foi enviada uma hora atrás.

Suspiro, vou até a cama e me jogo com o rosto para a frente.

— Desculpe — digo, em voz alta. — Não tive escolha.

O quarto fica em silêncio. Deixo o celular na cama caso Willow queira me responder.

Ela não responde.

Não diz absolutamente nada.

18

— Você não come o suficiente.

Minhas palavras saem mais ríspidas do que eu queria. Layla ergue o olhar da comida que está fingindo comer.

— Comi o suficiente para engordar um quilo e meio desde que a gente chegou.

— Não estou falando só das últimas duas semanas. Você deve estar ingerindo no máximo umas oitocentas calorias por dia. Fico preocupado.

— Meu corpo está acostumado com as oitocentas calorias. Está funcionando bem assim.

— Não, não está. Você está sempre com fome.

Layla ri, incrédula.

— Está falando como se conhecesse meu corpo melhor do que eu.

Ela está ficando zangada. Não é minha intenção. Mas passei o dia inteiro com raiva e estou transferindo-a para Layla.

Willow não falou comigo desde o pedido de casamento. Tento falar com ela toda vez que Layla sai do cômodo, mas não há resposta.

Mais uma noite que vou passar contando os minutos até Layla dormir.

Levo meu prato para a pia e o enxáguo. Layla está percebendo que tem algo de errado comigo. Ela se afasta da mesa e se aproxima de fininho, pelo meu lado.

— Está tudo bem?

Percebo que era para eu estar eufórico por ter acabado de pedir *o amor da minha vida* em casamento, mas é difícil para cacete dar um sorriso falso.

— É por causa da casa? Ela é tão importante assim para você? — pergunta ela.

Não tem nenhum sinal de raiva na sua voz. Ela parece genuinamente curiosa, então me aproveito do seu bom humor. Seguro seu queixo.

— Foi aqui que eu te conheci, Layla. É óbvio que ela é importante para mim.

Ela sorri.

— Que meigo.

Mas não significa que ela aceitou.

— Seria um bom investimento. — Nem sei se é verdade. Talvez dê o maior prejuízo. — Você não precisaria morar aqui. A gente pode comprar uma casa em Nashville e visitar a mansão só quando precisar dar uma conferida nas coisas.

Ela parece estar refletindo de verdade sobre tudo que estou dizendo.

— Eu não precisaria morar aqui?

— Não. Pode ser tipo uma casa de férias. Mas se eu for comprar mesmo, a gente precisaria ficar mais uma semana para eu resolver toda a papelada e umas outras coisas antes de voltar para o Tennessee.

Nunca comprei um imóvel, mas tenho certeza de que o processo leva mais do que uma semana. Não quero que Layla saiba disso.

Ela encosta a testa no meu peito.

— Uma semana *inteira* — diz, suspirando. — Argh. Tá bom. Confio em você.

Dou um passo para trás.

— Sério?

Ela assente.

— Por que não? É algo importante para você e logo, logo você vai ser meu marido. Além disso, seria legal me casar no mesmo lugar onde minha irmã se casou.

Ponho os braços ao seu redor e dou um abraço nela. É o primeiro, em algum tempo, que não me parece forçado, mas estou tão aliviado. Ela me deu mais uma semana na mansão, o que significa que vou ver Willow outra vez.

E me tornando o proprietário da casa, vou ter mais tempo para *ajudar* Willow.

Talvez.

Depois do que fiz hoje, existe uma chance de ela nunca mais falar comigo.

* * *

Pedi Layla em casamento mais cedo, então é óbvio que não a rejeitei quando ela quis fazer amor à noite. Ela tirou toda a roupa e disse que queria fazer amor usando apenas o anel de noivado.

Precisei pensar em Willow de novo para conseguir chegar ao fim. Depois, quando acabou e Layla ficou de conchinha, fingi que ela era Willow enquanto acariciava delicadamente seu braço até ela dormir.

Já faz meia hora, e ainda estamos na mesma posição. Ela está dormindo no meu peito. Estou encarando o teto — esperando Willow aparecer. *Torcendo* para ela aparecer.

Não liguei para minha mãe para contar sobre o pedido de casamento. Não me orgulho do que fiz. Não me orgulho quando penso em como Layla vai ficar quando eu admitir que não estou mais apaixonado por ela.

Ela muda de posição encostada no meu peito e depois se senta.

Meu corpo inteiro suspira aliviado quando vejo que é Willow. Estava começando a pensar que ela havia ficado com tanta raiva que não assumiria mais o corpo de Layla.

Ela está encarando o anel. Depois o tira do dedo e o põe na mesa de cabeceira.

— Não gosto da sensação dele — diz.

Ela cobre o peito nu e estende o braço para coçar o ombro. Willow tem uma certa elegância, e essa é a diferença física entre elas de que mais gosto.

Atração é uma coisa estranha. Como é possível que elas usem o mesmo corpo e minha reação a cada uma seja tão diferente? Como é possível que transar com Layla pareça uma obrigação e olhar para Willow pareça uma recompensa?

— Ela fica mais bonita quando você está dentro dela — digo.

Willow não me olha.

— Isso não é um elogio para mim. O corpo não é meu.

Ela se levanta e anda, confiante, pelo quarto. Entra no banheiro e fecha a porta. Alguns segundos depois, escuto o chuveiro.

Ela sabe que transei com Layla, por isso está se lavando.

Deve ser difícil para ela quando eu e Layla temos relações sexuais. Mas é necessário para que Layla continue aqui, ou eu não veria mais Willow.

É um beco sem saída terrível. Não posso terminar com a garota por quem já não estou tão apaixonado, ou não veria mais a garota por quem estou me apaixonando.

Quando Willow sai do banho, volta para o quarto enrolada em uma toalha. Ela a larga no chão e veste uma camiseta antes de voltar para a cama comigo. Depois se deita de lado, de costas para mim. Está magoada, e é culpa minha.

— Não quero me casar com ela, Willow.

— Então não devia ter feito o pedido — responde, rapidamente.

— O que eu devia ter feito então? Deixado ela ir embora?

Willow se vira e se senta.

— Isso.

Assim parece tão simples.

— Não queria que ela roubasse nossa última noite juntos.

— Mas e *depois* desta noite? O que vai acontecer se você comprar a casa? A gente vai ter um caso escandaloso toda vez que Layla topar vir com você? E eu assumo o corpo dela depois de ficar do lado de fora do quarto, escutando vocês transarem?

Pego sua mão e a puxo para perto de mim, odiando escutar a mágoa em sua voz. Ela se encosta nos meus braços, bastante frustrada.

— Não é justo comigo. Você fica com as duas no seu mundo, mas não posso ficar com você nem um pouco no meu.

Acaricio seu cabelo delicadamente.

— Se eu soubesse outra maneira de fazer isso, eu faria. Mas não estou mais apaixonado por Layla, se é que faz diferença.

— Está, sim — diz Willow baixinho. — Está apenas confuso. Você chegou apaixonado, mas eu compliquei a situação usando o corpo dela.

— Já estava complicado antes de eu chegar. Achei que esta casa mudaria as coisas. Consertaria nosso relacionamento de algum jeito. Mas só piorou. Você mesma disse que eu pareço triste quando estou com ela.

Willow se afasta e examina meus olhos.

— Mas e se for culpa minha? Se eu não estivesse aqui, me metendo na sua vida, talvez você tivesse achado um jeito de se reaproximar dela.

Suspiro, sem querer que ela me olhe quando eu disser o que estou prestes a dizer. Estou com medo de que ela possa perder qualquer respeito que ainda tenha por mim.

— Não tem nada a ver com você, Willow. Já vi Layla nos piores momentos, e às vezes eles são bem, bem, sombrios. No começo, achei que meus sentimentos estavam diminuindo porque nossos papéis de repente se alteraram muito. Eu virei o cuidador dela. Achei que as coisas mudariam quando Layla melhorasse. Mas quanto mais a recuperação avançava, mais distante eu me sentia. A culpa não é dela. A culpa não é sua. A culpa é *minha*. — Minhas mãos descem pelo meu rosto enquanto expiro longamente. — Tudo isso é culpa minha. O que a gente está fazendo com Layla... o que Sable fez com ela... o que eu fiz com *Sable*.

Willow se senta na cama. Ela põe os braços ao redor dos joelhos e fica em silêncio por um momento.

— Quero saber o que aconteceu naquela noite.

— Não dá para você simplesmente ver as lembranças de Layla?

— Quero escutar sua versão.

— Não tem muito o que contar. Sable atirou em Layla e depois em mim, quando apareci na sala. Fui correndo pegar a arma.

Willow não reage com palavras, mas vejo seu corpo inteiro ficar tenso.

— Então... você atirou nela? — pergunta num sussurro.

Faço que sim. A lembrança de tudo aquilo ainda parece surreal.

Willow apoia a cabeça nos joelhos e continua me encarando.

— O que Sable significava para você?

— Ficamos juntos durante alguns meses. No ano passado, antes de eu conhecer Layla.

— Mas você terminou com ela? Por quê?

Engulo o nó na minha garganta e me sento na cama. Willow continua me observando, mas não consigo olhá-la nos olhos. Apoio os cotovelos nos joelhos e fico encarando minhas mãos.

— De primeira, achei que a gente ia ficar só naquela noite, mas ela continuou aparecendo lá em casa. Não fiz nada, porque a companhia dela não me incomodava. Mas em pouco tempo ela começou a postar fotos da gente nas redes sociais, me chamando de namorado, e a ir em todos os shows. Garrett e o pessoal da banda achavam graça porque sabiam que eu não terminava por pena. Deixei a coisa continuar por mais umas semanas, porque não queria chateá-la. Mas aí ela começou a ir longe demais e eu não tive escolha, precisei terminar.

— Ir longe demais como? — pergunta Willow.

— Ela ficou chateada porque eu não quis dizer "eu te amo", sendo que a gente tinha se conhecido fazia só umas duas semanas. Ficou triste porque eu não tinha postado nenhuma foto de nós dois no Instagram. Ficava fora de si quando eu dizia que não queria nada sério e depois tentava me explicar por que eu estava errado. Na minha cabeça, a gente estava se curtindo. Na cabeça de Sable, nosso casamento estava praticamente planejado. Quando finalmente terminei tudo, ela ficou me ligando sem parar. Depois foi a um show da banda e começou a gritar comigo porque eu não atendia suas ligações. Garrett precisou pedir aos seguranças que a escoltassem de lá e proibiu a entrada dela nos próximos shows. Tive que cortar todo o contato com ela. Não sabia como lidar com a situação de outro jeito. Achei que ela acabaria superando.

— Foi por isso que ela apareceu na sua casa e fez o que fez? Porque você estava com Layla?

— Para ser sincero, eu não sei. Ela ficou bem chateada por causa de uma foto minha com Layla que postei. Chateada a ponto de mandar mensagens para Layla pelo Instagram. Mas a polícia disse que ela havia sido diagnosticada com vários distúrbios, alguns desde a infância: depressão, bulimia, transtorno bipolar, tudo que você possa imaginar. E não estava tomando nenhum remédio. Talvez seja por isso que ela fez o que fez. Porque estava muito desestabilizada.

— Deve ter sido apavorante para Layla. E para você.

Faço que sim.

— Foi mesmo.

— E por que você parece se sentir culpado por isso? Pelo jeito, você não fez nada de errado. As pessoas terminam relacionamentos o tempo todo.

Dou de ombros.

— Não me sinto culpado por ter terminado com ela, mas por ter acabado com a vida dela. Eu podia ter deixado Sable na mira do revólver até a polícia chegar, mas não. Fiquei tomado de raiva quando vi o que ela fez com Layla. Eu matei Sable e me arrependo disso desde que apertei o gatilho.

A voz de Willow está baixa quando diz:

— Você fez o que a maioria das pessoas faria na mesma situação. A personalidade dela era obsessiva e você foi só uma vítima disso. Como você ia saber a gravidade do problema ou que ela tinha um fã-clube seu antes mesmo de vocês se conhecerem pessoalmente? — Ela se inclina de leve para mim, querendo que eu a olhe nos olhos. — Ela obrigou você a fazer o que fez quando chegou armada na sua casa. Não foi culpa sua.

Eu não converso sobre isso com ninguém, então é bom escutar essas palavras. Estou prestes a agradecer.

Mas então meu sangue esfria... *congela*... se estilhaça como cacos minúsculos de vidro explodindo dentro de mim. As palavras que acabaram de sair da boca de Willow percorrem meu corpo à procura de um lugar para se encaixar, mas *não* se encaixam.

As palavras dela não pertencem à cabeça de Layla.

Nunca dei a Layla nenhum detalhe sobre Sable. Nunca contei que Sable tinha um fã-clube.

E, com certeza, nunca contei a *Willow* que Sable tinha um fã-clube.

Como Willow sabe alguma coisa sobre Sable? Não era para saber.

Agarro seu pulso e me sento, fazendo-a se deitar de costas. Saio da cama e fico de pé ao lado dela, encarando Willow.

Seus olhos se arregalam, confusos com meu movimento repentino.

Esfrego meu maxilar, tentando silenciosamente montar um quebra-cabeça que tem parecido ser bem complicado, mas que, na verdade, é simples. Ele consiste em apenas três peças.

Eu.

Layla.

Sable.

É esse o motivo por que Willow está aqui? Porque ela é Sable e precisa se resolver com o passado? Se for mesmo isso, por que adotou outro nome?

— Por que você diz que seu nome é Willow? — pergunto.

Minha reação a deixou nervosa. Ela passa a mão nos próprios braços.

— Você perguntou qual era meu nome. Eu não tenho um, então... inventei.

As palavras parecem presas na minha garganta.

— Você... *inventou*?

— Inventei. Já te falei que não tenho lembranças. Como eu ia saber qual era meu nome? Eu nunca nem falei com ninguém antes de você, então nunca me perguntaram como eu me chamava.

Minha mente começa a rodopiar em todas as direções possíveis. Por que não considerei essa possibilidade? Sable está morta. *Eu* sou responsável pela sua morte.

É por isso que ela está aqui.

— Leeds? — Willow joga a coberta para o lado enquanto me observa andar pelo quarto. — O que foi?

Paro de andar, depois me viro para encará-la. Parece que o chão sumiu sob meus pés e que estou prestes a despencar em queda livre através da casa.

— Como você sabia que Sable tinha um fã-clube?

Seus olhos se enchem de outra coisa... de algo que nunca vejo na expressão de Willow. *Culpa*.

Pela primeira vez desde que cheguei nesta mansão, estou reagindo como deveria ter reagido desde o princípio: com medo.

— Saia de Layla.

— Leeds.

— Saia... de... Layla!

Willow se levanta, atrapalhada.

— Leeds, espera aí. Você não entende. É uma confusão dentro da cabeça dela. Nada faz sentido. A lembrança não é minha, é de Layla.

Agora ela está na minha frente, implorando.

Estou me sentindo um grande idiota, porra.

— Eu *nunca* contei isso para Layla. Não é possível que ela tenha essa lembrança. Só Sable saberia disso.

Ela põe as mãos nos dois lados da cabeça, como se não conseguisse pensar em uma desculpa tão rápido.

Willow é Sable, e eu devia ter percebido de cara. Mas fiquei envolvido demais com a situação toda. Fascinado demais pela ideia de que algo tão relevante estava acontecendo e de que eu fazia parte de tudo. De algo maior do que eu, do que Layla, mas tudo isto só fez nós dois ficarmos mais destruídos do que já estávamos.

Quero que Willow saia de Layla e não ligo se ela o fizer enquanto Layla não está na cama. Não ligo se Layla ficar apavorada quando abrir os olhos e não se lembrar de ter se levantado. Quero ir embora com ela esta noite de qualquer jeito. Preciso afastá-la de Willow o máximo possível.

Passo por Willow e pego a mala que Layla começou a arrumar mais cedo. Jogo-a na cama e pego a outra. Willow não diz uma palavra enquanto guardo as coisas. Seus olhos me seguem pelo quarto enquanto junto nossos pertences.

Vou para o banheiro e guardo tudo. Depois, vou até o topo da escada. Empurro uma das malas para a frente e a vejo rolar escada abaixo, em seguida desço os degraus correndo com a outra.

Willow está atrás de mim, ainda dentro de Layla.

Não sei por que demorei tanto para perceber. Willow está aqui por algum motivo. O motivo é: foi ela quem atirou em nós. Ele estava diante da porra do meu nariz desde que pisei nesta casa. Numa casa que foi colocada à venda vários meses atrás. Numa casa que mudou de proprietário um pouco antes disso.

Willow disse que não consegue lembrar há quanto tempo está aqui, mas eu lembro que ela falou que o proprietário do imóvel se mudou um pouco antes de ela chegar. O que significa que… o período coincide. Willow apareceu mais ou menos na época em que atirei em Sable.

Chego à cozinha, pego as chaves do carro e, quando me viro, vejo Willow parada na entrada.

— A gente vai embora. Preciso que você saia dela.

Ela balança a cabeça, encarando-me com olhos suplicantes.

— Mesmo que eu tenha sido Sable numa vida passada, não sou ela agora. Nunca faria o que ela fez com você. Ou com Layla.

Estou apertando as chaves no meu punho cerrado, ainda mais apavorado. Sempre que pedi para Willow sair de Layla, ela saiu. E se ela se recusar a sair agora? O que eu vou fazer?

— Você disse que é um caos dentro da cabeça de Layla. Esse caos é porque você tem lembranças que não são de Layla?

O queixo de Willow treme. Ela assente.

— Quantas lembranças de Sable você tem?

Ela dá de ombros.

— Não sei. Não sei diferenciar o que é de Sable e o que é de Layla. Fico com as lembranças das duas quando estou dentro dela. Falei para você que era um caos dentro da cabeça de Layla, porque existem duas versões de tudo o que aconteceu.

— Tipo o quê?

Willow se aproxima de mim, e eu dou um passo para trás. Suas sobrancelhas se afastam de aflição quando me distancio. Ela contém um soluço de choro, depois se senta à mesa. Está cobrindo a boca com as duas mãos, como se estivesse tentando não chorar e esconder a verdade ao mesmo tempo.

Estendo o braço para trás e pego um guardanapo no balcão. Entrego a ela... na tentativa de fazê-la confiar em mim enquanto ainda estou aqui. Pelo menos, por tempo o suficiente para ela poder se explicar, e eu tentar convencê-la a me deixar ir embora com

Layla. Repito a pergunta a que ela ainda não respondeu, mas com mais delicadeza.

— Você tem duas versões de quais lembranças, Willow?

Ela me olha nos olhos, enxugando as lágrimas com o guardanapo.

— Não tenho nenhuma quando estou fora do corpo de Layla. Mas quando estou dentro... são muitas.

Dou um suspiro trêmulo e me viro de costas para Willow. *Ela estava mentindo para mim o tempo todo.*

— Você se lembra dos tiros?

— Lembro — sussurra.

— Você se lembra de atirar?

Há uma pausa, e depois...

— Todas as lembranças parecem minhas quando estou dentro de Layla. Então eu não sei. A lembrança está aqui, mas é minha? Não dá para saber.

Eu me viro e a olho.

— Por qual outro motivo você teria acesso às lembranças de Sable?

Ela desvia o olhar, cobrindo o rosto com as mãos, envergonhada.

— Não sei. — Ela se levanta rapidamente e corre até mim. — Se eu era Sable, não sou mais, Leeds. Nunca seria capaz de fazer algo daquele tipo.

Estou nauseado.

— Saia de Layla — imploro, sabendo que é inútil.

Ela nunca vai deixar a gente sair daqui. Sable nos pegou antes, e nos pegou agora também. E eu caí como um idiota.

Mas isto não é apenas um errinho qualquer. Nem mesmo uma imensa traição.

É algo muito além de tudo que eu poderia imaginar, é de outro mundo.

Está muito além da minha compreensão.

Há lágrimas escorrendo pelo rosto de Willow. Ela só balança a cabeça e, com os olhos cheios de tristeza, diz:

— Me desculpe mesmo.

E depois grita.

É um grito horripilante que faz minhas costas se arquearem.

Imediatamente percebo que Willow não está mais no corpo de Layla.

Layla olha ao redor da cozinha e depois se segura na bancada. Ela se abaixa, como se seus joelhos estivessem fracos demais para sustentar seu peso.

— O que está acontecendo? — Sua voz é um sussurro trêmulo. Quando me encara, ela está com os olhos arregalados. — Leeds, o que está acontecendo comigo?

Agarro a mão de Layla e a coloco de pé.

— Precisamos sair daqui. Agora.

Ela está nervosa. Afasta-se de mim e diz:

— Preciso tomar meu remédio. Estou surtando.

— Já coloquei na mala.

Ela para na entrada da cozinha e me olha.

— Por quê? Estou precisando. Cadê ele?

Vou até a entrada da casa e agarro nossas malas.

— Pego para você no carro. A gente precisa dar o fora daqui agora. Vamos.

Ela não se mexe.

— Por que a gente está indo embora? Por que estou aqui embaixo? — Ela dá uma volta, olhando para a escada e depois para a cozinha. — Não consigo me lembrar de nada. Acho que tem algo de errado. Tem algo de errado comigo.

— Não tem nada de errado com você, Layla. É a mansão. Precisamos sair dela.

Ela me olha e, talvez pela seriedade na minha expressão, finalmente assente.

— Tudo bem — diz, com a voz cheia de nervosismo.

Abro a porta e empurro Layla para que ela saia primeiro, depois empurro as malas para fora do batente.

— Depressa — digo, precisando que ela seja mais rápida antes que Willow a possua novamente.

Estamos na metade do caminho até o carro quando Layla para.

— *Anda*, Layla.

Ela não se mexe.

Olho para ela, mas não vejo mais Layla ao meu lado.

É Willow outra vez.

Apenas largo as malas. Ergo as mãos, derrotado. As malas caem para a frente, chuto uma delas. Chuto de novo. Chuto e chuto e chuto, porque ela não vai nos deixar ir embora.

— Leeds, *para* — implora Willow.

Não sei como tirar Layla do alcance dela agora.

Mesmo que saia de Layla, será que Willow vai nos seguir? Como vou saber se ela não vai estar no carro com a gente quando formos embora? Não posso chamar a polícia. O que eu diria, cacete? Que o fantasma da garota que eu matei está me perseguindo? *De novo?*

Como foi que me meti nessa confusão toda, porra?

— Escute — diz Willow, calmamente. Sua frieza é de um contraste gritante em relação ao nervosismo de Layla. — *Se* eu tiver sido Sable numa vida passada, não sou mais. Sou Willow.

E eu nunca seria capaz de fazer o que ela fez com vocês dois. Se quiser ir embora, eu vou deixar você ir embora, mas…

Balanço a cabeça.

— Nem quero ouvir o que você tem a dizer. Só quero ir embora.

Ela ergue a mão.

— Por favor. Só quero dizer uma coisa. — Ela dá dois passos lentos para a frente. — *Se* eu tiver sido Sable, então tem um motivo para eu estar aqui. Você viu todos aqueles filmes comigo e conhece todas as teorias. Por que Sable está presa neste mundo, Leeds? Talvez ela precise do seu perdão. Ou talvez você precise do perdão dela? Não sei, mas nunca vamos descobrir se você for embora. E então você vai passar o resto da vida sabendo que fantasmas existem e que talvez um deles esteja preso neste plano por sua causa. Isso vai perseguir a gente para sempre. Nós dois.

Me apoio na outra perna.

— Eu estou *tentando* te ajudar desde que a gente começou a conversar! Era você que não queria saber nada, Willow! E *agora* você quer a minha ajuda? Depois de eu descobrir que você ficou mentindo pra mim por semanas?

— Eu não estava mentindo. Eu não sabia. Achei que a cabeça de Layla era um caos porque não tenho nenhuma lembrança quando não estou dentro dela. Ainda não tenho certeza de nada. Sua teoria faz sentido, mas não me parece correta. Tem algo de estranho.

Ela se aproxima novamente. Desta vez eu não recuo porque parte de mim só vê Willow de verdade quando a olho, e essa parte ainda se sente mal por ela.

Mas não o suficiente para ficar.

Aponto para ela.

— Foi por sua causa que isso aconteceu, quer você lembre ou não. Foi por sua causa que Layla quase morreu. E não vai ser por minha causa que você vai conseguir matá-la. *Saia* dela e *fique fora* dela.

Willow ainda está calma, mas agora há lágrimas silenciosas escorrendo pelas suas bochechas.

— Não sei por que estou aqui. Mas estou, e onde quer que eu esteja, não sinto que sou uma pessoa ruim. Sinto que sou uma pessoa *boa* e *honesta*. Não sou seja lá quem Sable tenha sido na vida dela. Sinto que eu sou eu mesma. Willow. A garota com quem você tem visto filmes, comido o que sobrou das refeições e passado um tempo junto. A garota que você beijou na cama ontem à noite. *Eu*. Não Sable. Não Layla. *Willow*.

Cerro os dentes.

— Willow não existe. É um nome que você inventou.

Ela cruza o espaço entre nós e, com os olhos cheios de desespero, segura meu rosto entre as mãos.

— Eu existo. Estou bem aqui. Estou bem na sua frente.

Não posso encará-la enquanto ela está chorando deste jeito. Eu me viro e apoio as mãos nos quadris. Abaixo a cabeça, sem saber o que fazer. Um minuto inteiro se passa, e ela continua parada atrás de mim, chorando baixinho.

Não sei o que fazer. Encaro o acesso à garagem, sabendo que eu devia estar indo naquela direção. Mas por que minha bússola interna está apontando para a direção oposta? Por que estou tendo dificuldades para tomar essa decisão? Por que ainda sinto vontade de ficar se sei que, para começar, é por causa de Willow que nos metemos nesta confusão?

— Leeds? — diz ela, finalmente. — Pode ir...

Eu me viro, e Willow está me olhando, completamente arrasada. Gesticula em direção ao carro.

— Pode ir. Isto não é certo. A gente nem devia estar fazendo isso com Layla mesmo. Pode ir, se casem, compre outra casa para ela, tenham filhos, seja famoso e tal. Seja feliz. — Ela enxuga a área sob os olhos com os dedos. — Quero que seja feliz. Prometo que desta vez não vou deter vocês quando saírem daqui, se é isso o que você quer.

Observo-a por um instante, sem saber em que acreditar.

E *por que* ainda estou me sentindo mal por ela, cacete?

Eu me aproximo e pego uma das malas. Depois a outra. Levo-as para o carro e as guardo no porta-malas. Willow está parada ao lado da porta do motorista.

Paro a alguns metros dela, observando-a com atenção.

— Pode me fazer um favor? — pergunta. — Pode mandar um e-mail para aquele cara e pedir para ele vir aqui mesmo sem você? Preciso entender isso agora. Não quero mais ficar aqui.

Essas palavras, e a maneira agonizante como são ditas, se cravam no meu peito.

Não quero mais ficar aqui.

Limpo a garganta.

— Escrevo para ele hoje à noite.

Ela sorri delicadamente, e seus lábios tremem quando sussurram:

— Obrigada. — Mais uma lágrima cai, e ela olha para cima e para a direita, com o rosto aflito. — Espero que sua vida seja boa.

E depois ela se vai.

Layla está descontrolada novamente.

Ela gira, confusa, sem entender como veio parar aqui fora.

Pego sua mão e a levo até a porta do passageiro.

— Só entre no carro — digo.

Tento soar calmo, mas é difícil quando ela está gritando, apavorada, confusa e aos prantos.

Afivelo seu cinto e dou a volta até a porta do motorista.

Ponho a mão na maçaneta e paro um instante. Layla está gritando para que eu entre logo. Estou com a cabeça latejando por causa da pressão de tudo o que aconteceu na última hora. Só quero gritar, porque parece que estou sendo rasgado ao meio neste momento.

Penso na noite em que conheci Layla. Penso no que ela disse... sobre os planos de existência e sobre como acha que a gente vai de um para outro, e depois para outro. Lembro-me de ela explicar que, no útero, a gente não se lembra da nossa existência *anterior*. Que, na vida, a gente não se lembra da nossa existência no útero. E que no próximo plano, talvez não se lembre *desta* vida.

E se Willow realmente não lembrar que era Sable?

E se quem ela é neste plano for diferente de quem ela era no plano anterior?

Ela tem razão. Não importa quão longe eu esteja deste lugar, nunca vou parar de pensar nisso. Sempre vou precisar de respostas.

Olho a mansão... o lugar mais importante do mundo para mim. *O coração do país.*

Se Willow... *Sable*... não precisasse da minha ajuda, por que ela teria vindo para cá?

Ela está aqui por algum motivo. Sabia que eu acabaria voltando à mansão. Talvez alguma força cósmica tenha entrado em ação. Talvez ela simplesmente precise ser perdoada por mim e por Layla.

Seja lá o que for, simples ou complicado, isto tudo é maior do que Layla. Maior do que eu. Muito maior do que o mundo em que eu achava que a gente existia. Mesmo assim, estou tentando enfiar a situação toda numa caixinha minúscula como se nada estivesse acontecendo.

Sinto a vontade de ajudar Willow no meu cerne, nos meus ossos, no meu coração. Se eu for embora, esses sentimentos vão ficar nesta casa, com este fantasma, e vou partir sentindo o mesmo vazio que sentia quando cheguei.

Não sei explicar o motivo, mas ir embora desta mansão por medo me parece muito pior do que tentar ajudar essa garota a se resolver. Se Layla e eu temos alguma coisa a ver com a presença dela aqui, muito provavelmente também somos sua única saída.

— Leeds — implora Layla. — Entre no carro!

Sempre vou sentir que este lugar está me atraindo, não importa em que momento da vida ou quão longe eu esteja.

E juro pela minha vida... eu não sei o porquê. Por que me importo com Sable? Será que ela está de alguma maneira manipulando meus pensamentos?

— Willow — digo para o ar. — Tenho uma pergunta. Volte para dentro de Layla outra vez.

Layla ainda está gritando meu nome, implorando para que eu vá logo.

E então ela para.

Fica calma de repente enquanto desafivela o cinto e abre a porta. Quando sai e se vira, é Willow quem está olhando para mim por cima do carro.

— Você já entrou em mim alguma vez? — pergunto.

Ela responde de imediato balançando a cabeça.

— Não, óbvio que não.

A expressão no seu rosto confirma que ela não está mentindo.

— Você disse que só tem lembranças quando está em um corpo, certo?

Ela assente.

— Se aquele cara vier para te ajudar, você vai precisar de um corpo. Vai precisar das lembranças.

Ela leva alguns segundos para assimilar minhas palavras, mas depois cobre a boca com a mão, segurando-se para não chorar. Em seguida, põe a mão no peito, em cima do coração.

— Você vai me ajudar?

Solto um suspiro pesaroso.

— Vou. E não tenho ideia do porquê. Então, por favor, não faça com que eu me arrependa. *Por favor.*

Willow balança a cabeça, decidida.

— Pode deixar. Mas... Layla não vai querer ficar por vontade própria. Não depois de hoje.

Ando de volta em direção à casa, afastando-me do carro.

— Eu sei.

Este é o momento em que eu realmente me questiono enquanto namorado, enquanto cuidador, enquanto ser humano. Não sei por que estou sentindo uma vontade tão forte de ficar e de manter Layla aqui comigo. Neste instante, meu comportamento contraria todos os meus valores morais, mas meu instinto nunca teve tanta certeza.

Meu instinto me diz que, no final, vai ter valido a pena ter tomado esta decisão terrível.

O que significa que este deve ser o momento do qual eu mais vou me arrepender.

A entrevista

— Eu gostaria de falar com Willow agora — diz o homem.

Ele não pausa o gravador. Apenas me olha com expectativa, esperando que eu suba e desamarre Layla.

Quando chego ao quarto, percebo que Willow já está dentro dela.

— Ele me deixa nervosa — diz.

— Ele parece inofensivo.

— Ele é tão enigmático. A conversa foi unilateral a noite inteira. Ele não disse nada.

Não respondo, porque eu o conheço há tanto tempo quanto Willow, então não posso garantir a boa reputação do homem. Mas qual é a pior coisa que poderia acontecer? Ele não ter respostas? Já estamos nessa situação, ele não conseguiria piorá-la.

Willow fica em silêncio enquanto descemos a escada. Quando chegamos à cozinha, ele está encostado na cadeira, observando Willow atentamente. Ele esteve na presença física dela somente por alguns segundos, quando ela impediu que Layla abrisse a porta da frente mais cedo. Ele a olha como se a estivesse examinando de dentro para fora. Willow se senta do outro lado da mesa.

— Quer beber alguma coisa? — pergunto para ela.

Ela balança a cabeça, com o olhar fixo no homem.

Ele apoia a mão na mesa, tamborilando os dedos.

— Qual é a primeira lembrança que você tem deste lugar?

Willow dá de ombros discretamente.

— Não tenho nenhuma primeira lembrança específica.

— Então sente que sempre esteve aqui, é isso?

Ela assente.

— Isso. Quer dizer, sei que não é verdade. Mas não me lembro de *não* estar aqui, se é que faz sentido.

— Faz todo o sentido — diz ele, com brandura. — É como o nascimento. Os humanos sabem que nasceram, mas não se lembram do momento específico. É a mesma coisa.

Willow parece relaxar um pouco ao ouvir o comentário.

O homem se inclina para a frente, observando-a com atenção.

— Leeds me disse que você tem lembranças da sua vida passada.

— Tenho lembranças que pertencem a Layla e a Sable, mas só quando estou neste corpo.

— Quais lembranças você tem quando não está dentro de Layla?

— Só as que criei aqui.

O homem faz que sim, entendendo, e continua observando-a com cautela.

— Mas tenho sentimentos. Mesmo quando não estou dentro de um corpo — acrescenta Willow.

— Que tipo de sentimentos?

Willow olha para mim por um instante e depois para as próprias mãos.

— Quando Leeds chegou aqui... não sei, é difícil de explicar. Mas parecia que eu fiquei aliviada por vê-lo. É a primeira lembrança que eu tenho de sentir algo bom.

— Acha que ficou aliviada por ver *Leeds*, especificamente, ou porque você estava vendo alguém, fosse quem fosse? Será que não sentiu isso porque estava solitária?

Willow balança a cabeça.

— Não. Fiquei aliviada porque parecia que... eu estava com *saudade* dele. Não senti nada por Layla. Só por Leeds.

— E você sentiu isso quando entrou no corpo de Layla pela primeira vez?

Willow faz que sim.

Eu não fazia ideia de que ela tinha sentido algo quando a gente chegou na mansão. Mas isso não significa muita coisa. Sable achava que sentia algo por mim quando estava viva, então meio que faz sentido que esses sentimentos a tenham acompanhado até seja lá onde está agora.

Willow esfrega as bandagens nos pulsos. Percebo que os olhos do homem se voltam para as mãos dela. Ele as encara.

— Faz quanto tempo que vocês prenderam Layla?

— Prender é uma palavra muito forte — interrompo-o.

O homem volta sua atenção para mim.

— Qual outro termo usaria, então?

Tento pensar numa alternativa, mas não consigo. Ele tem razão. Layla está aqui contra sua vontade, e não há uma maneira de amenizar essa descrição.

— A gente a amarrou um pouco depois que eu mandei a você a mensagem pedindo ajuda.

— Você a desamarra quando Willow assume o corpo dela? — pergunta ele.

— Desamarro, mas acho que não vai dar para usar o corpo de Layla por muito mais tempo. Ela só dormiu algumas horas nos últimos dias.

— O que Layla acha que está acontecendo? — Ele olha para Willow. — Ela já sabe sobre você?

— Leeds tentou explicar por que ela não podia ir embora, mas nem assim ela se acalmou. Então... achamos que ela entenderia melhor se a gente mostrasse.

Agora o homem se vira para mim.

— E como foi que fizeram isso?

19

Não sei mais qual nome usar. Willow ou Sable?

Parece um insulto chamá-la de Sable. É difícil até esse nome passar pela minha cabeça sem que eu seja consumido por uma onda de emoções negativas.

Mesmo agora, sabendo o que sei, a Sable que eu conhecia e a Willow que conheço me parecem duas pessoas diferentes. Talvez Willow tenha razão e, neste plano, ela seja apenas Willow. Não é quem era na vida passada.

Vou continuar chamando-a de Willow porque não consigo me referir a ela como Sable.

Mais cedo, quando voltamos para a mansão, fui direto para o notebook e abri as mensagens do fórum. Digitei: *precisamos da sua ajuda.*

Não adicionei mais nada. De alguma maneira, o homem já sabe onde estamos, então vai vir, se puder. E se precisar de mais informações, vai perguntar. Não quero incluir muitos detalhes na mensagem.

— Ela vai ficar descontrolada quando acordar. Acho que é melhor pegar o remédio no carro, caso ela queira — diz Willow.

— Boa ideia.

Volto para o carro e pego as duas malas. Quando fecho o porta-malas, olho a mansão. Vejo Willow por trás das imensas janelas da cozinha. Ela está nervosa, andando de um lado para o outro e mordiscando a unha do dedão. Observo-a por um instante, perguntando-me o que vai acontecer quando Layla acordar.

Como vou explicar isso a ela?

Será que devo contar a verdade?

Não sei se consigo convencê-la de que tudo que aconteceu hoje foi apenas um sonho, e não estou a fim de dizer que pretendo ficar mais tempo ainda na casa. Quando chegar a hora, eu me viro. É só o que posso fazer no momento. Não posso sair ligando para todo mundo e perguntar como prender minha namorada à força para que um fantasma que conheço possa usar o corpo dela.

Sem dúvida, a situação requer jogo de cintura.

Quando volto com a bagagem para dentro da casa, ativo o sistema de segurança e Willow me acompanha até o segundo andar. Desfazemos as malas e tentamos colocar tudo onde estava antes. Se vou tentar convencer Layla de que o que aconteceu mais cedo foi apenas um sonho, primeiro precisa parecer que nunca fizemos as malas para ir embora.

Willow está sentada na cama quando saio do banheiro depois de deixar as coisas de Layla na bancada. Ela está abraçando os joelhos, encostada na cabeceira.

— O que você vai dizer quando ela acordar? — pergunta.

— Ainda não sei.

Ela faz que sim, pressionando um lábio contra o outro. Vou até a cama e me sento. Ela encosta a cabeça nos joelhos e me encara. Agora, curvada assim, ela parece tão pequena. Tão vulnerável.

Talvez tenha sido esse o motivo por que decidi ficar e ajudá-la — ela nunca me pareceu uma ameaça. Pelos menos, não nesta casa. Mesmo sabendo o que sei agora, não consigo odiá-la. Não consigo nem me arrepender de nada. Gostei do tempo que passamos juntos, independentemente de quem ela era antes. Continuo me sentindo atraído pela sua presença.

Ainda prefiro Willow a Layla, e sei que é uma merda me sentir assim. Mas por mais que eu queira, não consigo controlar meus sentimentos.

— Devo ficar acordado enquanto você dorme? — pergunto.

— Acho que não precisa. É melhor você tentar dormir um pouco também.

— E se ela acordar enquanto estou dormindo?

— Não vou dormir, mesmo que Layla durma. Se ela acordar, eu te aviso. Volto para dentro dela se precisar, mas só se precisar.

Nós dois nos deitamos e nos cobrimos.

Quero abraçá-la, porque ela parece assustada. Mas tem muita coisa acontecendo entre a gente. Por mais que eu ainda sinta uma atração irracional por ela, não posso beijá-la como fiz ontem, agora que sei o que sei.

Willow nem sequer parece estar na expectativa de nada disso. Ela fecha os olhos e sussurra:

— Boa noite, Leeds.

* * *

Sou acordado por uma sacudida violenta, como se meu corpo inteiro estivesse chacoalhando dentro de uma secadora. Sinto mãos nos meus ombros. Tem alguém puxando minha camiseta. Meus olhos estão tão pesados que parece que vou precisar abri-los à força com os dedos.

— Leeds! — Quando ela diz meu nome, meus olhos finalmente se abrem de vez. Imediatamente me sento na cama. Layla acendeu o abajur e está de pé ao meu lado. Agora está puxando minha mão. — Tem alguma coisa *errada* — sussurra... com pânico na voz.

Ela tenta me tirar da cama, mas não me mexo. Acaba soltando minha mão e vai até a cômoda. Pega uma calça jeans e a veste.

— Tem algo de errado comigo, Leeds. A gente precisa ir embora Não quero ficar aqui.

Tento manter a voz calma quando digo:

— Você teve um pesadelo, Layla. Volte para a cama.

Ela me olha como se eu a tivesse insultado. Dá dois passos rápidos para a frente e diz:

— Eu não estou *sonhando*! — Ela sibila a palavra *sonhando* de uma maneira frenética, mas depois desvia o olhar como se estivesse com vergonha do próprio surto. — Eu não estou sonhando — murmura.

Saio da cama e me aproximo dela, ao lado da cômoda.

— Está tudo bem, Layla. Estou aqui.

Tento abraçá-la, mas ela me empurra e enfia o dedo no meu peito.

— Você *sabe* que não está tudo bem! Você estava lá mais cedo! Também queria dar o fora daqui! — Ela põe a mão na testa e se vira, olhando o quarto todo, agitada, até me encarar outra vez. — O que está acontecendo? Estou enlouquecendo?

Sou tomado pela culpa ao ver o que ela está começando a pensar, mas não a contradigo. Talvez seja melhor ela achar que está enlouquecendo. A verdade seria difícil demais de aceitar.

Mas será que é certo deixá-la pensar que está perdendo a cabeça?

Layla me encara durante vários longos e preocupantes segundos. Parece que sabe que estou escondendo alguma coisa. Surge uma certa desconfiança entre nós. É só um instante — um segundo de escuridão nos seus olhos —, como se ela estivesse se questionando se estou mesmo do seu lado. Antes mesmo que eu possa responder à sua pergunta silenciosa, ela dispara pela porta do quarto e corre até a escada.

Está tentando ir embora.

Não pode ir embora.

Vou atrás dela. Passo por ela. Chego à porta da frente primeiro e me encosto, estendendo os braços para os lados.

— Não posso deixar você ir embora assim. Você está chateada.

Ela balança a cabeça, com sacudidas rápidas e curtas, e seus olhos se enchem de lágrimas e medo. Depois, corre para a cozinha. Vou atrás dela e observo enquanto Layla pega uma faca na tábua de corte e se vira, balançando-a freneticamente para mim.

— Me. Deixa. Ir. — diz com a voz baixa e ameaçadora, mas ao mesmo tempo trêmula.

— Solte a faca — imploro.

— Vou soltar quando estiver no carro.

Balanço a cabeça.

— Não posso deixar você ir embora, Layla.

— Você não pode me obrigar a *ficar*! — grita. — *Por que* está tentando me obrigar a *ficar*? — Ela cobre a boca com a mão para abafar um soluço de choro, mas continua com a faca erguida e apontada para mim. — Tem alguma coisa acontecendo com a gente, Leeds. Você está enlouquecendo. Ou vai ver sou eu, sei lá. Mas o problema é a mansão, e a gente precisa dar o fora dela. *Por favor.*

Agarro a nuca enquanto tento pensar no que dizer para acalmá-la. Não sei que desculpa usar para fazê-la ficar, mas não quero que ela vá embora tão nervosa assim. Então tenho uma ideia.

— O carro não está pegando.

Ela semicerra os olhos.

— Tentei fazer pegar mais cedo. A bateria morreu. Só vamos conseguir ir embora quando chegar a nova que pedi.

Ela aponta a faca para mim como se fosse o dedo indicador.

— Está *mentindo*!

— Não estou.

— Então vou tentar ligá-lo.

Ela começa a andar em direção à saída da cozinha, mas eu a bloqueio.

É então que ela realmente se dá conta. Antes, estava apenas confusa e um pouco assustada, mas agora entendeu. Percebeu que não estou do seu lado por completo.

Quero ficar do lado dela, mas há algo me impedindo de escolher. É como se minha consciência tivesse sido rasgada ao meio ou talvez até desaparecido.

Ela dá uma investida, mas a faca sai da sua mão e voa pela cozinha. Bate na janela e cai no chão tilintando. Layla a encara de olhos arregalados. Depois olha para mim e para a faca outra vez. Estou a vários metros de distância, então ela sabe que não fui eu que derrubei.

Ela grita.

Tão de repente quanto começou, o grito para.

Willow assumiu o controle.

— Você vai precisar trancá-la no quarto — diz.

Saio da cozinha, porque preciso de espaço para pensar. Fico andando pela entrada da casa, as mãos unidas atrás da cabeça.

— Ela vai tentar sair pela janela.

— Tranque-a em outro quarto.

— Todos eles têm janelas — digo.

— Aqui não tem porão?

— Não posso fazer isso com ela. Ninguém quer ficar trancado num porão.

— Ninguém quer ficar trancado em *nenhum lugar*, Leeds.

Eu me viro para Willow.

— Você não pode simplesmente ficar dentro de Layla até o cara chegar?

Ela balança a cabeça.

— O corpo dela já está muito cansado. Não consigo mantê-la acordada, por mais que eu tente.

Acharia melhor se Layla não ficasse perdendo e recobrando a consciência desse jeito. Isso está a enlouquecendo, mas acho que não posso deixá-la ir embora a esta altura. Ela iria direto para a delegacia.

Agora é para valer.

Não posso mais voltar atrás.

— Vou precisar amarrá-la na cama.

Willow assente.

— Tá, mas e depois? E quando tudo acabar? Layla não vai deixar você se safar. Ela acha que você a está prendendo aqui à força.

— Mas eu estou. Quando chegar a hora, eu resolvo.

— Você não pode levar a culpa. Diga que tentou ir embora, mas eu não deixei. Faça Layla pensar que você também é uma vítima nesta história. Ela precisa sentir que tem alguém do lado dela.

— Quer que eu conte sobre você?

Willow assente.

— Talvez não tudo. Só o suficiente para ela saber que não é culpa sua e que tem algo maior interferindo na história. De repente, ela se acalma em relação a você. Não ligo para o que ela sente por mim ou pela casa. Só não quero que ela ache que a culpa é sua.

Pode dar certo. Posso convencê-la de que a situação está fora do nosso controle, de que tem alguma outra força prendendo a gente na mansão. Isso não vai acalmá-la de jeito nenhum, porque é difícil de entender, mas talvez ela não me culpe no fim das contas. Minha única esperança é não passar o resto desta vida na prisão.

— A gente precisa achar uma corda.

20

Abro a câmera do celular, ponho-o na mesa de cabeceira e aponto-o para Willow. Ela está sentada na cama, calma, de pernas cruzadas e encostada na cabeceira. Suas mãos estão amarradas à coluna próxima de sua cabeça.

Pressiono o botão de gravar e depois me sento ao seu lado na cama.

Esfrego sua mão para tranquilizá-la, porque ela parece nervosa. Depois olho para a câmera do celular.

— Layla, sei que é confuso. Sei que é assustador. Mas preciso que você me escute. — Expiro pela boca. — Tem alguém nesta casa. Alguém que a gente não consegue ver. É algo maior do que nós dois. Ela é mais forte do que a gente. E só vamos poder ir embora depois que eu a ajudar.

Olho para Willow.

— Como você se chama?

— Willow.

— Você representa algum perigo para Layla?

— Não.

— Eu represento algum perigo para Layla?

Willow balança a cabeça.

— Não.

— Eu estou prendendo Layla aqui à força?

— Não. Mas eu estou. Só por mais um dia. — Willow olha para a câmera. — E depois acaba, Layla. Por favor, não fique chateada com Leeds por causa disso. Ele não pode fazer nada.

— O que vai acontecer se Layla tentar escapar? — pergunto.

Ela continua olhando para a câmera quando responde:

— Você não vai conseguir escapar, Layla. É melhor só esperar, com o máximo de calma possível.

Vou até meu celular e paro a gravação.

— Ela vai ficar assustada quando vir isso — diz Willow.

— Ela já está assustada. — Desligo a luz, mas o quarto não fica totalmente na escuridão porque o sol deve estar prestes a nascer. Passamos a noite acordados. Fecho a cortina. — Tente dormir um pouco. Eu lido com Layla quando ela acordar.

Willow assente e encosta a cabeça nos braços, que estão pendurados por causa da corda.

— Vou tentar — sussurra.

* * *

Ela pegou no sono há mais ou menos meia hora. Levei a câmera de segurança do Grande Salão para nosso quarto. Assim posso ficar de olho em Layla caso eu precise descer para o térreo.

Estou sentado numa cadeira perto da cama desde que Willow pegou no sono, mas está sendo difícil manter os olhos abertos. Quero estar aqui do lado quando Layla acordar. Ela vai estar assustada. Apavorada.

Minhas pálpebras estão se fechando quando meu celular apita com uma notificação. Eu me sobressalto na cadeira e olho para Layla. O barulho não a acordou.

É do fórum. Movo os dedos agitadamente pela tela para destravar o celular, e depois clico na notificação para ler a mensagem.

Estou a caminho.

É só o que ele diz na mensagem. Nem pergunta nada. Fico aliviado, mas também não faço ideia do que esperar. De *quem* esperar. De quando esperar.

Fecho os olhos e encosto o celular na testa, soltando uma rajada de ar que vem do que parecem ser pulmões de concreto. Sinto o peso de tudo que aconteceu desde que entrei na sua vida — cada miligrama, como se todas as decisões ruins que tomei tivessem sido comprimidas num bloco de concreto e ele estivesse pesando sobre meu peito.

Layla arfa antes de gritar.

O peso sobre meu peito dobra quando vejo o pânico tomar conta dela.

Seus olhos estão indo de um lado para o outro, agitados. Então ela grita outra vez ao notar que está amarrada à cama. Esfrega um pulso contra o outro para tentar se soltar, mas a corda não se mexe.

Pressiono a mão do lado de sua cabeça para acalmá-la e fazê-la olhar para mim, mas ela está agindo por instinto. Força os tornozelos contra o colchão, tentando se afastar de mim, mas não tem para onde ir.

— Está tudo bem, tudo bem. Não fique assustada — digo, baixinho.

Ela inspira um monte de ar de cada vez, como se não houvesse o bastante no quarto. Está chorando de novo. Cada lágrima que escorre pela sua bochecha é como uma faca perfurando meu coração.

Talvez eu não sinta o mesmo que sentia antes, mas ainda a amo. E apesar do que pode estar parecendo, não quero que nada de mal aconteça com ela.

Há uma certa ironia mórbida nesta situação. Sable provocou muito sofrimento e dor na vida de Layla. E agora, para ajudar Sable, Layla está passando por tudo mais uma vez.

Não vale a pena. Nenhuma parte de mim deveria querer ajudar Sable nem se importar com ela. Mas, do meu ponto de vista, não estou ajudando Sable. Estou ajudando Willow.

Nada disso faz sentido, mas é como se eu não estivesse controlando totalmente minhas escolhas. Não posso estar, caso contrário não tomaria uma decisão de merda como esta.

Eu me deito na cama com Layla e a abraço, porque sei que, por mais assustada que esteja, parte dela precisa de consolo. Ou vai ver sou eu que preciso consolá-la. Seja como for, ponho os braços ao seu redor e a abraço até seu nervosismo passar. Até os gritos e as súplicas e o choro começarem a exauri-la. Até ela finalmente parar por tempo suficiente para que eu possa falar sem interrupções.

— Preciso te mostrar uma coisa. Depois que eu mostrar, você vai entender por que está amarrada à cama.

Ela nem me olha. Continua aos prantos, mas é um choro de desespero, como se eu tivesse perdido a cabeça e ela não pudesse fazer nada a respeito. Abro o vídeo no celular e o ponho na sua frente. Ela desvia o olhar bruscamente, em desafio.

Aperto play, e Layla nem sequer olha para a tela. Certifico-me de que o volume está no máximo para que ela possa escutar minhas palavras em meio às lágrimas. Ela encara o teto e não se mexe até identificar a própria voz.

Ao ouvir a si mesma pronunciar o nome *Willow*, ela volta os olhos para a tela. Testemunha uma lembrança de que não se recorda e assiste ao vídeo em silêncio, aterrorizada.

Depois grita. É um grito diferente de tudo que já ouvi na vida. O som parte meu coração ao meio.

21

Depois do vídeo, Layla ficou apavorada, confusa e ainda mais agressiva em relação a mim. Ela o viu há um dia e meio, mas continua gritando lá em cima. Está com a voz rouca agora. Ela tem pequenos ataques de nervosismo, depois fica com raiva, e em seguida cansada demais para sentir qualquer coisa. Passa por todo esse espectro de emoções de hora em hora.

Willow assumiu o corpo dela só para Layla comer alguma coisa, mas não sabemos quando o homem vai chegar. Ele avisou que estava a caminho, mas saindo de onde? Está quase anoitecendo, e não recebo uma mensagem dele desde ontem. Cada minuto é um a mais em que me sinto péssimo por torturar Layla assim.

Subo para lhe fazer companhia. De vez em quando, venho me sentar ao seu lado para tentar tranquilizá-la. Acho que se ela perceber que estou calmo, talvez fique menos assustada. Quando lhe mostrei o vídeo, ela ficou apenas repetindo:

— *Não sou eu, não sou eu, não sou eu.*

Não quis que ela sofresse mais ainda, então não a obriguei a vê-lo outra vez. Demorei dias para aceitar a possibilidade de Willow existir. Não posso esperar que Layla a aceite de imediato, especialmente enquanto está amarrada a uma cama, presa contra a própria vontade.

Quando abro a porta, ela para de gritar. Mantém o olhar grudado em mim enquanto me aproximo, e se contrai como se eu fosse fazer alguma coisa com ela. Eu me sento na cadeira ao lado da cama e afasto o cabelo dos seus olhos.

— Eu *não* vou machucar você. Estou tentando te ajudar.

Seus olhos estão inchados de tanto chorar.

— Se é verdade, vamos embora — implora.

— Nós vamos.

— Quando?

— Willow só vai deixar a gente ir embora depois que eu a ajudar a conversar com um cara sobre a situação dela. Espero que ele chegue hoje à noite.

— *Willow* quer conversar com ele?

Faço que sim.

Layla ri, mas o som é meio assustador, considerando o momento.

— Willow — sussurra. — *Willow*. Eu me chamei de Willow naquele vídeo. — Ela me lança um olhar. — Você me drogou?

— Não. Willow é um espírito que está preso nesta mansão, e às vezes ela usa seu corpo para se comunicar.

— Um *espírito* — diz ela, num tom seco, como se eu tivesse perdido a cabeça.

— Você viu o vídeo, Layla. Não tem outra explicação para aquilo.

— Vi um vídeo em que você me drogou e me obrigou a dizer coisas que não me lembro de dizer.

Suspiro e me encosto na cadeira.

— Eu não faria isso com você — respondo.

No entanto, a esta altura, não sei mais se sou íntegro o bastante para afirmar isso. Nem se ainda me resta um pingo de integridade, para ser sincero.

— Se você me deixar ir embora, não vou contar para ninguém. Prometo. Não vou falar com a polícia. Só quero sair daqui. Nem preciso usar o carro, posso ir andando.

— Não vou te deixar amarrada para sempre. Assim que o cara chegar e fizer o que tem de fazer, eu solto você.

Seu rosto fica mais sério, e ela desvia o olhar.

Uma luz reflete na parede, chamando nossa atenção para a janela do quarto. A cortina está fechada, então me aproximo e a afasto para o lado.

Há um homem saindo de uma picape branca. Ele é grande... alto, não muito largo, e tem uma barba espessa. Também tem uma espécie de boné na cabeça que parece combinar com a logomarca da sua picape de trabalho. Ele joga o boné dentro do veículo antes de passar a mão no cabelo e olhar a casa. Depois me vê na janela.

Ele assente uma vez e caminha em direção à porta da frente.

— Socorro! — grita Layla, com a voz desesperada e alta, *bem alta*.

— Por favor, fique quieta. — Vou rapidamente até a cama e cubro sua boca com a mão. — Quanto mais quieta você ficar, mais rápido ele vai poder nos ajudar. Preciso que me prometa que vai ficar quieta.

Ela continua gritando na minha mão. Procuro a fita adesiva que trouxe para o quarto ontem, junto com a corda. Não queria fazer isso, mas vai ser necessário. Não posso conversar com o cara lá embaixo enquanto Layla grita a plenos pulmões aqui em cima. Arranco dois pedaços da fita e cubro sua boca com ambos.

Seguro seu rosto entre as mãos com delicadeza.

— Me desculpe *mesmo*, Layla.

Beijo sua testa e saio do quarto.

A campainha toca assim que chego à base da escada.

Abro a porta sem saber o que eu estava esperando, mas com certeza não era este cara. Ele tem uns trinta e tantos anos, ou uns quarenta e poucos. Está com um uniforme e cheira a óleo de motor.

— Peço desculpa pelo cheiro — diz, gesticulando para si mesmo. — Foi o único corpo que consegui encontrar quando cheguei à cidade.

Foi o único… *o quê?*

Ele empurra a porta e passa entre mim e ela. Dá uma risadinha ao ver a expressão no meu rosto.

— Achou que eu fosse como você? — Ele dá uma olhada na entrada da mansão e no Grande Salão. — Bela casa. Dá para entender por que gostam daqui.

Fecho a porta e a tranco.

— Você é como Willow?

O homem se vira para mim e assente, mas depois sua atenção se volta para o topo da escada. Layla está fazendo a cabeceira bater na parede. Não dá para ignorar seus gritos abafados. Conseguimos escutá-los nitidamente, mesmo do térreo.

— Quem é ela?

— Minha namorada. Layla.

— Por que ela está fazendo tanto barulho?

— Precisei amarrá-la à cama.

Ele ergue a sobrancelha.

— Ela vai ser um problema?

Balanço a cabeça.

— Não. Ela está chateada comigo, só isso. Mas não é ela que precisa da sua ajuda. É Willow.

— Onde está Willow?

— Aqui. Mas Layla precisa descansar. Não quero usar o corpo dela ainda, então posso responder tudo até você precisar perguntar coisas mais específicas para Willow.

Ele vai para a cozinha e põe uma maleta de couro em cima da mesa. Depois a abre e tira o gravador.

Eu não sabia que tudo que eu contaria para ele seria gravado.

Minha namorada está amarrada a uma cama lá em cima, e a única coisa que sei sobre este cara é que seu nome de usuário é DesvendeLtda. Agora ele vai gravar tudo que estou prestes a admitir?

— Como vou saber se posso confiar em você? — pergunto, olhando para o gravador.

Ele me encara.

— Você não tem escolha, tem?

22

Já o atualizei sobre tudo de que me lembro, até o momento em que ele se sentou à mesa.

— Então... aqui estamos. O que você aconselha? Como podemos ajudar Sable a se resolver? — pergunto.

— Você parece ter muita certeza de que Sable tem alguma coisa a ver com a história. — O homem volta sua atenção para Willow. — Você já assumiu o corpo de Leeds alguma vez?

— Não. Só o de Layla — diz Willow.

— Acho que devia tentar. Eu gostaria de ver quais são suas lembranças dentro da cabeça dele.

Willow me olha preocupada. Parece até meio incomodada com a ideia.

— Se você não quiser, eu não faço.

— Por mim, tudo bem.

Tudo bem *mesmo*. Topo tudo que ele achar que pode nos ajudar a sair desta situação. Para ser sincero, eu estava curioso para saber como é. O que Layla sente quando isso acontece com ela.

Willow se levanta.

— Se eu entrar em Leeds, não vou estar mais em Layla. A gente vai precisar amarrá-la de novo.

Enquanto subimos a escada até o quarto, uma energia nervosa paira no ar, porque estamos prestes a fazer algo que nunca fizemos antes. Algo que nem sequer passou pela nossa cabeça.

Willow se senta na cama e me olha enquanto pego a corda que ainda está amarrada à coluna.

— Tem certeza disso? — pergunta.

— Não estou escondendo nada, Willow. Não tem problema. Talvez até ajude.

Enrolo a corda nos seus pulsos e começo a amarrá-los.

— Como isso ajudaria?

Dou de ombros.

— Não sei. Mas ele é como você, não como eu. Sabe mais do que nós dois juntos, então a gente precisa confiar nele, só isso. É nossa única opção.

Ela inspira e, ao expirar, sai do corpo de Layla.

Layla apenas se curva, encostada na cabeceira.

— *De novo*, não. Por que isto está acontecendo? — diz, com a voz cheia de frustração.

Seu rosto está com uma expressão de sofrimento. Eu me forço a desviar o olhar.

— Não sei. Mas sinto muito que esteja acontecendo — digo baixinho.

Caminho em direção à porta enquanto Layla me chama, mas não posso ficar escutando suas súplicas. Tranco o quarto e desço de novo.

— Onde devo me sentar? — pergunto ao homem.

Ele gesticula para a cadeira onde eu estava sentado antes.

— Pode ser aí mesmo. — Ele estende a mão. — Me dê seu celular. Vou gravar nossa interação enquanto ela está dentro de você, assim você vai poder ouvir quando acabar.

Empurro meu celular em sua direção, ele o apoia na maleta. Aponta a câmera para mim e começa a gravar. Inspiro, nervoso. Encaro o celular e digo:

— Estou pronto, Willow.

O que sinto dura apenas um segundo.

Um sopro, como uma rajada de vento se movendo pela minha cabeça. É tão rápido quanto um piscar de olhos, mas sei que o tempo passou porque, ao abri-los, ainda estou encarando o celular, mas a duração da gravação mudou. Foi de alguns segundos para mais de três minutos. É como se eu tivesse sido anestesiado para uma cirurgia. Você está acordado e depois está acordado de novo, sem nenhuma lembrança do que aconteceu no ínterim.

— Já aconteceu? — pergunto, olhando para o homem.

Ele está me encarando com os olhos semicerrados, como se estivesse tentando resolver uma equação complicada. Estende o braço e para a gravação.

Ergo as mãos até o queixo, perplexo com a simplicidade do que acabou de acontecer, mas também com a importância disso. Foi uma sensação estranha, mas não totalmente desconhecida. Qualquer pessoa poderia achar que foi apenas um momento de tontura.

Penso em todas as vezes que Willow possuiu Layla. Em como deve ter sido apavorante estar no meio de uma garfada, piscar e de repente encontrar o prato vazio.

Num segundo ela estava lá em cima; no outro, lá fora.

Passo as palmas no rosto, cheio de culpa ao entender como as possessões afetaram a estabilidade mental de Layla. Eu sabia que estavam mexendo com ela, mas, agora que me coloquei em seu lugar, sinto-me pior ainda.

Sem falar que ela continua amarrada como se não significasse nada para mim. Não acredito que tenho deixado Willow fazer isso com Layla.

— O que Willow disse? Quero ver o vídeo — digo.

Ele pega meu celular, mas, antes de entregá-lo, diz:

— Você tem acesso ao histórico médico de Layla?

Tenho, porque a acompanhei em todas as consultas desde que começamos a namorar. Mas não sei por que ele precisaria disso.

— Por quê?

— Eu gostaria de vê-lo.

— Por quê? — pergunto de novo.

— Porque eu gostaria de vê-lo — repete ele.

Este homem não me deu absolutamente nenhuma informação hoje. Só fez uma pergunta atrás da outra, sem oferecer uma única resposta. Suspiro, frustrado, e depois puxo o notebook para minha frente. Levo alguns minutos para fazer o login e acessar o histórico. Depois empurro o computador para ele.

— Você acha que vai nos dar uma explicação em algum momento ou a entrevista unilateral vai durar a noite inteira?

Ele encara a tela atentamente enquanto responde:

— Vá pegar Layla para Willow, vou mostrar o vídeo para vocês dois.

Eu me afasto da mesa com prazer. Subo a escada, tentando imaginar o que tem no vídeo. E por que ele precisa de Willow no corpo de Layla para me mostrar?

Acho que Willow precisa ficar fora de Layla a partir de agora. Não há mais motivo para possuí-la outra vez. Contamos tudo para o homem. Layla já passou por muita coisa.

Parte de mim quer desamarrá-la e deixá-la ir embora para dar um fim ao seu sofrimento, mas o quarto está quieto quando abro a porta. Willow já assumiu o corpo de Layla de novo.

Deve ser melhor assim. Estou me sentindo culpado demais para encarar Layla neste momento.

— Isso que a gente anda fazendo com Layla... não é certo — digo.

Desamarro os nós e afrouxo a corda.

Willow assente, concordando. Quando solto suas mãos, ela enxuga os olhos e, pela primeira vez, percebo que está chorando.

— O que foi? O que você descobriu?

— Não sei o que nada daquilo significa — sussurra, com a voz rouca.

Depois se levanta, passa por mim e sai do quarto. Há urgência nos seus passos. Desço a escada atrás dela, correndo, e, quando chego à cozinha, ela pega meu celular do homem e empurra-o nas minhas mãos, como se não quisesse que eu ficasse nem mais um segundo sem assistir ao vídeo.

Minha mão está tremendo, então apoio o celular na mesa enquanto o vídeo começa.

Eu me vejo na tela, e assim que digo "*Estou pronto, Willow*" na gravação, há uma mudança instantânea em mim. Minha postura enrijece. Meus olhos se abrem. Olho para minha camisa e depois escuto a voz do homem dizer:

— Willow?

Minha cabeça assente.

É tão estranho... me ver fazendo algo que não me lembro de fazer.

Ponho o volume do meu celular no máximo para conseguir escutar a conversa que o homem teve com Willow enquanto ela estava dentro da minha cabeça.

— O que está sentindo? — pergunta o homem para Willow.

— Preocupação.

— Não precisa se preocupar. Só quero explicar algumas coisas. Agora, preciso que você tente enxergar tudo do ponto de vista de Leeds. Consegue acessar os pensamentos dele? As lembranças dele?

Willow assente.

— Quero que volte para o dia em que Leeds e Layla foram baleados. Você tem essa lembrança?

— Tenho.

— Consegue ver aquele dia do ponto de vista dele?

— Isso parece errado. Eu não devia estar dentro dele. É diferente. Eu só quero usar Layla — diz Willow.

— Só mais um minuto, tenho só mais algumas perguntas. O que Leeds sentiu quando escutou o tiro? — pergunta o homem.

— Ele... ficou com medo.

— E o que Sable sentiu?

Willow passa vários segundos sem falar. Em silêncio. Depois responde:

— Eu não sei. Não consigo encontrar essa lembrança.

— Você tem alguma outra daquele momento?

— Não, só a que Leeds tem. Lembro o que aconteceu antes de ele ouvir o tiro, mas não durante.

— O que aconteceu antes?

— Ele estava no quarto com Layla, fazendo a mala para uma viagem.

— E depois? Qual é a próxima lembrança que você tem que não pertence a Leeds?

— Não tem nenhuma depois disso. Todas são de Leeds.

— Tudo bem. Estou quase terminando. Vamos voltar um pouco. Volte para a noite em que Leeds e Layla se conheceram — diz o homem.

— Ok. Essa lembrança eu tenho — diz Willow.

— O que Leeds sentiu na primeira vez que viu Layla?

Ela solta um suspiro calmo. Depois ri.

— Ele achou que eu era uma péssima dançarina.

— Tá. Ótimo. Pode sair dele agora — diz o homem.

Na gravação, meus olhos se abrem e eu encaro a câmera diretamente outra vez. Depois o vídeo acaba.

Bloqueio a tela do celular e me recosto na cadeira.

— Você fez, tipo, três perguntas — digo, gesticulando para o celular. — Como isso pode ter ajudado?

Ele ainda está encarando meu notebook. Willow está atrás de mim, andando pela cozinha e roendo as unhas de novo.

Tudo isso me parece inútil. Estou prestes a desistir e tirar Layla daqui quando o homem olha para Willow e diz:

— Por que você disse que ele achou que você era uma péssima dançarina?

O olhar dela vai do homem para mim.

— Porque foi o que ele achou naquele momento.

— Mas você não disse que *Layla* era uma péssima dançarina. Disse especificamente: "Ele achou que *eu* era uma péssima dançarina." Você se referiu a si mesma como Layla quando estava na cabeça de Leeds.

— Ah. — A voz de Willow é um sussurro fraco. — Não sei. Não consigo explicar.

O homem gesticula para a cadeira dela.

— Sente-se.

Willow se senta.

— De acordo com o histórico médico de Layla, ela precisou ser ressuscitada depois que foi baleada. A primeira vez foi antes de os paramédicos a colocarem na ambulância. A segunda, no hospital.

— Isso. Como te falei, ela correu risco de vida durante uma semana inteira — digo.

— Então ela chegou a morrer por um instante?

Faço que sim.

Ele me lança um olhar questionador.

— Você disse que Layla está diferente desde o ataque. Perda de memória, mudanças na personalidade... consegue pensar em alguma outra coisa que esteja diferente?

— Tudo. Ela foi muito afetada — digo.

— Willow tem características que o fazem lembrar de Layla?

Olho para Willow e depois para o homem de novo.

— É óbvio. Ela está no corpo de Layla quando a gente se comunica, então tem muitas semelhanças.

Ele volta a atenção para Willow.

— O que você achou de assumir o corpo de Leeds?

— Achei estranho — diz ela.

— Acha estranho quando possui o corpo de Layla?

Ela assente.

— Acho, mas... é diferente.

— Diferente como? — pergunta ele.

— É difícil de explicar. Parecia que o corpo de Leeds não era o meu lugar. Ele me pareceu estranho, difícil de controlar. Não foi fácil ficar na cabeça dele.

— Mas você não se sente assim quando está no corpo de Layla?

— Não.

— Acha mais fácil possuir o corpo de Layla?

Willow assente. O homem se inclina para ela.

— Acha... *familiar*?

Willow me olha por um instante, depois volta a encarar o homem e assente.

— Isso. É uma boa descrição.

O homem balança a cabeça, com uma expressão de pura incredulidade.

— Nunca vi nada assim antes.

— Assim como? — pergunto, confuso com o raciocínio dele.

— A situação de vocês é muito peculiar.

— Como assim?

— Eu sabia que era possível, mas nunca tinha visto antes.

Quero arrancar as palavras dele à força.

— Pode falar logo o que está acontecendo, por favor?

Ele assente.

— Sim, sim, vou falar. — Este é o momento da noite em que ele é mais expressivo. O homem se levanta e vai até o lado da mesa da cozinha, inclinando-se sobre ela e nos olhando com atenção. — A morte por tiro costuma ser provocada pela perda excessiva de sangue, então, depois que você atirou, Sable deve ter levado vários minutos para morrer. Naquele mesmo período, Layla *também* morreu. Eram duas almas no mesmo lugar, saindo de dois corpos ao mesmo tempo. Isso significa que, quando o corpo de Layla foi ressuscitado pelos paramédicos, é muito provável que a alma errada tenha entrado nele.

Eu o encaro, incrédulo.

— Está brincando, né? Essa é a melhor explicação que consegue inventar? — pergunto.

— Peço que tenha paciência — diz ele, e depois aponta a cabeça para Willow. — Quando Willow está dentro de Layla, ela se lembra de coisas tanto do ponto de vista de Layla quanto do de Sable. Mas quando estava dentro de você, só conseguiu se lembrar de coisas do seu ponto de vista e do de *Layla*. As lembranças de Sable não entraram no seu corpo junto com ela. — Ele se afasta da mesa e começa a andar pela cozinha. — A dificuldade que sua namorada tem de lembrar das coisas não é por causa dos lapsos de memória. É porque as lembranças não são dela. Ela precisa procurá-las e, mesmo assim, só consegue recuperar alguma quando é induzida a isso. A única explicação lógica é que a alma que está dentro do corpo de Layla desde a noite do ataque *não seja* Layla.

Lógica? Ele acha que me dizer que Layla não é realmente Layla é uma explicação *lógica*?

Para mim, foi um grande passo aceitar que existe vida após a morte. Mas o que ele acabou de dizer está muito além da minha imaginação. *É um absurdo*. Ridículo. Incompreensível.

— Se Sable é Layla, então onde Layla está?

Ele aponta para Willow.

— Ela está bem aqui.

Olho para Willow, confuso demais — ou talvez assustado demais — para aceitar o que este homem insano está tentando nos dizer. Apoio os cotovelos na mesa e pressiono as palmas na testa. Tento desacelerar meus pensamentos.

— O que tornaria isso possível? Por que a alma de Sable escolheria o corpo de Layla, e não o dela? — pergunto.

O homem dá de ombros, e não sei se gosto disso. Acharia muito melhor se ele respondesse com firmeza.

— Talvez a questão não seja onde a alma dela deveria estar, e sim onde *gostaria* de estar. Sable obviamente queria o que Layla tinha, caso contrário não teria feito o que fez. Às vezes, nosso desejo pode ser tão forte que sobrepuja nosso destino.

Pressiono a palma das mãos nos dois lados da cabeça, tentando extrair toda racionalidade que existe nas profundezas do meu cérebro. Preciso de tudo, até a última gota, para ser capaz de entender tamanho absurdo.

Trata-se de um conceito que não consigo assimilar de imediato, mas se tem uma coisa que aprendi desde que cheguei nesta casa é a seguinte: pensar sobre o incompreensível muitas vezes nos leva a acreditar no incompreensível.

Pressiono a palma das mãos na mesa e me recosto na cadeira.

— Se for verdade, não era para Willow ter lembranças quando está fora da cabeça de outra pessoa? Ela não se lembra de nada.

— As lembranças se esvaecem rápido na vida após a morte, especialmente quando você não tem um corpo nem um cérebro a que elas possam estar atreladas. Você só tem sentimentos, mas não consegue conectá-los a nada. É por isso que essas almas são conhecidas como almas *perdidas*.

Willow fica em silêncio durante a explicação do homem. Apenas escuta, o que não é difícil, porque ele continua falando, enchendo minha cabeça com mais informações do que consigo acompanhar.

— Dizemos que são os sobressalentes. Essas almas não têm mais corpo, mas ainda não morreram, então não são consideradas fantasmas comuns. A combinação exata de circunstâncias que permitem esse fenômeno é muito rara, mas já se ouviu falar. Duas almas deixam dois corpos ao mesmo tempo num mesmo lugar. Só um dos corpos é ressuscitado. A alma errada se atrela ao corpo ressuscitado, e a alma certa fica presa, sem ter para onde ir.

Willow põe a palma das mãos na mesa. Inclinando a cabeça de uma maneira curiosa, fala pela primeira vez:

— Se for verdade... e eu for Layla... como foi que vim parar nesta casa? E por quê?

— Quando uma alma deixa o corpo e se recusa a seguir em frente, costuma ir parar em um lugar que era importante para ela durante a vida. Esta mansão não representa nada para Sable, mas é muito importante para você. Foi por isso que sua alma veio para cá quando ficou deslocada. Você sabia que Leeds poderia te encontrar aqui.

Ele acha que a alma de Layla ficou *deslocada*? É um termo muito simples para explicar um fenômeno tão extraordinário. Mas não importa quão simples ou extraordinário seja: nunca quis acreditar tanto em alguma coisa, ao mesmo tempo que torço para cacete para que não seja verdade.

— Você está enganado — digo com firmeza. — Se Layla não fosse Layla, eu teria percebido.

— Você *percebeu* — diz o homem, resoluto. — Foi esse o motivo por que sua paixão por ela começou a diminuir depois da cirurgia. Porque não era a mesma Layla por quem você tinha se apaixonado quando a conheceu.

Eu me afasto da mesa e ando pela cozinha, querendo dar um soco em algo ou arremessar algum objeto. Já passei por tanta coisa. Não preciso que alguém apareça para perturbar minha cabeça mais ainda.

— Que ridículo — murmuro. — Qual é a probabilidade de duas almas trocarem de lugar?

Não sei se minha pergunta foi para Willow, para o homem ou para mim mesmo.

— Já aconteceram coisas mais estranhas. Você mesmo disse que não acreditava em fantasmas antes de voltar para a mansão, mas olha só para você agora — diz o homem.

— Fantasmas são uma coisa. Mas *isto*? Parece mais um filme.

— Leeds — diz Willow. Sua voz está calma. Quieta.

Eu me viro e a encaro.

Encaro-a *de verdade*.

Parte de mim quer acreditar no cara, porque isso explicaria a atração inexplicável que sinto por Willow. Mesmo quando eu achava que ela pudesse ser Sable.

Também explicaria por que Layla parece uma pessoa completamente diferente desde o ataque.

Mas se ele tiver razão, e Willow for Layla, significaria que...

Balanço a cabeça.

Significaria que Layla está morta.

Significaria que é *Layla* que está presa sozinha nesta mansão.

Eu me seguro na bancada, os joelhos bambos. Tento pensar em alguma maneira de contestar a teoria dele. Ou de prová-la. A esta altura, nem sei mais o que quero que seja verdade.

— Preciso de mais provas — digo para ele.

O homem gesticula em direção à minha cadeira, então atravesso a cozinha e volto para a mesa. Tomo um gole de água, sinto minha pulsação latejando na garganta.

— Sabe até que ponto Layla perdeu a memória depois do ataque? — pergunta o homem.

Tento pensar em algo de que ela se lembraria, mas não há muitas opções. Ela não gosta de conversar sobre aquela noite, e eu evito falar demais do passado porque não gosto de lembrá-la de que perdeu a memória. Balanço a cabeça.

— Não. Nunca fiz muitas perguntas, porque me sinto mal. Mas percebi que ela esqueceu algumas coisas. No voo para cá, por exemplo, quando citei o nome da pousada, era como se ela não tivesse ideia do que eu estava falando até que eu a lembrasse.

— Se a alma de Sable assumiu o corpo de Layla, ela teria dificuldade para acessar as lembranças de Layla imediatamente porque as memórias não são suas. Elas estão lá, no cérebro, mas não seriam muito fáceis de conseguir, já que o espírito de Sable não viveu aqueles momentos.

Willow fala:

— Mas Layla não saberia que é Sable? As lembranças de Sable também estão na sua cabeça. Ela teria percebido que estava no corpo errado quando acordou da cirurgia, não?

— Não necessariamente. Como você mesma viu quando estava na cabeça de Layla, as lembranças de Sable são confusas. Pode ser porque, quando uma pessoa morre, normalmente não leva toda a sua identidade consigo.

Observo Willow enquanto ela assimila o que ele está dizendo. Ela parece tão confusa e incrédula quanto eu.

— Talvez ela tenha se sentido deslocada e confusa quando acordou da cirurgia. Pode ter achado estranho até mesmo se olhar no espelho, por não se sentir ligada ao reflexo que via. Toda a confusão que foi associada à amnésia provavelmente estimulou a ansiedade e os ataques de pânico. — O homem tamborila os dedos na mesa por um momento, pensativo. Encaro-os, esperando que ele me apresente mais provas. Ele para de mexer a mão e fixa os olhos em Willow. — Se você for Layla, vai ter lembranças com Leeds que Sable não conseguiria acessar de imediato. — Ele se vira para mim desta vez. — Você notou se Layla teve dificuldade em lembrar de alguma outra coisa, além do nome da pousada?

Tento pensar em qualquer pista possível. Coisas de que Layla não se recordava nos últimos seis meses, e que eu associava à amnésia. Penso nas coisas mais recentes que me vêm à mente.

Eu me viro e olho para Willow.

— Qual é o horário mais mortal do dia?

— Onze horas da manhã — diz Willow de imediato.

Meu corpo enrijece ao escutar a resposta.

Na semana passada, quando o assunto veio à tona, Layla agiu como se não fizesse ideia do que eu estava falando. Mas Willow pode muito bem ter escutado a conversa na cozinha, então isso não prova nada.

— Porra.

Fecho os olhos com força, tentando pensar em alguma outra coisa que tenha escapado à memória de Layla recentemente e que Willow não possa ter escutado.

Penso na conversa que eu e Layla tivemos no Grande Salão na semana passada. Mencionei um livro que estava lendo, mas ela não fazia ideia do que eu estava falando. Depois mudei de assunto e não cheguei a citar o título, então Willow não saberia qual é.

— Que... que livro eu estava lendo na noite em que era para eu ter viajado para...

Willow me interrompe.

— *Confissões de uma mente perigosa*. Era sobre um apresentador de TV que alegava ser um assassino. — Layla não conseguia se lembrar de nada disso na semana passada. — Você me disse que prefere ler no formato digital porque os livros físicos ocupam muito espaço na mala.

Assim que ela diz isso, eu me viro e a olho.

Parece que todas as peças do quebra-cabeça estão começando a se encaixar, e não sei se quero cair no chão de tão aflito ou abraçá-la. Mas antes de fazer qualquer coisa... tenho mais uma pergunta.

— Se você é Layla... vai saber responder. — Minha voz está temerosa. Esperançosa. — Qual foi a primeira impressão que você teve de mim?

Ela dá um suspiro trêmulo.

— Parecia que você estava morrendo por dentro.

Não consigo me mexer. É demais.

— Puta merda.

Ela se inclina para a frente e agarra a própria testa.

— Leeds. Todas as lembranças de você e Layla se conhecendo aqui... o beijo na piscina, a música que tocou para ela... era *eu*? Essas lembranças são *minhas*?

Não consigo dizer nada. Apenas a observo tentar assimilar a informação da mesma forma que eu estou tentando.

Penso nos últimos meses da minha vida. Em como senti que tanta coisa tinha mudado em Layla, como se ela tivesse se tornado outra pessoa depois da cirurgia.

E tinha mesmo.

Era uma pessoa completamente diferente. Toda sua personalidade mudou. O que eu sentia por ela mudou. E agora, parando para pensar, existem até semelhanças entre a Layla que acordou da cirurgia e a Sable com quem eu saía. Sable tinha bulimia, e Layla ficou alucinada pelo próprio peso. Sable era obcecada por redes sociais e... por mim, e Layla ficou obcecada pela expansão do meu perfil no Instagram. Sable sofria de vários transtornos mentais e, à medida que os dias se passavam, *Layla* parecia estar começando a sofrer dos mesmos transtornos. E no dia em que chegamos à mansão, eu sabia que tinha sido Layla que dera um soco no espelho. Não entendi por que fez aquilo, mas eu *sabia* que tinha sido ela.

Quando Layla acordou da cirurgia, não era mais a mesma garota por quem eu tinha me apaixonado.

Mas tudo que eu amava em Layla nos primeiros meses em que a gente se conheceu são exatamente as mesmas coisas que comecei a notar em Willow. A personalidade, o humor, o jeito brincalhão, o beijo tão familiar, os fatos estranhos e aleatórios. Eu costumava dizer a Layla que ela era uma versão mórbida da Wikipédia.

Essa também foi uma das coisas que reconheci em Willow e que gostei nela.

O que me faz pensar em outra lembrança que devia ter sido uma pista óbvia.

— Na cama, lá em cima — digo para Willow. — Na noite em que você viu *Ghost*, eu falei "Você é tão esquisita". Mas também disse isso assim que te conheci porque... estava fascinado e encantado por você. E depois, quando conheci Willow, ela me pareceu tão familiar e...

Não consigo terminar a frase porque parece que o bloco de concreto que esmagava meu peito acaba de ser removido.

Não sinto mais que estou menos apaixonado por Layla, porque passei esse tempo todo me apaixonando por ela em Willow.

Layla é Willow. E agora, olhando para ela, não sei como não percebi isso antes.

Seguro seu rosto entre as mãos.

— É *mesmo* você. Fiquei esse tempo todo me apaixonando de novo por *você*. A mesma garota por quem me apaixonei quando vi dançando que nem uma boba no gramado do pátio.

Ela ri da lembrança — uma lembrança que é sua. Uma lembrança que é nossa. Uma lembrança que não pertence a Sable.

Uma lágrima escorre pela sua bochecha, e eu a enxugo. Depois, puxo Willow para perto de mim. Ela me abraça. Só agora percebi o quanto eu estava morrendo de saudade dela. Muita saudade. Saudade dos dois primeiros meses que passamos juntos. Saudade de Layla desde a noite em que foi baleada.

Desde aquele momento, sinto um vazio constante dentro de mim, e há muito tempo me sinto culpado por isso. Por achar que a tinha perdido, quando na verdade ela estava bem na minha frente. Eu me sentia culpado até mesmo pela maneira como Willow me lembrava Layla.

Agora a culpa sumiu. Agora eu entendo. Toda decisão que tomei... todo sentimento que Willow despertou em mim... tudo tinha uma explicação. A minha alma já estava apaixonada pela dela. Esse é o motivo por que senti uma atração inexplicável por este lugar. Por Willow. Mesmo quando eu achava que ela era Sable, a atração ainda existia e me deixava confuso.

Agora tudo faz sentido.

Pressiono meus lábios nos seus e a beijo. Beijo *Layla*. Assim que ela me retribui, sinto tudo que eu costumava sentir ao beijá-la. Tudo que eu achava que tinha perdido. Está bem aqui. Sempre esteve aqui.

Continuo tocando seu rosto entre os beijos, impressionado por finalmente perceber. Esse é o motivo por que havia uma diferença tão grande sempre que Willow assumia Layla. O motivo por que Willow parecia mais à vontade e confiante no corpo de Layla. Era porque ele sempre foi dela, e nunca de Sable. Sable parecia se sentir muito desconfortável dentro dele desde que acordou da cirurgia.

Willow está sorrindo em meio às lágrimas quando diz:

— Isso explica por que eu fiquei tão aliviada quando você chegou, Leeds. Foi porque eu estava sentindo sua falta, mesmo que não conseguisse me lembrar de você.

Ela me beija de novo e não quero soltá-la nunca mais.

Mas algo acaba nos separando: o barulho da porta da frente se fechando.

Olho por cima do ombro e percebo que o homem não está mais na cozinha.

Nós dois saímos correndo em direção à porta da frente.

— Espera aí! — digo, correndo atrás dele. O homem está entrando na picape quando o alcanço. — Aonde você está indo?

— Vocês não precisam mais de mim. Encontraram sua resposta.

Balanço a cabeça.

— Não, não encontramos. Você precisa consertar a situação. Sable continua no corpo errado, e Layla, presa no nada. — Gesticulo para Layla. — Troque as duas de lugar.

O homem me olha com pena.

— Eu encontro as respostas, mas nem sempre isso significa que existam soluções.

Tento me manter calmo, mas quero estrangulá-lo depois de ouvir a resposta.

— Está de brincadeira, né? E o que a gente deve fazer? Tem que existir algum jeito de consertar isso!

Ele liga a picape e fecha a porta. Abaixa o vidro da janela e se inclina para fora.

— Só uma alma pode reivindicar um corpo para si. Sim, Layla pode entrar no antigo corpo dela, mas apenas temporariamente. Como uma possessão. Você nunca vai conseguir fazer Sable sair do corpo de Layla. Pelo menos, não até ela morrer. Mas quando isso acontecer, as duas vão estar mortas. — Ele começa a fechar a janela, mas bato agitado no vidro. Ele o abaixa até a metade. — Olhe só, sinto muito que isso tenha acontecido com vocês. De verdade. Mas acho que vão ter que encontrar um jeito de viver assim até os três seguirem em frente, definitivamente.

Dou um passo para trás.

— É *esse* o seu conselho? Deixar Sable amarrada a uma cama pelo resto das nossas vidas?

Ele dá de ombros.

— Bem, se quer saber minha opinião, Sable fez isso com ela mesma. — Ele engata a marcha a ré. — Talvez você deva deixar Sable ir embora, e aí você fica aqui com o espírito de Layla.

Sinto tanta raiva do conselho que chuto a porta da picape, deixando-a amassada. Chuto-a outra vez. Quero gritar.

Ele abaixa todo o vidro da janela, inclina-se sobre ela e vê o amassado.

— Ah, não faz isso com a picape do Randall. Ele já vai ficar confuso o bastante quando acordar no trabalho sem se lembrar do que aconteceu durante metade da noite. — Ele põe o boné novamente e começa a sair de ré. — Humanos morrem a todo momento, e nem sempre eles morrem do jeito certo. Tenho muita gente para ajudar. — Ele levanta a mão. — A gente se fala pela internet. Vou adorar saber como vocês dois vão se resolver.

Ele faz a curva com a picape.

Nós o olhamos em silêncio até ele ir embora. Até ficarmos só nós dois.

Ele realmente veio só para nos dar respostas. Nada mais, nada menos.

Estou tomado por uma frustração que não pode ser amenizada, mas parece que, ao mesmo tempo, há um entendimento. É como se o fio de cabelo que estava sufocando meu coração finalmente tivesse se partido. Agora, ele está batendo descontrolado, naquele ritmo desregulado que só a presença de Layla é capaz de provocar.

Um *plic* e um BUM.

— Layla? — sussurro.

— Oi.

Eu me viro para ela.

— Nada. Só queria dizer seu nome.

Puxo-a para perto. Abraço Layla por vários minutos enquanto ficamos em silêncio no jardim em frente à mansão. Não estou abraçando Sable, nem Willow, nem uma versão falsa de Layla.

Estou abraçando *Layla*.

Talvez eu não tenha uma solução. Não sei o que vou fazer para ela poder ficar nos meus braços para sempre, mas, neste momento, ela está comigo. E vou garantir que não passe nem mais uma noite sozinha neste lugar.

23

Na última hora, o clima na mansão mudou drasticamente. Passamos os dez primeiros minutos nos beijando, nos abraçando e nos deleitando com o fato de que nosso amor conseguiu, de alguma maneira, transcender diferentes planos.

Agora sabemos por que a alma de Layla veio parar neste lugar. Apesar disso, as respostas também trouxeram mais milhões de perguntas e uma angústia inesperada.

Não consigo nem sofrer direito ao pensar que Layla, na verdade, morreu... afinal, ela está aqui comigo. Mas não está.

Parece que Layla voltou para mim, mas de uma maneira terrível. Eu me sinto mais distante dela do que nunca, mesmo que estejamos juntos no quarto e que ela esteja nos meus braços.

Eu me sinto impotente.

Seu rosto está sobre meu peito, e não fazemos ideia do que fazer. Não quero lidar com Sable, mas se Layla dormir, é o que vai acontecer. Estou zangado demais para isso.

— Acha que Sable sabe? — pergunta Layla, afastando-se para me olhar.

Balanço a cabeça.

— Não. Acho que ela deve estar tão confusa quanto você. Ela tem lembranças que não consegue explicar, que não pertencem ao corpo em que ela está.

— Deve ser assustador. Acordar no hospital com memórias contraditórias. Reconhecer Aspen e minha mãe, mas sem saber direito de onde, e depois escutar que são parentes...

Seguro as bochechas de Layla com ambas as mãos.

— Não sinta pena dela. Ela causou toda essa situação. Nada disso teria acontecido com nenhuma de vocês se ela não tivesse aparecido lá em casa querendo nos machucar — digo.

Layla assente.

— Vai contar para ela o que aconteceu? Vai contar que ela é Sable?

— Provavelmente. Ela merece saber por que está amarrada.

— Quando vai contar?

Dou de ombros.

— Acho que quanto mais rápido ela souber, mais rápido vamos conseguir encontrar uma solução. Espero.

— E se ela quiser ir embora?

— Ela vai. Sem dúvida.

— Você vai deixar ela ir embora?

Balanço a cabeça.

— Não.

As sobrancelhas de Layla se erguem de preocupação.

— A gente não pode deixá-la aqui à força. Se alguém descobrir, você pode ir para a cadeia.

— Ela não vai sair daqui com seu corpo. Ele é seu.

— É, mas vai dizer isso para a polícia — diz Layla.

— Ninguém precisa saber. Mas ela só vai embora quando a gente descobrir um jeito de consertar tudo isso.

Layla segura a nuca e se afasta de mim.

— Você ouviu o homem. Ele disse que não tem jeito.

— Também disse que é raro. Talvez ninguém tenha encontrado uma solução ainda porque não acontece com tanta frequência. Vamos ser pacientes, pesquisar. A gente vai dar um jeito, Layla.

Abraço-a de novo, na esperança de acalmá-la, mas é difícil quando sei que ela pode sentir meu coração disparado contra seu peito.

Estou tão preocupado quanto ela. Talvez mais.

— Acho que você devia contar para Sable agora. Se ela perceber o que fez, de repente para de te enfrentar e ajude a gente a resolver isso — diz Layla.

Layla sempre enxergou o que cada um tem de melhor.

O problema é que não sei se Sable é uma pessoa boa o bastante para querer nos ajudar. Afinal, é por causa dela que chegamos a este ponto.

— Tudo bem. Mas preciso te amarrar primeiro — digo.

Layla vai para a cama. Depois que a amarro, diz:

— Sei que você está com raiva dela, mas não seja maldoso.

Faço que sim, mas não é uma promessa.

Raiva é um eufemismo.

Layla fecha os olhos e inspira. Quando seus olhos se abrem e percebo que não é Layla que está me encarando, só o que sinto é ressentimento. Não fico com remorso ao vê-la começar a chorar baixinho. Não sinto culpa ao vê-la implorar para que eu a desamarre. Sento-me na beirada da cama, perto dos seus pés, e apenas a encaro.

Pelo menos desta vez, ela não está descontrolada nem gritando. Talvez a gente consiga até conversar sobre a situação.

— Vai me deixar ir embora? — pergunta.

— Quero te perguntar umas coisas primeiro.

— E depois você me deixa ir?

— Deixo.

Ela assente.

— Tudo bem, mas... pode me desamarrar antes? Estou dolorida. Faz horas que estou nesta posição.

Ela foi amarrada há um minuto. Não percebe que passa boa parte do tempo andando livre por aí.

— Depois que você responder às minhas perguntas, eu desamarro.

Ela se ajeita na cama para se sentar um pouco mais longe de mim. Puxa os joelhos para perto e me olha nervosa.

— Você parece zangado. Por que está zangado? — pergunta, baixinho.

— O que você lembra da noite em que foi baleada?

— Você sabe que não gosto de falar desse assunto.

— Por quê? Porque não se lembra da mesma maneira que eu?

Ela balança a cabeça.

— Não. Porque não me lembro de nada.

— Não é totalmente verdade. Acho que se lembra de uma maneira que parece confusa para você — digo.

Ela balança a cabeça.

— Não quero falar desse assunto.

Continuo falando, apesar de ela suplicar para que eu pare.

— Sei o que está acontecendo dentro da sua cabeça. Você diz que tem amnésia, mas eu não tenho tanta certeza. Acho que você só tem mais dificuldade de acessar as lembranças de Layla, porque elas estão misturadas com outras. É por isso que... às vezes... quando menciono alguma coisa do passado, você não se lembra de cara. É como se precisasse procurar a lembrança. Desenterrar.

Vejo que ela segura a respiração.

Eu me inclino para a frente e a olho direto nos olhos.

— Às vezes você não sente que tem lembranças demais? Lembranças que nem são suas?

Seu lábio inferior começa a tremer um pouco. Ela está assustada, mas está tentando disfarçar.

— Você se lembra de abrir a porta para Sable naquela noite?

Ela assente.

— Lembro.

— Mas também se lembra de ser a pessoa que *bateu* à porta.

Seus olhos se arregalam.

— Por que você está dizendo isso? — pergunta ela de imediato.

— Porque... você é Sable.

Ela me encara por um longo momento.

— Você enlouqueceu?

— Suas lembranças são confusas porque você está no corpo errado.

O olhar dela se torna ameaçador.

— Acho bom você me soltar agora, senão vou mandar te prender num piscar de olhos, Leeds. Vou mesmo. Não fique achando que vou te perdoar por isso.

— Você sabia esse tempo todo que talvez fosse Sable?

— Vá se foder — sibila. — Me solta.

— Por que deu um soco no espelho do banheiro quando a gente chegou? Você vê o rosto de Sable às vezes quando se olha no espelho?

— *É óbvio* que vejo o rosto dela às vezes! Ela *atirou* em mim, Leeds! Tenho transtorno de estresse pós-traumático!

Ela não negou que deu um soco no espelho.

— Não tem. É uma lembrança sua de verdade.

— Você está parecendo um lunático.

Mantenho a voz estável ao dizer:

— Você atirou em mim. E em Layla. Eu sei que você se lembra de atirar.

Ela balança a cabeça.

— Eu atirei em *Layla*? EU SOU Layla!

Balanço a cabeça.

— Sei que é confuso, mas você não é Layla. Só tem acesso a algumas lembranças dela porque está na cabeça dela. Quando te dei um tiro, você morreu. E quando você deu um tiro em Layla, *ela* morreu, mas só por alguns segundos. Foi tempo o bastante para que sua alma fosse parar no corpo errado, e a alma de Layla acabar ficando presa nesta mansão.

Agora ela está chorando.

— Você está me assustando — diz, com a voz baixa. — Não faz sentido. Eu *sou* Layla. Como pode achar que não sou Layla?

Eu até começaria a listar as provas, mas são muitas. Em vez disso, tento pensar em uma pergunta que somente Layla seria capaz de responder de imediato. Uma a que ela já tenha respondido, mas que Sable teria que se esforçar para lembrar.

— Que música cantei para você na noite em que a gente se conheceu?

Ela diz:

— Eu... isso faz muito tempo.

— Que música cantei para você? Tem três segundos para me responder.

— "Lembra de mim"?

Ela diz o nome da música como se fosse uma pergunta.

— Não. Cantei "Eu parei". Layla se lembra disso.

— Pare de falar de mim como se eu não fosse Layla. Que *loucura*.

Ela se afasta mais para o outro lado da cama, como se estivesse tentando fugir.

Entendo que ela esteja com medo de mim. Se alguém tivesse tentado me explicar isso um mês atrás, eu não conseguiria acreditar. Tento soar o mais sensato possível, pois sei que ela está me achando o oposto de sensato neste momento.

— Não posso esperar que você leve menos tempo do que eu levei para aceitar isso, mas é a verdade. Talvez você demore um pouco, e também precise de provas, para entender totalmente. Então me desculpe, mas não posso deixar você ir embora ainda. Não antes de tentar resolver a situação de Layla.

— Mas *eu sou* Layla — sussurra Sable, ainda tentando se convencer de que isto não está acontecendo.

Olho para trás.

— Layla, pode assumir.

Espero alguns segundos e então vejo a mudança.

Layla abre os olhos e relaxa as pernas, mas sua expressão está tensa. Parece estar prestes a chorar. Não sei se é porque agora ela tem certeza de que é Layla ou se é porque está se sentindo mal por Sable.

Eu me aproximo e desamarro suas mãos. Quando seus pulsos são livres, ela se lança para a frente, me abraça com força e começa a chorar.

É neste momento que tudo se torna real. Saber que é difícil para Sable acessar minhas lembranças com Layla — lembranças que são latentes na mente de Layla — eliminou qualquer sombra de dúvida que ainda existisse.

Layla agarra a parte de trás da minha cabeça e pressiona a bochecha na minha. Sua voz está cheia de medo quando diz:

— Por favor, me ajude a achar um jeito de voltar.

Fecho os olhos.

— Não vou parar de lutar por você até resolvermos isso. Prometo.

24

Estou lavando o cabelo de Layla no chuveiro. Nós dois juntos neste boxe é uma cópia quase idêntica da manhã seguinte após nos conhecermos. Mas desta vez estamos em silêncio. Não faço nenhuma pergunta a ela porque sinto como se minha necessidade de obter respostas tivesse nos trazido apenas tristeza. Eu me pergunto se Layla não se arrepende de eu ter aparecido na mansão. Se eu não tivesse vindo, ela não saberia que nunca tinha pertencido ao seu plano. Não saberia o quanto isso é injusto.

Não saberia que talvez não seja possível voltar.

Nem dormimos ontem. Passamos horas buscando soluções na internet e folheando livros sobre paranormalidade no Grande Salão. Não encontramos nada até agora, apesar de termos ficado procurando até duas horas depois da alvorada.

Hoje é um novo dia. Depois de uma dormida muito necessária, vamos recomeçar tudo. Eu me recuso a deixar Layla ficar sem esperanças quanto a esta situação.

Quando termino de enxaguar seu cabelo, dou um beijo no topo de sua cabeça. Com um suspiro, ela relaxa o corpo no meu, de costas para mim, e deixamos a água quente bater em nós enquanto ficamos parados em silêncio. Não é romântico. Não é sexy.

Estamos tristes, só isso.

— O corpo dela está exausto — diz Layla.

— O corpo não é dela, é seu.

Ela se vira e me olha. Seus olhos estão vazios e cansados. Ela precisa dormir, mas agora que sabe que pertence mais a este corpo do que ao plano espiritual, não gosta da ideia de voltar para o nada. Layla me disse que isso a assusta.

Fiquei arrasado.

Não quero que ela deixe Sable assumir, mas é inevitável. É a única maneira de seu corpo se recuperar.

— Tome dois soníferos. Talvez ela fique um bom tempo dormindo — digo.

Layla assente.

Saímos do banho, e eu pego dois comprimidos para ela. Layla os toma com um gole de água e depois vai para a cama. Fecho as cortinas *blackout* para que a luz solar não entre. Eu me deito ao seu lado, mas desta vez não hesito em puxá-la para perto. Finalmente ficar na cama com ela parece normal novamente.

Quer dizer, tão normal quanto a situação permite.

Continuo esperando acordar deste pesadelo. Não gosto de pensar nos últimos meses e em todos os sinais que estavam bem na minha frente. Fico me sentindo ignorante — como se minha mente fechada de alguma maneira tivesse nos atrapalhado. Nunca acreditei em fantasmas ou espíritos, mas, caso acreditasse, será que teria percebido que Layla não era mesmo Layla?

Será que existem outras pessoas no mundo, como Sable, que acham que estão sofrendo de algum tipo de amnésia que embaralha as lembranças, quando na verdade só não estão no corpo em que deveriam estar? São apenas espíritos presos no corpo errado.

— Leeds.

Layla sussurra meu nome, mas mesmo assim sinto o peso em sua voz.

— O que foi?

Ela encosta a cabeça no meu ombro.

— Acho que só tem um jeito de consertar isso.

— Como?

Ela inspira fortemente e, ao exalar, diz:

— Você vai ter que me matar. E depois torcer para cacete para conseguir me trazer de volta. — Fecho os olhos com força, tentando afastar suas palavras de mim. Nem quero escutá-las, mas ela continua falando. — Se eu morrer por tempo suficiente para Sable sair do meu corpo, de repente minha alma pode voltar antes que você me ressuscite.

— Pare — digo de imediato. — É arriscado demais. Muita coisa pode dar errado.

— A gente não pode viver assim para sempre.

— Pode, sim.

Ela se afasta do meu ombro e me encara com os olhos cheios de lágrimas.

— É exaustivo. Não posso viver assim para sempre. E você quer mesmo manter uma garota presa no segundo andar pelo resto da sua vida?

Não quero. É muito sofrido, mas é melhor do que pensar que Layla pode morrer.

— A solução não é essa.

— E viver *assim* é? Ela só dorme quando a gente a dopa, e depois eu sinto os efeitos colaterais. Estou cansada. *Você* está cansado. Se esse é o único jeito que eu posso existir com você... prefiro não existir — diz Layla.

Ela está chorando, e eu não aguento. Não quero vê-la chateada, mas meu lado egoísta prefere vê-la chateada a não a ver nunca mais.

— Se a gente tentar e der errado, eu nunca me perdoaria. Não posso viver sem você, Layla.

— Pode, sim. Foi o que você fez nos últimos sete meses.

Olho incisivamente para ela.

— E fiquei destruído, porra.

Ela me encara com seriedade. Depois, como se estivesse com pena, põe a mão na minha bochecha e me beija. Seu beijo é delicado, mas também melancólico. Não sei o que fazer com ele.

É uma tortura beijá-la enquanto ela sofre, pois sei o que está se passando na sua cabeça. Ela acha que a morte é a resposta.

Já eu tenho medo de que a morte seja o fim.

— Não quero mais falar sobre isso — digo.

— Vamos ter que fazer alguma coisa, e logo. Enquanto ainda tenho energia.

— Eu não vou topar fazer isso.

Layla desce os dedos pelo meu braço até encontrar minha mão. Ela a entrelaça na minha

— Pode ser que dê certo, Leeds. Se a gente planejar direitinho, vai dar certo.

— Como pode ter tanta certeza?

— Porque... — Ela beija minha mandíbula. — Eu te amo mais do que Sable. Eu *vou fazer* dar certo.

Quero acreditar nela. Mas e se não der certo? E se eu não conseguir ressuscitá-la? Se seu corpo morrer de vez, é provável que seu espírito morra junto.

E o que eu faria depois? Como explicaria a morte dela para a polícia? Para sua família? Para Aspen?

Layla ergue a mão para alisar minha testa franzida.

— Fique calmo. A gente pode se preocupar com os detalhes depois que acordar — diz.

Faço que sim, pois tudo que quero é afastar esses pensamentos. Quero pensar somente em Layla.

Passo os dedos com delicadeza sobre seus lábios, e ela me olha com a mesma expressão que vi no seu rosto quando estávamos deitados na grama na noite em que nos conhecemos. Um pouco antes de eu perguntar por que ela era tão linda.

Meus dedos tocam as sardas espalhadas pela ponte do seu nariz.

— Por que você é tão linda? — sussurro.

A lembrança a faz sorrir.

Era disso que eu estava com saudade. Destes momentos com Layla. Das lembranças silenciosas que compartilhamos... dos olhares que trocamos. Nós sentimos uma conexão imediata na noite em que nos conhecemos. Uma conexão tão forte que me trouxe de volta para este lugar, para ela, quando eu nem sabia que estava à sua procura. Uma conexão que me *manteve* aqui mesmo quando eu estava convencido de que Willow era Sable.

Layla me beija de novo, mas desta vez o beijo não para. Ele dura tanto que meus lábios parecem inchados no momento em que a penetro.

Ela se enrosca em mim com firmeza enquanto fazemos amor. Fico de olhos abertos o tempo todo, impressionado pelo quão diferente é agora que ela está de volta. É exatamente como antes. Intenso, perfeito e cheio de vontade.

Quando acaba e Layla está nos meus braços, percebo que talvez ela tenha razão.

Nós nos encontramos uma vez... quando nos conhecemos.

Depois nos encontramos outra vez... depois que ela morreu.

Então acredito em nós dois o suficiente para confiar que vamos conseguir nos encontrar uma terceira vez.

25

Layla passou os últimos dois dias planejando meticulosamente a própria morte.

Já eu passei os últimos dois dias tentando encontrar outras soluções.

Infelizmente, não achei nenhuma.

Ela está ficando mais fraca. Quanto mais tempo assume Sable, menos Sable descansa. E quando Layla sai do seu corpo tempo suficiente para que Sable durma, ela dorme pouquíssimo — somente enquanto os remédios fazem efeito, e mesmo assim não dura muito.

Sable continua tentando escapar, então seus pulsos estão ainda mais machucados. As marcas estão chamativas demais para serem disfarçadas. Ela segue com as bandagens, mas fico preocupado porque Aspen e Chad devem voltar para a mansão hoje e não sabemos como esconder os hematomas de Layla. Agora, ela está vestindo uma das minhas camisas de manga longa porque não havia nenhuma roupa sua que cobrisse os pulsos.

Espero que Aspen não perceba as bandagens.

Espero que Aspen não perceba *nada*.

Layla está com as pernas no meu colo, e estamos distraídos vendo TV quando escutamos o carro deles chegar. Não estamos realmente prestando atenção na TV, só queremos parecer normais, que é o que a gente vai tentar fazer pelas próximas vinte e quatro horas enquanto Aspen e Chad estiverem aqui.

Layla se levanta e puxa as mangas da camisa para baixo. Ela as prende debaixo dos dedões e vai para a porta. Eu a sigo.

Aspen já está espiando pela porta quando chegamos à entrada da mansão. Escancaro a porta e pego a mala de Aspen. Assim que ela cruza o batente, Layla a abraça.

O abraço me pega de surpresa. Não é um cumprimento casual. Layla a abraça com força, como se estivesse com saudade. Deve estar mesmo. Na última vez que Aspen esteve com a gente, ela ficou confusa. Achava que todos seus sentimentos pertenciam a outra pessoa, então não deve ter percebido que a afeição que sentia por Aspen era real.

— Oi, oi — diz Aspen, rindo com a ternura de Layla, que a solta. Aspen inclina a cabeça para o lado e a olha, curiosa. — Você parece exausta.

Layla dá de ombros.

— Fiquei uns dias doente. Agora estou me sentindo muito melhor — mente, sorrindo com animação.

Chad me cumprimenta com a cabeça e pega a mala de Aspen.

— Diz que tem cerveja, por favor. Faz doze horas que estou dirigindo, preciso de uma.

Ele vai em direção à escada para levar as malas até o quarto onde costumam ficar, mas Layla estende o braço e acompanha Chad para o corredor.

— Hoje vocês vão ficar no quarto do térreo. O banheiro lá de cima está quebrado — diz Layla.

Ela está mentindo, mas não sei por quê. Ajudo Chad a levar as coisas até o quarto do térreo. Depois nos reunimos todos na cozinha enquanto ele procura algo para beber.

— O que a gente vai jantar? Que cheiro bom — diz.

Layla e eu preparamos um guisado mais ou menos uma hora atrás. Em meio a tudo que anda acontecendo, foi uma boa distração. Consegui curtir alguns dos nossos momentos juntos nos últimos dias, apesar das circunstâncias. É difícil não ficar o tempo todo pensando na realidade da nossa situação, mas, nas poucas vezes que nos ocupamos de outra coisa, é bom lembrar como tudo costumava ser entre a gente. Antes de Sable.

— Tem um guisado no fogo. Está quase pronto — diz Layla, que olha para Aspen. — Como foi a viagem para o Colorado?

Aspen sorri, mas é um sorriso nitidamente forçado. Ela e Chad se entreolham.

— Foi interessante. Dois pneus furados, uma lanterna traseira quebrada e seis horas desperdiçadas enquanto a gente esperava numa vala — diz Aspen.

— As horas não foram desperdiçadas — diz Chad, erguendo a sobrancelha para Aspen.

Ela dá um sorrisinho, e já deu de conversa.

* * *

— Ela parece diferente.

Eu me viro ao escutar a voz de Aspen. Achei que eu estava sozinho na cozinha.

— Como assim? — pergunto com cautela.

— Melhor. É como se eu finalmente tivesse minha irmã de volta. Foi uma boa ideia trazê-la para cá. Acho que ajudou.

Solto sutilmente um suspiro de alívio.

— Ah, é. É mesmo, ela está muito melhor.

— Mas parece cansada. E perdeu peso.

Faço que sim.

— Estou de olho. Ela pegou uma gripe na semana passada, como te contou.

— Uma gripe? — pergunta Aspen, inclinando a cabeça para o lado. — Ela acabou de me dizer que foi uma intoxicação alimentar.

Merda.

No futuro, Layla e eu precisamos combinar melhor as mentiras.

Faço que sim.

— Ah, sim. Também. Foi uma semana de merda.

Pego o celular e Aspen me acompanha enquanto saio da casa e vou até onde Layla e Chad estão.

Layla está sentada à mesa do terraço, perto de um aquecedor externo que liguei depois do jantar. Chad está sentado na beira da piscina, com os pés dentro da água. Aqueci a piscina ontem, quando soubemos que eles viriam.

Vou até Layla e beijo o topo da sua cabeça antes de me sentar ao seu lado. Ela pega minha mão e sorri para mim.

Passamos a próxima meia hora fingindo que nosso mundo não está de cabeça para baixo. Rimos das piadas de Aspen e de Chad, forçamos uma aparência relaxada, e até planejamos fazer uma viagem de carro com eles daqui a dois meses.

Uma viagem que sabemos que não vai acontecer se não encontrarmos uma maneira de resolver nossa situação.

E enquanto estou sentado aqui, entendo por que Layla está disposta a arriscar a própria existência para ter sua antiga vida de volta — é porque ela não tem uma enquanto está presa nesta casa, à mercê de Sable.

Não podemos correr o risco de ir embora enquanto Layla for apenas uma ocupante temporária do próprio corpo. E como seria sua vida se eu a obrigasse a continuar com o esquema atual?

Ela seria uma visitante deste mundo... ainda à mercê de Sable. Nunca poderíamos sair da mansão, nem sequer para a viagem que acabamos de planejar com Aspen e Chad para daqui a dois meses.

A vida dela seria esta aqui. Exausta, presa.

Sou arrancado dos meus pensamentos quando Layla dá uma gargalhada.

De vez em quando, eu me pego a encarando intensamente, mas é fascinante vê-la ser ela mesma, mesmo que esteja forçando. Em alguns momentos — numa fração de segundo aqui e ali — esqueço que este não é o nosso normal.

Não é. Passar um tempo com a irmã dela nunca vai ser normal. Sempre vai ter de ser meticulosamente planejado. Ela nunca vai poder sair da mansão com Aspen.

Nem mesmo as visitas dos dois poderiam ser normais. Quando Chad e Aspen forem dormir hoje, Layla vai ter que dar um jeito de passar a noite em claro para impedir que Sable assuma, ou eu vou ter que dar um jeito de manter Sable calada caso ela acorde enquanto Chad e Aspen ainda estão aqui.

Acho que esse é o motivo por que Layla colocou Aspen e Chad no quarto do térreo. Assim, se Sable assumisse por um momento enquanto eles estão na mansão, Layla talvez conseguisse voltar para dentro dela a tempo de os dois não escutarem o alvoroço.

— Layla me contou que você fez uma oferta para comprar a propriedade, né? — pergunta Aspen, olhando-me.

Eu devo ter me distraído, pois não sei de onde essa pergunta veio.

Faço que sim.

— Fiz, na semana passada. A gente deve fechar o contrato em breve.

— Espero que vocês saibam que a gente vai vir visitar o tempo todo. Wichita não fica tão longe, e tenho saudade daqui. — Ela olha para Layla. — Tenho saudade até de você — diz, com um jeito brincalhão.

Layla sorri, estende o braço e aperta a mão de Aspen.

— Você não sabe o quanto eu também estava morrendo de saudade de você. Não vejo a hora de tudo voltar ao normal.

As palavras são meigas, mas Aspen não faz ideia do duplo sentido por trás delas.

Layla está de costas para a piscina, então não percebe quando Chad sai da água e vai para a parte funda. Ele se afasta até ficar a uns três metros da borda, depois tira a camisa e começa a correr em direção à água. Ele salta, com os braços ao redor dos joelhos, e berra logo antes de cair com um baque na água.

O corpo inteiro de Layla se sacode com a agitação inesperada atrás dela.

Quase imediatamente, vejo a mudança. Agora é como se eu conseguisse perceber o momento exato em que ela sai do seu corpo.

Fico paralisado ao perceber que Sable assumiu. O barulho inesperado da piscina deve ter assustado Layla, como na noite em que o raio iluminou a cozinha.

Sable arregala os olhos e olha por cima do ombro, enrijecendo a postura. Ela se levanta de repente, derrubando a cadeira.

— Que mer...? — Ela olha para os próprios braços e depois para a mansão. — Como foi que eu vim parar aqui fora?

Eu me levanto de imediato e tento me posicionar entre ela e Aspen, mas Sable dá um passo rápido para trás.

— Não se atreva a chegar perto! — grita ela para mim.

Merda.

Aspen se levanta.

— Layla? O que aconteceu?

Sable continua se afastando de mim com o dedo apontado em minha direção, enquanto olha agitada para Aspen.

— Ele está me drogando! E não quer me deixar ir embora! — Balanço a cabeça, pronto para me defender, mas antes que eu possa abrir a boca, Sable ergue a manga da camisa, revelando a bandagem no pulso. — Ele me deixa amarrada!

Eu avanço para detê-la, mas antes que a alcance, seu braço cai ao lado do corpo e seus olhos se fecham. Fico parado na sua frente e agarro seus ombros, tentando mantê-la fora do campo de visão de Aspen. Layla inspira devagar e abre os olhos com calma. Vejo o medo tomar conta do seu rosto.

— O que aconteceu? — diz Aspen, com a voz mais alta e cheia de pânico. — Como assim ele está te drogando?

Aspen se posiciona entre Layla e eu à força, separando a gente. Segura o rosto da irmã e tenta fazer com que olhe para ela, e não para mim.

Ponho as mãos na cabeça e recuo. Não faço ideia de como Layla vai explicar o deslize.

Layla arregala os olhos como se estivesse tentando encontrar uma saída. Não sei o que dizer. Aspen olha por cima do ombro e me encara como se eu fosse um monstro.

— Foi só... uma brincadeira — diz Layla de um modo nada convincente.

— Hã? Quê? — diz Aspen.

Chad está se aproximando, com a calça jeans deixando pocas de água pelo caminho.

— O que está rolando?

Aspen aponta para Layla.

— Ela... ela acabou de dizer que Leeds a está drogando. E que ele a deixa amarrada.

— Foi brincadeira — diz Layla, olhando para os dois e tentando explicar o surto. Está forçando um sorriso, mas o ar está cheio de tensão.

— Que brincadeira mais esquisita — diz Chad.

— Não acho que seja brincadeira. Mostre seu pulso de novo — pede Aspen.

Layla prende a manga sob o dedão e afasta a mão.

— É só uma piadinha interna. — Ela me olha. — Conte para ela, Leeds.

Não sei o que dizer. A esta altura, Aspen não vai acreditar em uma palavra que sair da minha boca. Mesmo assim, concordo com a cabeça e me aproximo de Layla enquanto ponho a mão na sua cintura.

— É verdade. É só uma piadinha interna e meio estranha que a gente tem. Ninguém mais acha graça.

Aspen, incrédula, encara Layla. Depois leva as mãos à testa, como se não soubesse interpretar o que aconteceu no último minuto. Balança a cabeça, confusa. Em dúvida.

— Vamos lá para dentro, Layla — diz, estendendo a mão para a irmã.

Layla apenas encara a mão e balança a cabeça.

— Aspen, sei que foi estranho. Foi mal. Às vezes faço coisas que não consigo explicar... por causa da lesão cerebral. Achei que seria uma piada engraçada. Não foi.

Aspen observa o rosto da irmã... à procura de um sinal. De um pedido silencioso de ajuda, talvez.

— Que maluquice da porra — diz, depois passa ao nosso lado e vai para dentro da mansão.

Chad vê Aspen entrar, em seguida toma o resto da cerveja e enxuga a boca com as costas da mão.

— Vocês são estranhos — diz, logo antes de ir atrás de Aspen.

Agora estou sozinho com Layla.

Ela cobre o rosto com as mãos.

— Não acredito que isso acabou de acontecer.

Eu a abraço.

— Eles vão deixar para lá.

Ela balança a cabeça com firmeza.

— Aspen não vai. Vi o olhar dela. Ela não confia mais em você. — Layla encosta o rosto no meu peito. — A gente não pode continuar fazendo isto, Leeds. Quero que isto acabe.

Faço que sim, mas apenas porque quero que ela relaxe. Eu concordaria momentaneamente com qualquer coisa só para acalmá-la.

— Hoje à noite. Quero que seja hoje à noite.

Balanço a cabeça.

— Não, por favor.

— Vai ser hoje à noite.

Sua voz está decidida. Suas palavras são definitivas.

Sinto como se estivesse afundando na piscina. Meus pulmões parecem cheios de água. Limpo a garganta.

— E como a gente faria com sua irmã aqui?

Como se estivesse planejando desde sempre, ela responde de imediato:

— Acho que me afogar seria o jeito mais fácil. A gente tem que cronometrar tudo perfeitamente. Você precisa ter certeza de que meu coração parou antes de começar a me ressuscitar.

Eu me afasto dela e começo a andar de um lado para o outro na borda da piscina.

— Não sei se me sinto à vontade com isso. Nem sei fazer reanimação cardiopulmonar.

— Aspen é enfermeira.

— Ela não vai topar — respondo.

Layla se aproxima de mim e fala baixinho:

— Ela não precisa topar. A gente finge que não foi planejado, que foi um acidente. Assim que meu coração parar de bater, você grita o nome dela. Eu me certifico de deixar uma das janelas do quarto deles aberta, assim ela te escuta. E se não escutar, é só correr para a janela e acordá-la.

Foi por isso que ela colocou os dois no térreo.

— Já tinha planejado isso?

Layla está com um olhar firme.

— Não me julgue. Você não faz ideia do que estou enfrentando.

No seu rosto há um sofrimento imensurável que nunca vi antes. Nem sei como argumentar diante de tanta dor.

Ela tem razão. Não faço ideia do que ela está enfrentando. Nem vou fingir que faço. A esta altura, só posso amá-la o bastante para tentar confiar no seu instinto.

— E se eu não conseguir te ressuscitar logo? O que acontece se a ambulância levar seu corpo antes de você voltar para ele?

— Não deixe eles levarem. Garanta que é Aspen quem vai me ressuscitar.

— E como você tem tanta certeza de que ela vai saber o que fazer?

— Ela é enfermeira. Salva vidas todo dia.

Não gosto disso.

— E se der certo? E se a gente conseguir ressuscitar seu corpo, como vamos saber que Sable não vai voltar no seu lugar?

— Não vou deixar ela voltar, Leeds.

Layla fala com tanta convicção que não posso fazer outra coisa a não ser confiar nela. Puxo-a para mim e apoio o queixo no topo de sua cabeça. Pela primeira vez desde que descobri que fantasmas existem... estou apavorado.

— Eu te amo.

Suas palavras são abafadas pelo meu peito quando ela diz:

— Também te amo. Demais. É por isso que sei que vai dar certo.

26

Já se passaram duas horas desde que subimos para nos preparar para o afogamento de Layla.

Duas horas desde que comecei a sentir que meu mundo pode estar prestes a acabar.

Ela planejou tudo. Até anotou instruções e está me fazendo estudá-las como se eu fosse fazer a porra de uma prova na universidade.

1. Me segure embaixo da água até eu não me debater mais.
2. Confira minha pulsação. Quando ela parar, ligue para a emergência de imediato.
3. Acorde Aspen.
4. Comece a reanimação cardiopulmonar.
5. Lembre-se que você tem apenas cinco minutos para salvar minha vida.

Deixo o papel cair na cama. *Cinco minutos.* Não aguento mais reler as instruções.

— Precisa de mais tempo para repassar as instruções? — pergunta Layla.

— Eu precisaria de anos para me sentir preparado.

Ela ergue a mão e toca o lado da minha cabeça.

— Sei que você está com medo. Também estou. Mas quanto mais a gente continuar fazendo isto, mais fraca vou ficar. Precisamos tentar consertar a situação agora, antes que aconteçam mais deslizes. Antes que Aspen comece a suspeitar mais ainda. — Ela pega a folha de papel e a dobra. Vai até o banheiro, joga-a na privada e dá descarga. Quando volta para o quarto, pega meu notebook e o põe no lado dela da cama. Depois pigarreia. — Escrevi uma carta de suicídio. Acho importante ter uma, só para garantir.

Cubro o rosto com as mãos.

— Carta de suicídio? — Não consigo falar baixo. — Como está tão calma? Você acabou de escrever uma carta de *suicídio*, Layla.

— Não quero que você leve a culpa se não der certo. Escrevi um e-mail e o programei para daqui a quatro horas. Você sabe meu *login*. Se eu não sobreviver... é só deixar o e-mail ser enviado. Mas se eu sobreviver, você apaga. Porque ele vai para todo mundo, Leeds. Você, Aspen, minha mãe...

Sua voz está neutra — quase mecânica —, como se ela estivesse totalmente separada da realidade.

Layla agarra minha mão, querendo que eu me levante. Querendo que eu a acompanhe.

Os próximos minutos parecem surreais. Eu a sigo enquanto ela sai do quarto, desce a escada e vai para o pátio.

Ela entra calmamente na água. Há tanto da nossa primeira noite neste momento. A primeira vez que nos falamos foi nesta piscina. Nosso primeiro beijo também.

Por que tenho a sensação de que talvez nossa despedida final vá ser na piscina?

Minha pulsação está disparada. Não consigo respirar. Talvez ela não tenha assimilado o que estamos prestes a fazer, mas eu fui totalmente consumido pela realidade.

Layla está de pé no meio da piscina, no mesmo lugar onde a vi boiando de costas na noite em que nos conhecemos. E, por um milagre, seu rosto está com a mesma expressão. Serena.

— Preciso que você entre na água comigo, Leeds.

Percebo que ela está mantendo a calma porque sabe que, se não o fizer, vou convencê-la a desistir. Vou *me* convencer a desistir.

Mas ela tem razão. Precisa ser agora, antes que ela fique ainda mais fraca pela falta de sono.

Hesitante, entro na piscina. A água está morna quando mergulho os pés, e me dou conta de que ela me pediu para ligar o aquecedor ontem não para que a gente pudesse nadar, mas com este propósito.

Nosso olhar está fixo um no outro enquanto vou até ela.

Quando chego no meio, preciso fechar os olhos porque finalmente vejo um indício de medo em sua expressão. Ela passa os braços na minha cintura e pressiona o rosto no meu peito.

— Sei que você não quer fazer isso, Leeds. Mas quero minha vida de volta. Preciso dela de volta. — Sua voz está trêmula. — Toda vez que saio do meu próprio corpo, é como se meu coração se partisse outra vez.

Beijo o topo de sua cabeça, mas permaneço em silêncio. Não conseguiria dizer nada mesmo que quisesse. O medo na minha garganta está muito espesso.

— Escute — diz ela, guiando meu olhar ao seu. — Preciso deixar Sable assumir. É melhor que ela esteja assustada e confusa quando o coração dela parar. Porque assim eu vou estar alerta e a postos.

Layla tem razão. Vai estar em vantagem se ficar esperando aqui perto.

— Quando eu sair dela, Sable vai entrar em pânico assim que acordar e perceber que está dentro da piscina com você. É aí que você deve agir. Enfie o corpo dela debaixo da água e segure. Não deixe Sable subir para respirar, por mais que você se sinta apavorado ou culpado.

Imagino o que Sable vai sentir ao ser afogada sem saber o motivo. Ela vai ficar apavorada. Vai resistir. E eu vou ter que arranjar um jeito de ignorar o fato de que estou afogando o corpo de Layla enquanto mato Sable pela segunda vez.

— Ei — diz Layla, com a voz compassiva e suave. Ela me olha como se soubesse exatamente o que estou pensando. Ela sempre sabe. Entende meus pensamentos como se fossem sussurrados na sua mente assim que surgem para mim. — Você não vai tirar a vida de Sable, Leeds. Vai salvar a minha. Você consegue.

Eu precisava ouvir isso para seguir em frente. O que está em jogo é o que é merecido, e não o que é moral.

— Tudo bem. Você tem razão. Eu consigo. *Nós* conseguimos.

— Ótimo. Ok. — Ela inspira um pouco, tomada pelo medo. — Está preparado?

Balanço a cabeça com firmeza, afinal, quem estaria preparado para fazer algo assim? Seguro seu rosto entre as mãos e nos entreolhamos. Ela está com medo, seus lábios estão trêmulos. Quando suas mãos pousam no meu peito, sinto seus dedos tremerem.

Eu devo isso a ela. Layla foi obrigada a passar muito tempo aqui sozinha, esperando alguém de quem ela nem se lembrava. Encosto a testa na sua, e fechamos os olhos. Quando ficamos assim tão perto, sinto uma conexão inquebrável que nem sequer a morte seria capaz de destruir. Estamos atados para sempre, e se eu não fizer isto da maneira certa — se eu a perder —, esse laço vai se tornar uma corda ao redor do meu coração, apertando-o até que ele pare.

Beijo-a. Beijo-a intensamente, e não quero parar, porque e se este for o nosso último beijo?

Beijo-a até sentir o gosto das lágrimas. De nós dois.

Beijo-a até ela me obrigar a parar.

Ela encosta a testa no meu peito e suspira. Sinto sua tristeza.

— Amo você — diz.

Eu a abraço forte e pressiono a bochecha no topo de sua cabeça.

— Eu amo *você*, Layla.

— Obrigada por ter me encontrado — sussurra.

E depois se vai.

Não estou mais abraçando Layla, e sim Sable. Sinto a mudança pelo jeito como ela se debate nos meus braços e depois afasta a cabeça do meu peito, de olhos arregalados.

Cubro sua boca com a mão antes mesmo que ela possa gritar.

Talvez o que me dá forças seja o ressentimento que sinto por ela, ou o fato de eu querer que Layla volte para mim mais do que quero minha própria vida, mas vou em frente. Enfio Sable embaixo da água. Para mantê-la submersa, preciso usar todo meu corpo. Prendo-a entre minhas pernas. Meus dedos agarram seu cabelo para que eu tenha alguma margem de manobra.

Ela se debate na água... arranha meus braços e meu peito. Faz de tudo para escapar, para respirar, mas está gritando enquanto está submersa e seus pulmões se enchem de água rapidamente.

Encaro o céu, porque vou acabar parando se olhar para ela. Não seria capaz de ver o rosto de Layla e continuar o que estou fazendo. Embora eu saiba que é Sable quem está por trás desses olhos neste momento, se eu os encarasse, tudo que veria seria uma Layla apavorada. Fecho os olhos com força e a seguro com mais força ainda.

Espero e espero e espero que ela pare de resistir. Parece que não vai ter fim. Começo a contar enquanto a mantenho submersa. Aos 118 segundos, ela finalmente para de se debater.

E mesmo quando acho que acabou, Sable tenta me agarrar de novo, com os dedos à procura de alguma salvação.

Ela agarra meu pulso esquerdo e o aperta com pouquíssima força.

Depois... não sinto nada.

Os gritos debaixo da água pararam há vários segundos. Seu cabelo começa a deslizar entre meus dedos. Mantenho os olhos fechados e prendo a respiração até ter certeza de que não sobrou nenhum ar em seus pulmões. Depois, abaixo a vista devagar.

Seu cabelo está cobrindo o rosto, então o afasto. Ela está de olhos abertos, mas eles não estão olhando para mim. Não estão olhando para nada. Estão sem foco. Sem *vida*.

É então que fico em pânico.

Puxo-a para cima até tirar sua cabeça da água, e é óbvio que Sable não está mais no corpo. Mas Layla também não.

Um urro escapa da minha garganta quando vejo os olhos sem vida de Layla. Seus braços estão moles. Ponho as mãos debaixo dela e começo a deslizá-la até os degraus da parte rasa.

— Aspen! Socorro! — grito.

É quase impossível movê-la com tanta rapidez quanto eu imaginava. A parte de trás de suas pernas se arrastam nos degraus e depois no concreto. Quando finalmente ponho Layla deitada de costas ao lado da piscina, pego meu celular. Ligo para a emergência.

— Aspen! — grito.

Inicio a reanimação cardiorrespiratória exatamente como Layla me ensinou, mas parece que estou fazendo tudo errado.

O celular está ao meu lado. Quando alguém atende, começo a gritar o endereço para o aparelho enquanto tento ressuscitar Layla.

Cinco minutos.

É tudo que temos.

— Cinco minutos — sussurro.

Seus lábios estão azuis. Ela não parece estar voltando. Preciso de Aspen porque não sei se estou fazendo certo.

Mas não quero sair do lado de Layla.

— Aspen! — grito de novo.

Antes mesmo que eu termine de dizer seu nome, Aspen se ajoelha perto de mim.

— Afaste-se! — grita, tirando-me do seu caminho.

Caio para trás e vejo Aspen inclinar Layla para o lado para desobstruir suas vias aéreas. Depois, ela a coloca deitada outra vez e começa a compressão torácica.

Chad também está aqui. Ele pega meu celular e começa a falar com o atendente da emergência. Dou a volta em Aspen e vou para perto da cabeça de Layla. Eu me inclino para a frente e seguro sua cabeça.

— Você consegue, Layla. Volte, por favor. Por favor. Não vou conseguir ficar sem você. Volte, volte, volte — imploro.

Ela não volta. Está tão sem vida quanto estava quando a arrastei para fora da piscina.

Estou chorando. Aspen está chorando.

Mas Aspen não para de tentar salvá-la. Faz tudo que pode. Tento ajudar, em vão.

Parece que já se passaram mais de cinco minutos.

Parece que já se passou uma eternidade, porra.

Uma vez, pensei que os minutos pareciam mais valiosos quando eu estava com Layla, mas eles nunca foram tão valiosos quanto agora, ao tentarmos salvar sua vida.

Aspen está ficando mais nervosa, o que me faz pensar que ela sabe que é tarde demais. Que se passou muito tempo. Será que eu mantive o corpo de Layla submerso por tempo demais?

Será que eu fiz isso?

Parece que estou afundando... me fundindo com o concreto. Estou apoiado nos joelhos e nos cotovelos, com as mãos firmemente unidas atrás da cabeça. Nunca senti tanta dor física na vida.

Por que a deixei me convencer? A gente poderia ter encontrado uma maneira de viver assim. Preferiria sofrer ao lado dela a existir sem ela.

— Layla — sussurro.

Será que ela consegue me escutar? Se ela não está em seu corpo, será que ainda está aqui? Vendo isso? Me vendo?

Escuto um gorgolejar.

Imediatamente, Aspen vira a cabeça de Layla para o lado. Vejo a água escorrer da sua boca para o concreto.

— Layla! Layla! — grito.

Mas seus olhos não se abrem. Ela continua inconsciente.

— Eles vão chegar em oito minutos — diz Chad, abaixando o celular.

— Não vai dar tempo — murmura Aspen.

Ela volta a massagear o peito da irmã. E, mais uma vez, Layla começa a engasgar.

— Layla, volte, volte — suplico.

Aspen agarra a mão dela para conferir a pulsação. Enquanto espero a resposta, parece que todos os sons do mundo foram automaticamente silenciados.

— Senti uma pulsação. Está bem fraca.

"Você tem apenas cinco minutos para salvar minha vida."

Na mesma hora, deslizo as mãos por baixo dos braços de Layla e começo a erguê-la.

— O que está fazendo? — pergunta Aspen, com a voz cheia de pânico.

— A gente precisa ir encontrar a ambulância! Anda! — grito.

Chad me ajuda a carregar Layla para o jardim. Nós a colocamos no banco de trás do meu carro, e Aspen e Chad entram depois dela. Aspen fica com a mão no pulso de Layla para conferir sua pulsação enquanto saio rapidamente da mansão.

— Mais rápido — diz Aspen.

Não posso ir mais rápido. Estou pisando no acelerador até o fim.

Tenho a impressão de dirigir por muitos quilômetros, mas na verdade devem ter sido apenas uns três antes de encontrarmos a ambulância. Assim que vejo as luzes dela subindo a colina, começo a piscar os faróis. Piso no freio no meio da estrada para que a ambulância seja obrigada a parar por nossa causa.

Ajudo Chad e Aspen a arrastar Layla para fora do carro. Ela continua sem vida.

Os paramédicos trazem uma maca e colocam Layla na ambulância, mas quando começo a entrar, Aspen me agarra e me empurra para trás. Ela passa na minha frente e entra. Quando meus olhos encontram os seus, ela está me encarando como se eu fosse um monstro.

— Fique longe da minha irmã, porra.

As portas se fecham.

A ambulância vai embora, veloz.

Eu caio de joelhos.

27

Já se passaram trinta e oito minutos desde que a tirei da água. Estou andando de um lado para o outro na sala de espera.

Chad está a alguns metros de distância, ao telefone, provavelmente tentando falar com Aspen. Não a vemos desde que chegamos na emergência. Ele precisou me tirar do meio da estrada e dirigir até aqui. Eu estava muito desolado.

Ninguém consegue nos dizer nada.

Trinta e *nove* minutos.

Quarenta.

Chad desliga. Eu me aproximo correndo, torcendo para que ele tenha conseguido falar com Aspen. Ele apenas balança a cabeça.

— Ela não atende. Deve ter deixado o celular na mansão.

Faço que sim e volto a andar de um lado para o outro. Vejo meus pés se moverem pelo chão, mas parece que estou flutuando. Que não estou me movimentando de verdade. Tudo parece um sonho.

Um pesadelo.

— O que ela estava fazendo na piscina?

Eu me viro ao escutar a voz de Aspen. Ela está parada atrás de mim, encarando-me de olhos semicerrados. Suas bochechas estão manchadas e com marcas de lágrimas.

— Ela está bem? — pergunto.

Aspen balança a cabeça, e meu coração parece que derrete e escorre pela caixa torácica.

— Não sei de nada. Eles não me deixaram entrar. Por que ela estava na água, Leeds? — pergunta Aspen, com um olhar acusador.

Chad se aproxima dela e põe o braço ao redor dos seus ombros. Ele tenta levá-la para uma cadeira, mas ela o afasta e se volta para mim.

— Por que ela estava na *piscina*, porra?!

Seu grito chama a atenção de todos na sala. Ela está muito nervosa. Irada. Acha que eu fiz isso com a irmã dela.

— Não sei — minto. — Mas não fiz isso com ela.

Os olhos de Aspen se abaixam e se fixam nos meus braços. Ela apenas os encara, e o modo como o faz me obriga a seguir seu olhar. Quando desvio a vista para baixo, vejo que meus braços estão cobertos de arranhões. De unhadas que arrancaram sangue. Sangue *recente*.

Olho de volta para Aspen assim que ela começa a chorar compulsivamente. Chad é forçado a segurá-la. Ele a leva para uma cadeira, mas, enquanto é afastada de mim, ela grita:

— Por quê? Por que você fez isso com minha irmã?

Não há nada que eu possa dizer ou fazer para convencer Aspen do contrário. Aconteceram coisas demais hoje para que ela ache que sou inocente.

E se Layla não sobreviver... eu também não sobrevivo. Porque ninguém nunca vai aceitar a verdade. Há um mês, eu também não teria aceitado.

Mesmo que Layla sobreviva, não gosto da ideia de Aspen nunca mais confiar em mim.

Chad está fazendo o que pode para consolá-la, mas ela está muito nervosa. Eu me aproximo e me ajoelho na frente dela.

— Aspen — falo com a voz baixa e firme. — Ela teve uma convulsão na piscina. Eu estava tentando ajudá-la, mas não consegui sozinho. Não consegui manter Layla fora da água, então chamei você. Não fiz isso com ela.

Ela não acredita. Posso ver a desconfiança no seu olhar.

— Por que mais cedo Layla disse que você a estava deixando amarrada? Por que ela diria isso? — pergunta Aspen.

Abro a boca para tentar explicar, mas não tenho resposta. Fecho-a e minha mandíbula fica tensa.

— Leeds? — diz uma voz atrás de mim.

Eu me levanto e me viro na mesma hora em que Aspen salta da cadeira. Há um médico parado na entrada da sala de espera.

— Leeds Gabriel? — diz.

É óbvio que me sinto aliviado por não precisar mais me explicar para Aspen, pois nem sei o que diria, mas estou morrendo de medo de que este homem esteja aqui para dar uma notícia que não estou preparado para ouvir. Dou um passo à frente.

— Ela está bem?

O médico empurra a porta atrás de si para abri-la.

— Ela está te chamando.

Não sei como encontro forças para dar um passo sequer, pois suas palavras me deixaram sem ar. Mas, de algum jeito, consigo atravessar a sala, a porta e o corredor, e entro em um quarto onde Layla está deitada, coberta com uma manta, com o cabelo ainda molhado sobre os ombros.

Paro de andar ao entrar no quarto, porque não sei exatamente o que vou encontrar. É difícil de saber só de olhar para ela.

É Layla?

Aspen passa na minha frente e corre para o leito. Está chorando. Abraçando-a.

Mas Layla não está olhando para Aspen. Está olhando diretamente para mim.

Seu rosto não expressa nenhuma emoção. Não tenho como saber se estou encarando Layla ou Sable. Quero acreditar que é Layla, porque *sinto* que é Layla. Mas estou assustado demais para confiar no meu instinto neste momento

Preciso escutar a voz dela.

— Layla? — Minha voz sai num sussurro, como uma pergunta.

Uma única lágrima cai do seu olho e escorre pela sua bochecha. Ela assente... de leve.

— Leeds, sabe o que está parecendo? — diz.

Balanço a cabeça.

Ela abre um sorriso.

— Parece que você está morrendo por dentro.

Essa frase é a única prova de que preciso. Corro para ela, colocando-me entre Aspen e o leito. Abaixo a grade, me deito ao seu lado e a abraço enquanto ela me segura. Beijo-a sem parar, cubro de beijos seu rosto, suas mãos, o topo de sua cabeça. Ela está chorando, e também rindo.

— A gente conseguiu — diz.

Suspiro, pressionando minha bochecha na sua.

— A gente conseguiu, Layla.

Enxugo as lágrimas na sua bochecha.

— Diga de novo. Diga meu nome de novo.

— Layla — sussurro. — Layla, Layla, Layla.

Ela me beija.

Layla me beija.

Layla.

Epílogo

Depois dessa experiência, Layla e eu temos apenas uma certeza: não temos certeza de *nada*.

Esta vida e seja lá o que venha depois dela estão além da nossa compreensão, então nem tentamos. Só o que podemos fazer é valorizar o fato de termos conseguido uma segunda chance. E, nesta segunda chance, estamos fazendo de tudo para garantir que não precisemos de uma terceira.

Não sabemos se Sable partiu para outro plano ou se, agora, seu espírito está preso em algum lugar que tenha a ver com uma lembrança minha, então Layla e eu decidimos que seria melhor recomeçar. Por completo.

Nunca mais voltamos à pousada em Lebanon, Kansas. Não voltamos nem mesmo para nosso apartamento temporário no Tennessee. Quando Layla recebeu alta do hospital, fomos direto para o aeroporto e perguntamos o destino do próximo voo disponível.

Foi assim que viemos parar em Montana.

Nenhum de nós esteve aqui antes, o que nos dá uma certa tranquilidade. Ficamos algumas semanas num hotel até fecharmos o contrato de uma casa. Fizemos questão de que fosse nova. Achamos que seria melhor comprar um imóvel que não tivesse nenhum passado. Assim, haveria menos probabilidade de encontrarmos alguma entidade de outro plano.

Talvez a casa seja maior do que a gente precisava, mas percebi que seria o nosso lar assim que Layla a viu pela primeira vez e ficou boquiaberta. A propriedade tem cinco hectares de colinas suaves e, do pátio, vista para as Montanhas Beartooth.

É uma casa peculiar e moderna, diferente de todas as outras da região. Tanto que parece um pouco deslocada em meio a toda natureza que nos cerca. Acho que gostamos dela porque nos lembra de como nos sentimos no mundo agora — como se não nos encaixássemos, porque estamos vivendo com um grande segredo que não podemos contar para ninguém.

Se tentássemos, não saberíamos nem por onde começar. As pessoas pensariam que perdemos a cabeça. Layla acha que não dá para contar a experiência nem mesmo para Aspen. Tem medo de que ela fique achando que sua lesão cerebral é pior do que pensávamos a princípio.

Vou levar muito tempo para reconquistar Aspen. Ela não confia em mim depois de tudo que aconteceu, e, agora que eu trouxe Layla para uma casa isolada em Montana, está ainda mais preocupada com a irmã. Vou reconquistá-la um dia. Estou confiante. Layla é minha alma gêmea em todos os planos de existência.

* * *

Layla e eu passamos os últimos dias organizando a casa. Como não trouxemos nada, o que mais fizemos foi comprar móveis e todas as outras coisas que estavam faltando e que não tínhamos.

Estamos exaustos. Mais cedo, assim que começou a anoitecer, nós nos jogamos numa cadeira no terraço. Estamos há meia hora sentados sem falar nada, apenas escutando a música que toca no aparelho Alexa.

Layla está aconchegada em mim, com o braço sobre minha barriga e a cabeça no meu ombro. Estou com a mão em seu cabelo, mexendo nos seus cachos, quando uma das minhas músicas começa a tocar.

Deve ser uma das playlists de Layla.

Imediatamente, ela se anima e abre um sorriso.

— É a minha preferida — diz.

E está falando sério. Ela escuta tanto minhas canções que estou começando a enjoar da minha própria voz.

Layla fica de pé e começa a se balançar ao som da música, fazendo charme. Ela gira, erguendo os braços para cima e dançando na minha frente.

— Alexa, volume máximo — diz.

A música fica mais alta, e ela fecha os olhos para continuar dançando. Está fora do ritmo e seus movimentos não são nada graciosos.

Layla continua sendo uma péssima dançarina. Foi a primeira coisa que notei nela... e com certeza é a última que eu mudaria.

Agradecimentos

Foi muito divertido explorar um gênero em que nunca tinha me aventurado antes, apesar de eu ter me assustado algumas vezes. Quero agradecer àqueles que deram uma chance a este livro, mesmo que não curtam paranormalidade. Precisei expandir muito minha imaginação, mas é isso o que amo na escrita.

Muito obrigada à minha agente Jane Dystel e a todos da agência literária Dystel, Goderich & Bourret, que trabalham duro para colocar meus livros nas mãos dos leitores. Agradeço demais a cada um de vocês.

Obrigada a toda a equipe da Montlake Publishing. Tem sido um sonho trabalharmos juntos, e não vejo a hora de muitos outros livros nascerem.

Também gostaria de agradecer a toda a equipe do Goodreads. Nós, escritores, temos muita sorte de ter uma plataforma dedicada aos livros, e é sempre um prazer trabalhar com vocês e ser tratada com tanta receptividade.

Obrigada às minhas primeiras leitoras: Tasara Richardson, Maria Blalock, Melinda Knight, Anjanette Guerrero, Vannoy Fite, Lin Reynolds, Brooke Howard, Karen Lawson e Susan Rossman. Vocês sempre leem as piores versões e mesmo assim continuam pedindo para recebê-las. Obrigada por tudo que fazem por estes livros.

Obrigada a Stephanie e Erica, minhas duas meninas do peito. Sem vocês, eu não estaria vivendo meu sonho. Temos o melhor trabalho do mundo.

Obrigada a todos que trabalham ou são voluntários no Bookworm Box e no Book Bonanza. Fico muito agradecida por tudo que vocês fazem para garantir o sucesso dessas duas instituições de caridade.

MUITO obrigada a todos os membros dos Cohorts e às maravilhosas administradoras: Pamela Carrion, Chelle Lagoski Northcutt, Kristin Phillips, Laurie Darter, Murphy Rae e Stephanie Cohen.

Obrigada à minha família maravilhosa. Minha mãe, meu marido, minhas irmãs, meus meninos.

Porém, mais do que tudo, agradeço a você, leitora, por ler este livro. O ano de 2020 foi desafiador para o mundo inteiro, então obrigada por continuar recorrendo à arte em busca de consolo.

Este livro foi composto na tipografia Adobe Caslon Pro, em corpo 11/16, e impresso em papel off-white no Sistema Cameron da Divisão Gráfica da Distribuidora Record.